T3-BNX-945

DIE GRENZE
DER MACHBAREN WELT

BEIHEFTE DER ZEITSCHRIFT FÜR RELIGIONS- UND GEISTESGESCHICHTE

HERAUSGEGEBEN VON

ERNST BENZ

Marburg (Lahn)

XVIII

DIE GRENZE DER MACHBAREN WELT

HERAUSGEGEBEN VON

ERNST BENZ

LEIDEN
E. J. BRILL
1975

DIE GRENZE
DER MACHBAREN WELT

Festschrift der Klopstock-Stiftung
anlässlich ihres 20-jährigen Bestehens

HERAUSGEGEBEN VON

ERNST BENZ

LEIDEN
E. J. BRILL
1975

ISBN 90 04 04343 8

PRINTED IN THE NETHERLANDS

INHALTSVERZEICHNIS

VORWORT

Die team-Arbeit hat sich in der Wissenschaft von heute immer mehr durchgesetzt, vor allem im Bereich der interdisziplinären Forschung. Das vorliegende Werk stellt einen besonderen Fall einer solchen interdisziplinären Forschungsarbeit dar. Normalerweise ist die Zusammenarbeit von Gelehrten, die sich zur Bearbeitung einer bestimmten Forschungsaufgabe zusammenfanden, mit dem Abschluß dieser Forschungsarbeit beendet. Im vorliegenden Falle handelt es sich jedoch nicht um ein ad hoc einmalig zusammenberufenes team, sondern um eine Gruppe von Forschern, die sich bereits seit mehr als zwei Jahrzehnten in regelmäßigen Abständen treffen, um solche gemeinsame interdisziplinären Themen zu besprechen. Es sind die Mitglieder der

Klopstock-Stiftung

Diese ist im Jahre 1953 in Hamburg von dem Finanzkaufmann Wolfgang Essen († 12.5.1965) ins Leben gerufen worden, um der geisteswissenschaftlichen und religionswissenschaftlichen Forschung zu dienen. Der Name Klopstocks, der die letzten drei Jahrzehnte seines Lebens in Hamburg lebte und hier 1774 seine „Deutsche Gelehrtenrepublik" verfaßte, die eine ganz neue Form der gelehrten Zusammenarbeit erschloß, erschien als durchaus zeitgemäß und angemessen als Bezeichnung einer Gemeinschaft von Gelehrten, die sich bemüht, für die Geisteswissenschaften und für die Religionswissenschaft eine Arbeitsmöglichkeit zu schaffen, die für die Naturwissenschaft bereits erprobt ist. Nachdem die Stiftung im Klopstockjahr 1953 anläßlich des 150-jährigen Jubilaeums des Todes Klopstocks (14.3.1803) in Hamburg gegründet wurde, ist das 250-jährige Jubilaeum seiner Geburt (2.7.1724) ein geeigneter Anlaß, mit dem vorliegenden Gemeinschaftswerk der Klopstockstiftung hervorzutreten. Die Stiftung hat sich seit dem Jahr 1953 mit der Ausarbeitung gemeinsamer Forschungsthemen, mit der Vergabe von Forschungsaufträgen und mit der Verleihung von Preisen für Forschungen im Sinne der Stiftung befaßt.

Aus dem Arbeitsbereich dieser Gemeinschaft ist auch der vorliegende Band hervorgegangen. Anstoß gab der Festvortrag, den Professor Paul Schütz anläßlich des 20-jährigen Bestehens der Klopstockstiftung im Mai 1973 über das Thema:

Die Grenze der machbaren Welt

hielt. In einer Zeit, in der in den Sozialwissenschaften die Futurologie dominiert, in der die Medizin die Manipulierbarkeit der menschlichen Natur in ihrer Gen-Forschung experimentell untersucht, in der die Technik sich die weitgespannten Ziele der Weltraumforschung steckt und nach dem neuen Menschen ruft, der imstande sei, den von ihr geschaffenen technischen Apparat zu beherrschen — in einer Zeit, in der die Pädagogik in einer oft sich überstürzenden Abfolge immer neue programmatische Anforderungen an die Opfer ihrer Erziehung stellt und das Programm einer „lebenslänglichen Erziehung" propagiert, in der die Physik den klassischen materialistischen Atombegriff des vergangenen Jahrhunderts auf dem Weg ihre immer kühneren Experimente zu ihrem eigenen Erstaunen durchbrochen hat und in der die Grenze zwischen Materie, Kraft und Geist durchläßig geworden ist — in einer Zeit in der parapsychische Phänomene immer mehr die Aufmerksamkeit der Wissenschaft erregen und Politik und Wirtschaft sich bereits bemühen, diese Phänomene für ihre Zwecke in den Griff zu bekommen — in dieser Zeit stellt sich die Frage nach der Grenze des Machbaren mit unübersehbarer Dringlichkeit. Es handelt sich dabei nicht nur um eine abstrakte akademische Frage. Sie ist deswegen so bedrängend, weil in den verschiedenen Bereichen der modernen Wissenschaft und Technik, nicht zuletzt im Bereich der Medizin, heute schon an vielen Stellen der Forschung und der Praxis so gehandelt wird, als wäre der Mensch machbar, als könne man mit ihm unbegrenzt experimentieren, als könne man ihm alles zumuten. Es hat sich im Bereich von Wissenschaft und Technik an einzelnen Stellen ein Begriff von Humanität entwickelt, der drauf und dran ist, Unmenschliches als wissenschaftlich legitim und zumutbar zuzulassen. Es ist der Punkt bereits überschritten, an dem die Empfindung für das Frevelhafte, die große Versuchung der wissenschaftlichen Forschung, die Grenze des Menschlichen zu überschreiten und „zu sein wie Gott", verloren gegangen ist oder erstickt zu werden droht.

Hier setzen die Spezialthemen der Mitglieder der Klopstockstiftung ein, die sich an das Grundsatz-Referat von Paul Schütz über die Grenze der machbaren Welt anschließen. Sie betreffen das Gebiet der Philosophie (Wilhelm Flitner), der Pädagogik (Johannes Flügge), der Medizin (Wolfgang Jacob), der Physik (Pasqual Jordan), der Religionswissenschaft (Hans-Joachim Klimkeit), der Theologie (Ernst Benz) und der Vor- und Frühgeschichte (Walter Matthes).

Zu den Beiträgen der Mitglieder kommen schließlich noch zwei Beiträge aus dem Bereich der Philosophie- und Geistesgeschichte (Heinz Kimmerle und Franz A. Schwarz). Es handelt sich um zwei jüngere Wissenschaftler. Heinz Kimmerle ist 1965 aus einem wissenschaftlichen Preisausschreiben der Klopstock-Stiftung als Preisträger hervorgegangen. Der Beitrag von Franz A. Schwarz ist Teil einer größeren Forschungsarbeit, die er zur Zeit mit Hilfe der Klopstock-Stiftung durchführt.

ERNST BENZ

PAUL SCHÜTZ

DIE GRENZE DER MACHBAREN WELT*

In dieser Stunde möchte ich Ihre Aufmerksamkeit auf eine Erfahrung lenken, die uns unter der Vorherrschaft des Fortschrittsgedankens aus dem Gesichtsfeld gekommen ist. Ich meine das rätselhafte Phänomen des Zufalls.

Evolution und Kontinuität bestimmen unsere Erfahrung der Wirklichkeit nicht restlos. Da ist noch etwas anderes. Es ist unter dem Druck des Evolutionsgedankens unter die Schwelle des Bewußtseins hinabgesunken. Es geht um die Erfahrung des *Unverfügbaren* in den Dingen.

Das Unverfügbare ist das Unausmeßbare, das allem Meßbaren vorausliegt. Es ist die Grenze schlechthin des menschlichen Maßes. Um dieses Unableitbare, das jedes Verfügen ausschließt, geht es mir. Das Problem fängt erst dort an, wo das Ableitbare, Vorhersehbare, Berechenbare aufhört. Die machbare Welt ist keine unendliche Welt. Sie ist begrenzt in Raum und Zeit. Wir machen davon heute unsere besondere Erfahrung. Die Grenze beginnt dort, wo die Zahl nur noch Unmeßbares findet, wo das Zählen aufhört, wo allenfalls das Erzählen beginnt. Es gibt eine Anti-Zahl. Wo sie auftaucht, hat die Organisation des Lebens, hat unsere technische Vernunft ein Ende. Die Welt, wie wir sie vorfinden, ist durch und durch gleichsam durchwachsen mit Anti-Zahl, mit Anti-Maß. Sie ist ein Komplexes, das sich auf keine Weise auseinanderdividieren läßt.

Da sind Kräfte, deren Ursprung und Stärke uns unbekannt, deren Wirkungsweise im Geflecht der Lebensbewegungen unvorhersehbar ist. Dieses Unverfügbare aber macht, daß unser Leben so ist, wie es ist.

Der Mensch selbst ist ein Überraschungseffekt im Kosmos. In der Rätselhaftigkeit seiner Erscheinung spiegelt sich dieser undurchschaubare Hintergrund. Es gibt das Unverfügbare. Wir sind

* Festvortrag anlässlich des 20-jährigen Bestehens der *Klopstock-Stiftung*, Gemeinnützige Stiftung zur Förderung der Geistes- und Religionswissenschaften, am 26. Mai 1973 in Hamburg. Ausführlich in Paul Schütz „Wie ist Glaube möglich?", Hamburg 1974.

von ihm umstellt. Die ständige Auseinandersetzung mit dem Unverfügbaren ist das Agens des Menschendaseins auf dieser Erde. Die Quantifizierer der Qualitäten wollen uns das Abenteuer, in dieser Welt zu sein, rauben. Nicht nur die Erkenntnis ist ein Abenteuer. Es ist das Leben schlechthin ein solches.

Die Frage nach dem Unverfügbaren ist heute brennend geworden durch die Wiederentdeckung Hegels und den Neo-Marxismus der Jungen. Unser modernes Bewußtsein steht unter dem Fascinosum der aufsteigenden Linie. Es regt sich aber heute in diesem selben Bewußtsein bereits die Einsicht vom Verfall. Darin geht die Kritik der Evolutionsidee in unserem Jahrhundert über das hinaus, was im neunzehnten Jahrhundert, dem Jahrhundert Hegels, Darwins und Marxens an Kritik am Werke war.

Ich möchte nun in folgendem Verfahren mein Problem angehen. Das Unverfügbare ist wie eine Schlange. Es entzieht sich bei jedem Zugriff der greifenden Hand, um wieder von neuem mit seiner Unangreifbarkeit vor dem Jäger zu stehen. Ich werde versuchen, es von allen Seiten zu umstellen und mir dazu Gesprächs-Partner aus den Hauptgebieten menschlicher Selbsterfahrung zu Hilfe holen. Sie sollen mir bezeugen, daß es dieses Unverfügbare gibt.

I. *Das Gespräch mit den Partnern*

Jaques Monods Buch „Zufall und Notwendigkeit" [1] hatte in dieser Situation etwas Alarmierendes. Trotz seiner strengen Forderung der Objektivität wissenschaftlicher Erkenntnis konnte er nicht umhin, in einer nach dem Gesetz der Notwendigkeit geordneten Welt Zufälliges festzustellen. Im mathematisch streng gefügten System des biologischen Kosmos gibt es den Zufallstreffer der Mutation. Monod gibt den Nachweis, daß es im naturwissenschaftlichen Geschehen das „Unvorhersehbare" [2] gibt, das zum Zufall „wesensmaßig" [3] gehöre. Monod muß von diesem Zufall als „Störung", ja als „Unfall"' [4] sprechen. Gleichwohl, es gibt ihn. Dies ist es, was Monod, gleichsam wider Willen, einräumen muß. Zufall ist aber das, was unserem Verfügen entzogen ist.

---

[1] Jaques Monod, Zufall und Notwendigkeit. Philosophische Fragen der modernen Biologie. München 1971.

[2] a.a.O. S. 145.

[3] a.a.O. S. 144.

[4] a.a.O. S. 144.143 Anm.

Was aber ist dann der Mensch? Wie kommt er in dieses durchsichtige System biologischer Notwendigkeit hinein? „Unsere Losnummer", sagt Monod, „kam beim Glücksspiel heraus". Er gesteht sich, daß er diese Tatsache als „sonderbar" [5] empfinde. In welcher Hinsicht „sonderbar"? Sollte eine Botschaft in dieser Sonderstellung des Menschen an uns ergangen sein? Monod interpretiert dieses „sonderbar" mit dem berühmt gewordenen Satz vom Menschen als dem „Zigeuner" am Rande eines Universums, „das für seine Musik taub ist und gleichgültig gegen seine Hoffnungen, Leiden oder Verbrechen" [6].

An dem Ort, wo dieses Wesen Mensch steht, ist ein Riß im Kosmos. Denn hier, im Menschen, ist einsame Leidenschaft höchsten Grades, zu denken, zu leben, zu handeln und dort „die gleichgültige Leere des Universums".

Von der Einsamkeit des Menschen im Universum hatte vor Monod bereits Werner Heisenberg [7] gesprochen.

Der Mensch ist bei Heisenberg nicht nur ohne Partner und ohne Gegner. Er ist so vollkommen allein, daß er in der Naturwissenschaft nicht die Natur „an sich", sondern immer nur ein Bild seiner Beziehungen zur Natur vor sich hat.

Beide Forscher, Heisenberg und Monod, sind hier auf das Problem der *Geschichte* gestoßen. Nach Monod „stört" der Mensch durch sein Fremdsein die Natur. Nach Heisenberg „setzt er sich mit ihr von draußen her auseinander". Beidemal ist seine Krisensituation erkannt. Beidemal ist die Krisensituation ausgelöst durch das schicksalhafte Aufeinanderbezogensein, biologisch, physiologisch. Nicht umsonst sprechen wir vom Atomzeitalter, vom Zeitalter der Elektronik, der Biogenetik.

Nicht nur die Welt, auch das Bewußtsein verändert sich. Hoffnung wie Angst unseres Zeitalters haben hier ihren Grund. Monod sagt dazu, es müsse der Fortschritt keineswegs zu einer „wunderbaren Entfaltung der Menschheit führen; wir sehen heute, wie ein finsterer Abgrund sich vor uns auftut". Unser Fortschrittsglaube wird fragwürdig. Aus ideologisch unverdächtiger Quelle

[5] a.a.O. S. 174.
[6] a.a.O. S. 211.
[7] Werner Heisenberg, Das Naturbild der heutigen Physik. Hamburg 1965, S. 17 f.

meldet sich hier Zweifel. Der Mensch muß einen neuen Blick auf sich selbst mit in Kauf nehmen: als Weltstörung und Selbstgefährdung. Das Unverfügbare meldet sich unverschweigbar.

In Viktor von Weizsäckers, des bedeutenden Arztes, „Pathosophie" [8] wird dieses Phaenomen mit erschöpfender Einsicht beschrieben. Ich sage ausdrücklich „beschrieben". Denn hier, wo es um den leidenden und leidenschaftlichen Menschen geht, kann nichts erklärt, es können die Vorgänge nur beschrieben werden. Daß es sie gibt, ist das Entscheidende. In der „Pathosophie" geht es nicht um das, was wahr ist, sondern um das, was wirklich ist. Es geht in ihr um das Leidenmüssen, das Leidenmachen und um die Leidenschaft, das Leiden zu überwinden.

Dem Arzt steht ein verwirrend reicher Fundus zur Beobachtung zur Verfügung. Sein Wort müßte entscheidend sein, wenn es um die Frage geht, was der Mensch ist. Niemand ist näher am Menschen dran, geradezu in ihm drin, wie der Arzt.

Ich folge jetzt den Ausführungen Viktor von Weiszäckers! Diese Fülle an Befunden kann nicht durch Logik bewältigt werden. Auch das Denken ist Leidenschaft. Und am Leiden entsteht Denken. Das Leiden war zuerst da. Es ist etwas Antilogisches im Leiden, das nur durch Antilogik erfasst werden kann. „Wäre der Trieb nicht antilogisch, so wäre er kein Trieb" [9]. Leidenschaft und Logik, Trieb und Denken lassen sich nicht voneinander trennen. Antilogik ist nicht ein Sprung ins Irrationale. Antilogik ist der nie ganz gelungene Versuch einer Emanzipation vom Logischen. Unvorhersehbarkeit gehört zur Antilogik des Lebens.

Streit ist sinnlos, und doch gibt es ihn. Krankheit ist eine Vorstufe zum Tode, und doch gibt es sie. Ist Logik wirklich die Struktur des Seins? Warum irren wir dann? Warum lügen wir? Irtum und Lüge sind nicht nur scheinbar wirklich. Da ist eine Koexistenz von Logik und Antilogik im Leben. Pathosophie ist Leidenslehre, die mit dem Unverfügbaren als einem Urphaenomen des Lebens rechnet.

Wenn der Mensch — nach Martin Buber — das „überraschende Wesen" ist, was ist dann die Geschichte, deren Mittelpunkt er ist? Wie steht es dann mit der Dialektik der Vernunft in der „Evolution"? Wenn Unvorhersehbarkeit zur Antilogik des Lebens gehört,

---

[8] Viktor v. Weizsäcker, Pathosophie. Göttingen 1956.

[9] a.a.O. S. 215.

was ist es, das sich in der Geschichte „entwickelt"? Wenn der Mensch pathische Existenz ist, dann ist eine Pathosophie der Geschichte, eine Leidenslehre der Geschichte, nicht nur möglich, sondern auch notwendig.

Mit diesem Hinweis auf die Geschichte verlasse ich die Naturwissenschaften und komme mit meiner Frage nach dem Unverfügbaren zu den Geisteswissenschaften und zur Dichtung:

Jacob Burckhardts [10] Methode ist das Gegenteil von Hegels Weltkonstruktion nach dialektischem Modell. Burckhardt wirft Hegel das „kecke Anticipieren eines Weltplanes" [11] vor. Seine Voraussetzungen seien irrig, darum Irrtümer unvermeidlich. Hier, bei Hegel, walteten „Interessen" und „Wünschbarkeiten", die die Geschichte „ausdeuten und ausbeuten". In Wahrheit ist Anfang und Ende der Geschichte unbekannt und die Mitte in ständiger Bewegung [12]. Es gibt für Burckhardt eine „Lehre von den Krisen und Revolutionen... den Brüchen und Reaktionen". Es gibt, nach seinen Worten, Historie als „Sturmlehre" [13], in der weniger vom Glück als vom Unglück in der Weltgeschichte zu reden wäre [14]. Geschichte ist nicht als System darstellbar, eher als Dichtung [15]. Jacob Burckhardts Blick in die Widersprüche der geschichtlichen Wirklichkeit kann es einfach nicht verificieren, daß alles Wirkliche vernünftig sei. Der Geist ist, nach ihm, „ein Wühler". Da gibt es ein „dumpfes Rätsel" und den Untergang [16]. So Jacob Burckhardt.

Es ist das Unverfügbare, auf das seine Beobachtung immer wieder von neuem stößt.

Jacob Burckhardts Skepsis ist der Vorwurf des Pessimismus nicht erspart geblieben. Es mutet wie eine Abwehr dieses Vorwurfes an, was sein Freund und Basler Kollege Friedrich Nietzsche über den fahrlässigen Optimismus des wissenschaftlichen Denkens sagt. Im „Versuch einer Selbstkritik" [17] fragt sich der junge Nietzsche, ob

---

[10] Jacob Burckhardt, Weltgeschichtliche Betrachtungen. Kröners Taschenausgabe Bd.55 (ohne Jahreszahl).
[11] a.a.O. 5.
[12] a.a.O. 13.
[13] a.a.O. 14.
[14] a.a.O. 260.
[15] a.a.O. 278.
[16] a.a.O. 8 f.
[17] In „Die Geburt der Tragödie". Werke Bd. I. Leipzig, 1930, S. 29 ff.

Wissenschaftlichkeit nicht eine Flucht vor der Wahrheit einer Wirklichkeit sei, die durch Logik nicht zu bewältigen ist. „Logik", so heißt es da, , „ist der Versuch,... die wirkliche Welt ... uns formulierbar, berechenbar zu machen..." Er fragt, ob es nicht einen „Pessimismus der Stärke" gebe zum „Bilde alles Furchtbaren, Bösen, Rätselhaften, Vernichtenden auf dem Grunde des Daseins".

Der Ausgleich, das Harmonisieren liegt im Wesen jeden Systems, das auf das Ganze geht. Aber das Ganze ist Unwahrheit — nach Adorno — und der Optimismus des Logikers ist Selbstbetrug. Gewalt beginnt schon im Gedanken. Und im Wort beginnt der erste Schritt, in dem Gewalt in die Welt tritt. Es gibt das Unverfügbare.

Es gibt ein Leiden am Unverfügbaren dieser Welt. Auf diesem Leiden liegt ein Tabu. Unser Wille zum Leben will das Leiden nicht wahrhaben.

Die Zeugen dieses Leidens sind unter uns. Sie waren zu allen Zeiten unter uns. Es gibt ein Leiden am Unverfügbaren, das nicht nur an Wahnsinn grenzt, das vielmehr der Wahnsinn selbst ist. Diese Erscheinung haben die Zivilisationen in die Unterwelt hinabgedrückt. Der Wahnsinn begleitet die Geschichte der zivilisierten Menschheit wie ein acherontischer Fluß.

Es ist eine Aporie, ein Fehlendes, es ist ein Aussetzen, das wir in der Erfahrung des Unverfügbaren machen. Die schmerzhafte Empfindsamkeit, die ihr zu Grunde liegt, hat immer die Künstler und Dichter ausgezeichnet. Der dichterische Genius im besonderen weiß ja, was im Menschen ist.

Ich kann hier nur im Vorbeigehen auf Antonin Artaud hinweisen. Er spricht von einer „kosmischen Grausamkeit", die auf dem Grund der Dinge liege. In einem „Theater der Grausamkeit" will er die Menschen mit dieser unerwünschten Wahrheit konfrontieren. Wie die Pest, alle Konventionen aufhebend, unsere letzte Wirklichkeit erbarmungslos entblößend, so müsse Theater sein.

Den Verlust, den wir in der Begegnung mit dem Unverfügbaren erleiden, hat kaum einer im Blick auf den Sinn der Welt so radikal zu Ende gedacht, wie Albert Camus [18]. „Das Absurde, so sagt er, ist die erhellte Vernunft, die ihre Grenzen feststellt". Dieses Wissen selbst ist — nach Camus — das Absurde. Die Vernunft ist es, die zu

[18] Der Mythos von Sisyphos. Ein Versuch über das Absurde. Hamburg 1971.

diesem Beschluß kommt. Gott kann es nicht geben. Er hat weder der Welt einen Sinn verliehen, noch die Ungerechtigkeit aufgehoben. Das Universum ist undeutbar und begrenzt. In ihm stößt sich das Denken zu Tode. Alles ist unerklärbar. „Selbst dieses Herz", so bekennt Camus, „das doch meines ist, wird mir unerklärbar bleiben". Es ist Camus' Verlangen nach französischer clarté, das sich hier am äussersten Rande des Denkbaren scheitern sieht. Absurd ist, daß es das gibt; daß so das Leben ist. Camus' heroischer Nihilismus als Lösungsversuch des Daseinskonfliktes aber kann nicht überzeugen.

Samuel Beckett ist Camus darin überlegen, daß er auf jede Lösung verzichtet. Beckett beschreibt den Konflikt nackt. Der Mensch stürzt ins Nichts. Er ist schon im Nichts.

1972 erschien Becketts kleine Prosadichtung „le dépeupleur" in deutscher Sprache [19].

Der Ort, den er in dieser Dichtung beschreibt, ist ein Zylinder, in dem sich zweihundert Körper befinden. In dem Zylinder gibt es insgesamt nur zweihundert Quadratmeter Fläche. Ein Quadratmeter pro Körper. Körper, sagt Beckett, nicht Menschen. Sie sind nackt, essen und trinken nicht. Die Bewegung der zweihundert Körper, die den Zylinder füllen, ist die Bewegung einer einzigen Leidenschaft: die des Suchens, ohne zu finden. Das geht in allen Phasen vor sich, von den die Wand Hinaufkletternden bis hin zu den „Besiegten", die erschöpft an der Wand hocken. Der Zylinder ist „groß genug für vergebliche Suche. Eng genug, damit jegliche Flucht vergeblich". Das Infernum der Vergeblichkeit, die Endphase der Menschheit. Das ist die Nähe von Null: „In der kalten Finsternis regloses Fleisch".

Eine Menschheitskatastrophe wird in diesem Gleichnis geschildert. Ist dieser Zylinder nicht die geschlossene Welt, in der wir uns eingemauert haben? Zwar hat der Dichter in der Kuppel noch eine Öffnung gelassen nach oben, nach draußen, ins Offene. Aber diesen Weg in die Freiheit nehmen wir nicht wahr. Wir müßten zugeben, daß es außer unserem Kessel noch etwas anderes gibt. Wir müßten den Wahn einer machbaren Welt aufgeben und uns dem Abenteuer der offenen Wirklichkeit stellen, der schutzlosen Begegnung mit dem Unverfügbaren. Denn es kann kein Zweifel sein, daß die Vorstellung einer überschaubaren, berechenbaren, steuerbaren Welt,

[19] Samuel Beckett, Der Verwaiser. Frankfurt a.M., 1972.

einer Welt, die wir im Griff haben, uns das Gefühl der Sicherheit gibt. Wie aber, wenn dieses Gefühl trügt? Wie, wenn es die Endphase der Menschheit wäre, die der Dichter in einer Vision dieses um sich selbst kreisenden Suchens in einer geschlossenen Weltimmanenz beschreibt?

II. Welche Schlüsse ziehen wir aus dieser Lage?

Daß wir diese Erfahrung des Unverfügbaren gleichsam instinktiv aus unserem Bewußtsein verdrängen, hat seinen guten Grund. Die Lage der Menschheit ist so heikel, daß wir alle unsere Gedanken auf die Bewältigung dieser Bedrohung richten müssen. Aus Not sind wir aufs Praktische aus. Unser Weltbild ist ein durch und durch pragmatisches geworden. Was machbar ist, hat unser ausschließliches Interesse: machbar, meßbar, berechenbar, voraussehbar. Es versteht sich, daß ein Unverfügbares in solcher Lage mehr als unbequem ist, daß es uns lebensgefährlich zu sein scheint. Und — was nicht sein soll, das kann auch nicht sein, so schließen wir dann.

Und wenn es nun doch ist?

Da warnen uns Zeichen. Da ist ein Sturz der Normen. Unser Intellekt beweist alles. Er beweist, daß das Gute böse und daß das Böse gut ist. Eine dialektische Entwertung aller Urteile ist im Schwange. Daraus folgt eine Erschütterung des allgemeinen Rechtsbewußtseins. Unrecht ist jetzt Recht und Recht Unrecht. Und die Folgen: Die Weltjugend ist in Revolte geraten, rings um den Erdball. Selbstmord, Rauschsucht, psychische Epidemien grassieren. Was hat das zu bedeuten? Was sind die Ursachen?

Kraft der technischen Revolution hat die Menschheit den Sprung in ein qualitativ Neues getan, für das es in der uns bekannten Geschichte kein Beispiel gibt. Was ist dieses qualitativ Neue? Es ist nicht der Umstand, daß das Überleben der Menschheit in Frage gestellt ist. Der Gedanke vom Ende der Welt ist uns schon aus den Mythologien der Religionen bekannt. Das Neue ist offenbar dies, daß unser Überleben auf dieser Erde in Frage gestellt ist durch uns selbst, und zwar durch eine Evolution, die keinen Vergleich in der Vergangenheit hat, eine Evolution, die wir selbst erzeugt haben; eine Revolution, die das Antlitz der Erde verwandelt hat, die die kosmische Energie in des Menschen Hand gebracht und eine Sturmflut von Population aus den versiegelten Quellen der Natur heraufgeholt hat. Und nun schlägt die Flutwelle zurück. Niemals waren wir dem Paradies so nah — und der Hölle — wie in unserem Jahrhundert. War nicht der Befehl, die Erde sich untertan zu machen und sich zu mehren, dem paradiesischen Menschen gegeben? Wir hatten vergessen, daß — und warum — dem Segen inzwischen der Fluch hinzugefügt war. Beides gilt, beides zusammen. Darum die Verlegenheit, in der wir uns befinden, darum die Frage, was tun.

Ich las dieser Tage die Rede von McNamara, dem Präsidenten der Weltbank, die er 1970 vor dem Gouverneursrat gehalten hat. Er sagt darin, daß die Auseinandersetzung mit der „wissenschaftlichen Revolution" nicht etwa eine „gigantische Rechenaufgabe, wie das Hinaufschießen eines Menschen auf den Mond" sei. Es bedürfe darüber hinaus der Klugheit und der moralischen Energie. Ohne diese Eigenschaften gebreche es uns an der Gabe, „auf diesem Planeten zu überleben".

„Vernunft" und „moralische Energie" gehören zum Menschen. Ich bin gewiß, daß wir da ein Aufgebot erleben werden, das die Größe der menschlichen Natur noch einmal zeigen wird. Es geht ja um das Überleben. Da ist uns plein pouvoir gegeben, alle Mittel, auch die bösen, ins Spiel zu bringen, bevor das Ende erscheint. Ich glaube deshalb auch nicht, daß das Ende des Menschen schon in absehbarer Zeit gekommen sein wird. Wir sind Genies der Anpassung. Aber darüber hinaus ist noch etwas anderes. Da ist eine große Geduld im Weltgrund aufgespeichert, da ist eine Noblesse, die dem Menschen alle Chancen freigibt, bevor — das Gericht kommt.

III.

Und damit, meine Damen und Herren, bin ich drittens und letztens zu dem gekommen, was der christliche Glaube zu dieser besonderen Lage der Menschheit etwa sagen könnte.

Christlicher Glaube ist Glaube, nicht Wissen. Er entsteht erst angesichts der Erfahrung des Nichtwissenkönnens, angesichts der Erfahrung des Unverfügbaren. Vor dieser Erfahrung hat der Glaube noch keinen Gegenstand. Vorher, wo das Wissen, Beweisen, Ableiten, Vorhersagen noch irgendeine Möglichkeit sieht. Glaube bestreitet nicht das Wissen. Er setzt es voraus, nämlich das Zu-Ende-gedacht-haben der Wissenden. Die Grenze der machbaren Welt wird überschritten im Glauben. Das aber bedeutet, daß auch das Denken noch einmal Raum gewinnt, aber als neue Dimension in einem denkenden Glauben. Und daß vom denkenden Glauben her auch das Handeln sich neu bestimmt. Denn auch das Urteil ist neu bestimmt, kritischer, unabhängiger, freier. Denn Glaube ist immer ein Akt der Freiheit im Unterschied zum Wissen, das beweisend mich zur Anerkennung zwingt. Glaube ist kritischer auch dem Wissen gegenüber, das ist ein Stück seiner Unabhängigkeit.

Diese Unabhängigkeit ist der Grund für den rigorosen Realismus des christlichen Glaubens. Er kann sich diesen Realismus kraft seiner Freiheit — sozusagen — leisten. Das hat ebensowenig mit Optimismus, wie mit Pessimismus zu tun. Es hat ganz allein mit Wirklichkeit zu tun. Da ist Erfahrung wichtiger als Erklärung. Da begleitet den Glauben der Zweifel. Da geht der Glaube aus der Anfechtung hervor. Der Glaube entstammt einer kritischen Situation. Die Krisis ist sein Entstehungsgrund. Darum versteht sich der Glaube nicht so sehr als Leistung, denn als Geschenk. Glauben können ist Schöpfung neuen Lebens inmitten einer Todeswelt.

Wir können es heute kaum mehr realisieren, dass christlicher Glaube Schöpfungsglaube ist. Entwicklung können wir realisieren. Entwicklung können wir zur machbaren Welt in Beziehung setzen, Schöpfung nicht. Im Unverfügbaren deutet sich Schöpfung an inmitten der verfügbaren Dinge. Das Unverfügbare gibt uns ein Zeichen in seinem Nein, im Spürbarwerden einer Schranke, die unsere ganze Existenz durchzieht. Die Schranke ist in ihrer Versagung allgegenwärtig: Im Unfertigen, Unklärbaren, im Schmerz, im Tode.

Alles Leid der Kreatur faßt sich zusammen in dem brutum factum des Todes. Die Tatsache des Todes ist der Ort der absoluten Verlegenheit des Menschen. Es gibt keine Ideologie, die auf ihn eine Antwort wüßte. An ihm scheitert die vollkommenste Gesellschaftsordnung. Der Tod kann von uns Menschen nur noch tabuiert werden. Das ist die letzte Möglichkeit, die wir ihm gegenüber haben. Der Tod ist die härteste Konfrontation mit dem Unverfügbaren. So hart ist diese Konfrontation, daß die urchristliche Prophetie den Tod als den „letzten Feind" bezeichnet. Mit dem „Fall" des Menschen war er in die Welt gekommen. Vom Gottesreich heißt es „und der Tod wird nicht mehr sein". Leben ist das Kriterium. Der Baum des Lebens war der Paradiesesbaum. Und „ewiges Leben" ist der Inbegriff der neuen Schöpfung. Das heißt Aufhebung der Natur- und Geschichtsgesetze. Solche Aufhebung kann nur in einem neuen Schöpfungsakt geschehen. Darum bekennt das Glaubensbekenntnis nicht weniger als die „Auferstehung des Fleisches". „Fleisch" aber meint den ganzen physischen Kosmos.

Das Unverfügbare ist das Zeichen für den Freiraum des Schöpfers, zu tun, was er will. Mit einem anderen Wort: für die Freiheit, ohne die kein Schöpfertum schaffen kann.

Die christliche Hoffnung weiß von einer neuen Schöpfung. Der Glaubende kann Geschichte als das große Interim begreifen zwischen der alten und der neuen Schöpfung. Dieses Interim ist ein schöpferischer Akt, in dem sich die Wandlung von der alten, paradiesischen in die neue Gottesreichs-Schöpfung vollzieht. Geschichte wäre dann als Ganzes eine Krisis, ein Sturm der Verwandlungen, in paulinischer Bildersprache wäre sie die Geburtswehe einer neuen zweiten Schöpfung. In diesem schöpferischen Akt hätte auch das Katastrophische eine positive Bedeutung: als Öffnung für das Kommende. Dieser schöpferische Akt wäre nicht nur das Grundgesetz der Universalgeschichte. Es würde gelten bis hinein in das biographische Detail jedes einzelnen individuellen Lebens.

Im Sturm dieser Vorausgerichte heißt christliche Existenz: das *Urvertrauen* behalten. Es heißt, das Urvertrauen behalten auch dort, wo die Frage nach dem Sinn unbeantwortet, wo das Verlangen nach Glück unerfüllt bleibt, heißt vertrauen auch angesichts des verborgenen Gottes, angesichts der überhandnehmenden Ungerechtigkeit, heißt, in einer verunsicherten Welt nach allen Seiten hin Zuversicht des Handelns haben. Denn wir sind durch Schöpfung gesichert, durch Schöpfung, aus der wir kommen und durch Schöpfung, in die wir gehen. Urvertrauen in der Angst der Welt zu haben, ist selbst noch schöpferischer Akt.

Es genügt eine kleine Minderheit, die in der Angst der Welt dieses Urvertrauen realisiert. Ich verstehe Christenheit als diese Minorität. Und das ist ihr Charakteristisches, gleichsam ihr Erkennungszeichen. Diese Minorität wirkt durch ihr bloßes Dasein, als Gärungsferment, als Salz, als Korrektiv, als Kritik. Und wenn sie ein Wort hat, so ist es ein prophetisches, wie sie selbst einen prophetischen Ursprung hat und nur als prophetisches Ereignis in der Welt besteht, nämlich als Hinweis auf das Gottesreich.

WILHELM FLITNER

ZUM GRENZBEGRIFF IN DER NEUEREN PHILOSOPHIE

Vorbemerkung

Die folgenden Betrachtungen, die der philosophischen Situation von heute gelten, hängen mit der Frage der Wachstumsgrenze und der Grenze des Machbaren und Machendürfens zusammen. Es fehlt der Raum, die Verbindungslinien auszuziehen; dies muß dem Leser überlassen bleiben.

I.

In der Philosophie ist das Grenzproblem uralt, es stand an ihrem Anfang. Von Anaximander gibt es das großartige Fragment (Diels 2, 9), wonach „alle Dinge" aus dem chaotischen Urstoff (arche) entstehen und wonach sie sich auch wieder in ihn auflösen - „um zu büßen für ihr Verschulden nach der Ordnung der Zeit". Diesen Urstoff und Urgrund bezeichnet der altgriechische Denker als „Das Unbegrenzte" (apeiron), das Unerschöpfliche, Ewige. Platon dagegen nennt das Grenzenlose „das Schlechtere gegenüber der Grenze" (péras, Philebos 23 c). Es kann aber auch als das Kreative gelten, das was Grenzsetzung ermöglicht. Für den plastischen und frommen Griechen ist die Begrenzung das, was den Menschen menschlich macht, aber das Begrenzte, Geformte lebt in der Nachbarschaft des Unbegrenzten, einer rätselhaften und dämonischen Nachbarschaft. So etwa das frühe, dem Mythos noch gehorchende Philosophieren.

Die neuesten Philosopheme sind die uralte Problemlage nicht losgeworden. Sie suchen die Erkenntnis schärfer zu bestimmen, indem sie von der formalen Logik ausgehen, oder einen Schritt weiter von der Sprachlogik und der Sprachanalyse.

Ihren schärfsten Ausdruck hat dieses Suchen in der Philosophie des Wiener Kreises gefunden, die wohl am präzisesten in den Schriften Rudolf Carnaps enthalten ist. Sie bringen eine Philosophie der naturwissenschaftlichen Erkenntnis, entwickeln die moderne Logik und Semantik, vertreten einen konsequenten Empirismus und bemühen sich um den Nachweis, daß die sogenannten „metaphysischen" Aussagen sinnlos sind, entweder, weil sie logisch falsch formulierte Sätze enthalten, oder weil sie als Aussagen das empiristische Sinnkriterium nicht erfüllen. Ausdrücke wie „das wahre Sein" oder „der Weltgrund", das „Umfassende", das „Umgreifende", das „Absolute", „Gott", das „Nichts" sind als wissenschaftlich sein wollende Ausdrücke logisch widerspruchsvoll oder leer. Die meisten metaphysischen Fragen werden durch die neue Logik als „Scheinprobleme" entlarvt. Die Erkenntnis der Wirklichkeit ist danach auf die Erfahrung begrenzt, die nach Regeln der Logik geordnet und auf Grund verifizierbarer, hypothetischer Theorien formuliert werden kann. Was die Einzelwissenschaften in methodisch prüfbarer Weise, auf Erfahrung gestützt und in kollektiver Arbeit zuwege bringen und in fortschreitender Kritik darstellen, das ist Erkenntnis der Wirklichkeit, die uns zugänglich ist. Sie reicht von der atomaren Sphäre bis in Sirius- und Milchstraßenferne, in das geologische Altertum, in die Erscheinungen der Evolution und den Aufbau der Lebewesen — die Frage, was dem allen zugrundeliegt, was „hinter" ihr als etwa zweite, andere, ursächliche oder zielsetzende Wirklichkeit liegt, ist nach dieser Philosophie als sinnvolle Frage überhaupt nicht formulierbar. Da es von einer solchen Sphäre keine intersubjektiv prüfbaren Daten, keinerlei ausweisbare Erfahrung gibt, so gehören solche metaphysischen Spiele überhaupt nicht in den Bereich des wissenschaftlichen Denkens hinein. Man kann kaum noch davon sprechen, daß ihre „Gegenstände" jenseits der Grenze des kritischen Wissens und Denkens liegen — von diesen „Dingen" reden ist Verlegenheit.

Nun gibt aber Carnap zu, daß die Wissenschaft „nicht die einzige geistige Betätigung von Menschen" bildet. Es gibt neben, außer, vor oder über oder unter ihr noch die geistigen Betätigungen der Religion, der Poesie, der Künste, die Phantasien, die Spiele u.a. Sie wohnen außerhalb des wissenschaftlichen Denkens. Die Metaphysiker, so lehrt Carnap, vermischen die Geistestätigkeiten dieser Gebiete mit den Wissenschaften, „um ihr Lebensgefühl auszudrücken" — sie verquicken Kunstgenuß oder „religiöse Erbauung" mit dem Operieren in Begriffen. Aber das was „die Metaphysiker" beschäftigt, was sie die ewigen Rätsel oder das Welträtsel nennen, sind Probleme, die als wissenschaftliche überhaupt nicht existieren. Sie suchen praktische Lebensprobleme mit Hilfe der Theorien zu lösen. Aber die Lebensprobleme müssen im Leben selber, außerhalb der Wissenschaft, bewältigt werden.

II.

Dieser radikale neopositivistische Standpunkt Carnaps in seiner frühen Epoche ist reichlich paradox, wenn man sich vergegenwärtigt, daß seit den griechischen Anfängen gerade unser wissenschaftliches Denken auf die Klärung dessen gerichtet war, was hier „Lebensprobleme" genannt wird. Sind die Philosophen von Platon bis Kant, Schopenhauer und Hegel, Nietzsche einbeschlossen, wirklich „Musiker ohne musikalische Begabung oder Dichter ohne dichterische Fähigkeiten"— wie Carnap meinte — sind sie nicht auch mit solchen Lebensproblemen beschäftigt, die als „wissenschaftliche" überhaupt nicht existieren? Lassen sich diese Probleme praktisch lösen ohne Beteiligung der Vernunft und eines methodisch geordneten Philosophierens? Die historische Erfahrung mindestens spricht deutlich dagegen. Die Fortschritte in der Erkenntnis sind seit Sokrates nur dadurch gemacht worden, daß die Philosophen Lebensprobleme zum Ausgangspunkt ihrer Untersuchungen genommen haben. Gerade weil die ethischen, politischen und gesellschaftlichen Aporien methodisch und kritisch geklärt werden müssen, entstehen die metaphysischen Fragen, angefangen mit der Zweiweltentheorie des Platonischen Idealismus und der Prima philosophia des Aristoteles, der Analogia entis der Stoiker und Scholastiker, der materialistischen Metaphysik; erst allmählich gliedern sich aus der Philosophie die Methoden der Einzelwissenschaften heraus. Indem sich diese von mythischen, theologischen, metaphysischen Bestandteilen reinigten, entstand die Möglichkeit, eine Wissenschaftslehre wie die der analytischen und der neopositivistischen Philosophie aufzubauen, die das metaphysische Problem glaubt zum Verschwinden gebracht zu haben.

Der logische Empirismus des Wiener Kreises war in seiner Anfangszeit stark angeregt von Ludwig Wittgenstein, der damals die Philosophie seines "Traktatus" ausbildete. Darin wird aufgezeigt, wie die Erkenntnis an die Grenze nicht nur der Empirie, sondern auch der Sprache gebunden ist. Sinnvolles Theoretisieren ist begrenzt „durch das, was wir in einer logisch perfekten Sprache beschreiben können" (nach einer Interpretation von Wolfgang Stegmüller, Philosophie der Gegenwart[3] 1965, 358), „Die Grenzen der Sprache bedeuten die Grenzen meiner Welt". Metaphysische Aussagen drücken keine Gedanken aus, weil sie unsinnige sprachliche Gebilde sind. Dennoch gibt es für Wittgenstein jenseits dieser Grenze nicht etwa nichts, vielmehr gibt es ,,Unaussprechliches'' und dieses ,,zeige sich'' als ,,das Mystische''. Dies nun wieder gilt ihm als ein wissenschaftlich sinnloser Satz. Aber das bedeute nicht seine Wertlosigkeit. Philosophie, die solche Sätze duldet, ist keine Wissenschaft, die Objekte beschreibt, vielmehr ,,erläutert'' sie das Leben, gerade wenn sie zeigt, daß die Rätsel der Wirklichkeit nicht in wissenschaftlichen Aussagen gelöst werden können (so etwa läßt sich nach Stegmüller die Philosophie des frühen Wittgenstein interpretieren). Wissenschaftlich gesehen ,,gibt es keine Rätsel''. Mit dem Rätselhaften im Weltbau, in der Subjektwirklichkeit und im Sprachbau (und der durch ihn möglichen menschlichen Kommunikation in einer ,,geistigen'' Wirklichkeit) mögen sich nach der empiristischen Auffassung Religion, Poesie und Künste befassen; aus dem Bereich der wissenschaftlichen Erkenntnis ist es auszugrenzen.

Die damit angedeutete Situation im philosophischen Denken ist durch die Arbeiten von Karl Popper und Wolfgang Stegmüller logisch verfeinert und weiterentwickelt worden, hat aber in der zweiten Philosophie Ludwig Wittgensteins (nach 1929) eine grundlegende Verlagerung erführen, indem ihm ein neues Bild von der Sprache entstand. Das Ideal einer exakten wissenschaftlichen und vollends das einer logisch konstruierten Sprache wird aufgegeben zugunsten des Ausgangs von der Umgangssprache und der Analyse des im dialogischen Verkehr Gemeinten. Wer das schwerverständliche und doch in klarem Deutsch und einfachster Rede geschriebene Buch ,,Philosophische Untersuchungen'' (englisch und deutsch 1958, deutsch 1967) studiert, findet kein durchgeführtes System vor. Er wird vielmehr angeregt und aufgeregt zu einem Mitdenken, das eine philosophiegeschichtlich neue Position aufweist, von der aus die ältesten Probleme erneut virulent werden. Es ist zwar nicht mehr in Deutschland, aber am Ort seines späteren Wirkens dahin gekommen, wie Stegmüller feststellt (Vorwort zur 2. Auflage seiner ,,Hauptströmungen'', S. XIV), ,,daß fast alle englischen Philosophen der Gegenwart Wittgenstein für den bedeutendsten Kopf des Jahrhunderts halten''. Jedenfalls hat er zur Sprachanalytik und zur Grundlagenforschung der Mathematik und Logik Entscheidendes beigetragen. Wenn er auch in seiner späteren Zeit wie zuvor die metaphysischen Sätze für sinnlos erklärt und gegen jeden Essentialismus, jede ,,Wesens-forschung'' skeptisch bleibt, so führt ihn die Beschreibung der ,,Sprachspiele'' doch zu der Überzeugung, daß sich in den grammatichsen Strukturen eine „Tiefengrammatik" birgt, die Weltstrukturen abbildet. Und indem er die Sprachspiele mit „Lebensformen" in Verbindung sieht, so bedarf es keiner metaphysischen Philosophie, keiner „Flucht ins Irrationale", sondern nur einer (therapeutischen) Klarstellung der Lebenssituation in „Beschreibungen, denen jeder zustimmt". Für das, was etwa verborgen ist, interessiert sich der Philosoph nicht, er stellt hin, was sich zeigt und „offen daliegt". Auch wo sich beim Philosophieren immer wieder Antinomien zeigen, ist der Aufweis dieses Sich-Zeigens ein Schritt zur Klärung der Lebenssituation.

Danach muß der logisch bedenkliche Satz gewagt werden, daß die im Prinzip erkennbare Wirklichkeit nicht die ganze ist Daraus ergab sich schon für die Mitglieder des frühen Wiener Kreises der Eindruck einer Ambivalenz Wittgensteins gegenüber den metaphysischen Problemen. Carnap berichtet von einem Gespräch zwischen Schlick und Wittgenstein über Religion: beide waren sich einig, daß die religiösen Lehren in ihren verschiedenen Formen keinen theoretischen Gehalt haben. „Aber Wittgenstein verwarf Schlicks Auffassung, daß Religion in die Kindheitsphase der Menschheit gehöre und allmählich im Lauf der kulturellen Entwicklung verschwinden werde".

Carnap meinte (in seiner „intellectual biography" in: „The philosophy of Rudolf Carnap" 1963 p. 27), es habe ein Konflikt zwischen dem emotionalen und intellektuellen Leben bei Wittgenstein bestanden; in seiner absoluten Aufrichtigkeit (honesty) habe er die Augen vor der Wahrheit nicht verschlossen, daß religiöse Theorien keinen Erkenntniswert hätten; dieses Ergebnis sei ihm äußerst schmerzlich gewesen — im Gegensatz zu Schlick und Carnap, die „keine Liebe zur Metaphysik oder metaphysischen Theologie" zu opfern hatten. Allmählich erst im Umgang mit ihm hätte Carnap verstanden, daß er tief und schmerzlich von dem inneren Konflikt betroffen sei. Wittgenstein brach den Verkehr mit Carnap ab, beeinflußte aber Schlick sowohl philosophisch wie persönlich weiterhin — in der entscheidenden Frage scheint er auch diesen zweiten Protagonisten der neopositivistischen Position ambivalent gemacht zu haben.

Aber die Schwierigkeit liegt nicht im Persönlichen, sondern in der Sache. Kant ist es schon bald nach Erscheinen seiner ersten Kritik zum Vorwurf gemacht worden, daß der Satz von der Unerkennbarkeit des Dinges an sich den Erkenntniskriterien, die er aufstellte, widerspricht — außerhalb der Erkenntnisgrenzen könne von einer Wirklichkeit keine Rede sein, da von „Ding" und „Etwas" nur mit Hilfe der Verstandeskategorien gesprochen werden könne. Dennoch gibt es für Kant Wirklichkeit, die nicht in den Bereich der Erkenntnis fällt. Die Postulate der praktischen Vernunft deuten darauf hin, und die Instrumente des Symbolisierens des Schönen, der Künste sagen Wahrheit aus, die weder objektiv prüfbar noch rational sagbar ist.

Auch für Wittgenstein ist außerhalb der Erkenntnissphäre nicht nichts. Die volle Wirklichkeit transzendiert die rational aussagbare Wirklichkeit. Es gibt poetische, es gibt Bildersprache, es gibt eine Rede in religiösen Symbolen, und auch ihnen gegenüber besteht die Suche nach Kriterien des „Wahren" und „Falschen" zu Recht. Die Termini „wahr" und „falsch" sind zwar unzulänglich, weil zweideutig; sie könnten ausschließlich auf kognitive, wissenschaftlich prüfbare Wahrheit gemünzt gedacht werden. Also muß man unterscheiden eine kognitive Wahrheit von der ästhetischen und der religiösen. Da sie aber im Lebensvollzug des Menschen einander durchgittern, so ist das Ringen um Wahrheit aus diesen Bereichen des Transzendierens nicht zu verbannen. Und eben dies bleibt eine pragmatische Aufgabe des Philosophierens, denn dieses reflektiert klärend die menschliche Situation, welche eine metaphysische Situation ist.

III.

Die Fortschritte der formalen Logik, Erkenntnistheorie und Sprachanalyse in der jüngeren Philosophie haben über Kant weit hinausgeführt, aber die Kant'sche Grundkonzeption des Grenzproblems doch im Kern bestehen lassen. Nicht nur Wittgenstein hat den Positivismus als „Weltanschauung" überstiegen, auch Carnap, wenn er zugibt, daß es neben der Wissenschaft andere Geistesbetätigungen gebe, die wie Religion und Poesie von der Wissenschaft sauber abzutrennen seien. Nur hat er die Frage nach der möglichen Wahrheit künstlerischen Schaffens und religiösen Verhaltens als unsinnig (im kognitiven Sinne) beiseite geschoben. Sie erscheint ihm nur als psychologische Frage.

Aber die Wahrheitsfrage ist nicht nur psychologisch zu beantworten. Es ist eine rein biographisch bedingte Einseitigkeit in der heute die Welt beherrschenden philosophischen Arbeit nicht zu übersehen: sie orientiert sich zwar mit Recht an den Einzelwissenschaften, deren Grundlagen sie sucht; aber ihre Vertreter sind Physiker und Mathematiker und haben offensichtlich wenig Einblick in das Verfahren anderer Einzelwissenschaftler. Wenn Karl Popper kritisch und scharfsinnig über den „Historizismus" reflektiert, so hat er recht, wenn er die metaphysischen und prophetischen, etwa auch Hegelschen und marxistischen Geschichtskonstruktionen abweist; aber es wird überall spürbar, daß er den Historismus als eine methodisch gesicherte Gruppe von Einzelwissenschaften kaum richtig im Sinn hat (Karl Popper, Das Elend des Historismus). Auch in den Sprachanalysen Wittgensteins ist der geschichtliche Charakter des Sprachwandels und der Sprachlogik nicht voll präsent. Von Diltheys „Kritik der historischen Vernunft" nehmen alle von der neuen Logik und Sprachanalytik ausgehenden Denker, die angelsächsischen so gut wie die der Wiener Schule, kaum Notiz. Dabei hat Dilthey die philosophische Situation klar gesehen, wie sie jetzt wieder besteht. In einem Nachlaßfragment (Gesammelte Schriften VIII, 175 f.) heißt es (in einer schon veraltenden Terminologie, aber doch noch verständlich): „Der Grundgedanke meiner Philosophie ist, daß bisher noch niemals die ganze, volle, unverstümmelte Erfahrung dem Philosphieren zugrunde gelegt worden ist, mithin noch niemals die ganze und volle Wirklichkeit". Sicher ist die Spekulation abstrakt — die Kunst einbeschlossen. „Aber der Empirismus ist nicht minder abstrakt". Was er Erfahrung nennt, ist „verstümmelte Erfahrung"; kein Mensch könnte mit ihr leben. Die Intelligenz ist nicht eine Entwicklung in dem einzelnen Individuum und aus ihm begreiflich, sondern ist ein Vorgang in der Entwicklung des Menschengeschlechts, und dieses selber ist das Subjekt, in welchem der Wille der Erkenntnis ist". Was hier Intelligenz genannt wird, meinte Carnap mit dem Ausdruck „geistige Betätigung von Menschen" (Stegmüller 385). Dilthey fährt fort: „Und zwar existiert sie (die Intelligenz) als Wirklichkeit in den Lebensakten der Menschen, welche alle auch die Seiten des Willens und der Gefühle haben, und demgemäß existiert sie als Wirklichkeit nur in dieser Totalität der Menschennatur".

Das abstrakte Denken, Erkennen und Wissen bildet sich in der Menschheit nur durch einen geschichtlichen Vorgang der Abstraktion. Dilthey beschließt diesen Abschnitt: „Diese volle wirkliche

Intelligenz hat aber auch in sich die Religion oder Metaphysik oder das Unbedingte als eine Seite ihrer Wirklichkeit und ohne diese ist sie nie wirklich und nie wirksam". Des weiteren behandelt das Dilthey'sche Fragment dann die Grenzen der Philosophie gegenüber der Kunst und Religion. Das alles ist in einer vorwiegend psychologischen Sprache ausgedrückt und enthält wissenschaftstheoretische Unklarheiten, die durch die moderne analytische Philosophie auszuräumen sind. Aber der Hauptgedanke dieser Betrachtung bleibt bestehen: Die strenge „Erkenntnis" einer „Welt" und das logische Denken sind selbst historische Hervorbringungen. Sie sind menschliche Konstrukte. Sie beruhen auf Abstraktionen, die zu handhaben die Menschheit in einem langen Prozeß erlernt hat. Der deutende Mythus mit seinen kultischen Riten und die in ihrer Weise ebenfalls abstrahierenden (idealisierenden, formalisierenden) Künste haben dabei geholfen; Sie sind Vorstadien der reinen Erkenntnis gewesen, aber sie bleiben tätig, auch wenn die Erkenntnis zu klarem kritischen Selbstdurchschauen ihrer Methoden und Grenzen gelangt. Allerdings wandeln sich damit ihre Sprachen, Formen und Abstraktionsgestalten. Sie dürfen in den Bereich des kritisch kognitiven wissenschaftlichen Erkennens, sei es inhaltlich oder methodisch, nicht mehr eingreifen. Das ist ihr Schicksal im gegenwärtigen, positiven Stadium der wissenschaftlichen Entwicklung.

IV.

Der Philosophie erwächst die Aufgabe, die Grundlagen aller Einzelwissenschaften zu durchdenken und die Situation des Menschen auf Grund der gesamten Erfahrung zu reflektieren. Dazu gehört nicht nur das Erfahrungsmaterial, das in den Einzelwissenschaften zu finden ist, sondern auch die Erfahrung der menschlichen Grenzen, vor allem auch der Erkenntnisgrenzen, sowie der Grenzen des Machbaren und des Lebensganges von der Geburt bis zum Tode innerhalb der geschichtlichen Einmaligkeit des Daseins.

Es ist zuzugeben, daß gegenüber der Grundlagenforschung in der Mathematik und den Naturwissenschaften die Grundlegung anderer Wissenschaften sowie die philosophische Analyse der Gesamtsituation im Rückstand geblieben sind. Es ist dadurch der Anschein entstanden, als sei Wissenschaft, wenn sie ihre Grundlagen streng durchforscht, mit Naturwissenschaft gleichbedeutend, sodass Philosophie auf Logik und mathematische Grundlagenforschung beschränkt werden könne. Die Reflexionen Nietzsches, Heideggers, Martin Bubers und Karl Jaspers' werden als metaphysische abgetan und in ihrem anthropologischen Gehalt unbeachtet gelassen.

Die angelsächsische Forschung steht vorwiegend auf diesem Boden und sieht „science" (scientia) eben als Naturwissenschaft an, während alles übrige kritische Forschen und methodisch geordnete Denken unter „letters and humanities" untergebracht wird. Es hat dann nur science-Charakter, soweit es die mathematisch-naturwissenschaftliche Methode befolgt.

Daraus ergibt sich die moderne empirizistische Einseitigkeit der wissenschaftlichen Arbeit, die von Amerika aus auch auf das wissenschaftliche Leben der Skandinavier und Deutschlands übergegriffen hat.

Die Philosophie als Grundlagenforschung der Wissenschaften ist in Deutschland beengt durch die auf Dilthey und Rickert zurückgehende Einteilung der Wissenschaften in Natur- und Geisteswissenschaften. Die empiristischen Schulen wollten einen solchen Gegensatz zunächst nicht anerkennen. Sie meinten, daß die Geisteswissenschaften zu anderen Mitteln der Beschreibung und Erklärung der humanen Welt nur darum greifen, weil die Naturwissenschaft noch nicht weit genug entwickelt sei, um auch die humanen historischen Phänomene nach ihrer Weise in Gesetzerkenntnis zu fassen, wie es für die physikalischen bereits erreicht sei.

Auch die Wiener Schule war eine Zeitlang geneigt, den Physikalismus für die einzige wissenschaftliche Weltinterpretation zu halten, bis man entdeckte, daß auch hier eine (materialistische) Metaphysik am Werk sei, die man ausschalten müße. Es blieb dann die Beschreibung und Erklärung psychischer, sprachlicher (geistiger) und kultureller Phänomene nach naturwissenschaftlicher Methode, z.B. des Behaviourismus, der Soziometrie, übrig. Sie ergab Wirklichkeitsbilder vom Menschen, seinem Verhalten und seinem Normenkampf, die sich von dem Bild der Alltagssprache und des Common sense so weit enfernten, daß eine verzerrte Erfahrung austelle der unreflektierten treten mußte. Die Wiener Schule hat zwar später den Physikalismus aufgegeben, doch ist der Monopolanspruch der naturwissenschaftlichen Methode weitgehend anerkannt geblieben.

V.

An diesem Punkt einhaltend scheint es möglich, das Feld abzutasten, auf dem die Philosophie zu einer methodisch besser gesicherten Reflexion über die Wirklichkeit und die conditio humana gelangen könnte.

Die Einteilung nach Natur- und Geisteswissenschaft ist am Stoff orientiert. Sie macht stillschweigend eine ontologische Voraussetzung über das „Wesen" von „Natur" und „Geist". Diese Teilung ist aber schon dadurch überholt, daß unsere sprachlogische Analyse erweist, wie Natur im Sinne der Naturwissenschaft selbst schon ein Konstrukt des menschlichen Sprechens, des „Geistes" also, und ein Produkt auch menschlich-kollektiven und demnach historischen Verhaltens ist.

Die basale Situation des Philosphierens ist also nicht die klassische Scheidung in Subjekt und Objekt — zeitloser und ohne Kommunikation „gegebener" Subjekte, die Objekte vor sich haben und nach einer subjektlosen Darstellung einer objektiven Welt suchen. Basale Situation kann nur der ganze Mensch in der Vielseitigkeit seiner Erfahrung sein, der Sprache und Kommunikation hat, der in einer kulturellen, historisch gewordenen Wirklichkeit hier und jetzt steht, Zukunft vor sich weiß und ebenso gewiß in unaufhörlichem Handeln, kollektiv wie individuell, sein Leben fristet und den Tod vor sich sieht. Seine Handlungen sind „bebildert" (nach Palagyi). Das Bildgefüge seiner Wirklichkeit ist ihm durch die Sprache dialogisch aufgeschlossen und er arbeitet ununterbrochen an der Erneuerung der Bilder und damit auch seiner Erfahrung und Sprache. Da sein Wortschatz und seine Ausdrucksmöglichkeit wie seine Erfahrung begrenzt, wenn auch erweiterungsfähig sind, wird ihm doch das Ganze seiner Situation, auch sein Verhältnis zum noch Unerfahrenen und gänzlich Unerfahrbaren in Bildern bewußt. Es sind die mythischen, die mit künstlerisch gestalteten Artefakten und religiösen Riten in Verbindung auftreten und sein fragmentarisches Dasein ergänzen, indem sie es zum „Weltganzen" in Beziehung setzen.

Aus diesem (archaischen) Zustand hebt sich der reflektierte heraus, der in einer mehrtausendjährigen, kollektiven inneren Arbeit die philosophische Reflexion als eine ausgegliederte Sondertätigkeit des Sprachlebens oder des „menschlichen Geistes" hat hervortreten lassen. Durch sie sind dann die spezifischen Erfahrungen etwa der arbeitsteiligen Berufe, der Politiker, der Richter, Ärzte, Schreiber und Lehrer zusammengefaßt und fortschreitend weiter entwickelt worden zu dem, was heute die Einzelwissenschaften sind. Die große Leistung der letzten europäischen Jahrhunderte, vorbereitet durch die Geistesbetätigungen des orientalischen und griechischen Altertums, ist die Herausbildung strenger, kritisch durchsichtiger Methoden, die in den Wissenschaften einen Fortschritt ganzer Forschergruppen und Denkerschulen ermöglicht haben.

Diese Methoden sind mannigfaltig wie ihre Ursprünge. Sie lassen sich in vier Gruppen ordnen, und zwischen ihnen gibt es Übergänge und Zusammenarbeit. Im Groben gesehen sind es folgende:

Erstens das Verfahren der Logik und Mathematik, zweitens die naturwissenschaftlichen Methoden, drittens die hermeneutischen (philologisch-historischen), und viertens die pragmatisch-analytischen, normenaufklärenden.

Allen vier Gruppen sind philosophische Untersuchungen zugeordnet, die auf der Sprachanalyse basieren, sowie auf der Analyse von Abstraktionsschritten, die in jenen Methoden vorausgesetzt werden.

Die Philosophie hält die Einsicht fest, daß die wissenschaftlichen Disziplinen nicht nach Gegenstands-Klassen einzuteilen sind, die einfach „gegeben" seien. Die „Gegenstände" oder „Themen" der einzelnen Disziplinen sind umgekehrt als Konstrukte von Methoden, von bestimmten Regeln der Abstraktion aufzufassen.

Für die erste Gruppe (Logik und Mathematik) hat die Grundlagenforschung weitgehend die Methodik klären können; ebenso die Philosophie der Physik für große Teile der erklärenden Naturforschung. Was mit Hilfe der Abstraktionen dieser Forschung als Thema der Wissenschaft — als „Gegenstand" — festgestellt werden kann, darf im wissenschaftlichen Sinne (nicht im Sprachgebrauch des common sense) „Natur" heissen. Sie ist die Sphäre der „Objekte". Auch in der Erforschung der humanen Sphäre spielt diese Methode ihre Rolle, ist aber auf die Natur begrenzt in dem, was sie beschreibt und erklärt. Im psychologisch und soziologisch zugänglichen Feld ist sie anwendbar, soweit dort der Mensch, vermöge der naturwissenschaftlichen Abstraktion, als Tier, als Automat, als von innen gesteuertes Verhalten, als Gattungswesen auffaßbar ist. Das Verfahren hört auf sinnvoll zu sein, wo der Mensch in seiner dialogischen Situation als zur Freiheit bestimmte, schöpferisch tätige, in kultureller Wechselwirkung stehende Person sich und andere erfaßt. Daß diese ganze humane Wirklichkeit als Basis angesetzt wird, ist die Voraussetzung der dritten, der hermeneutischen Methode, auf der sich die historischen, philologischen, interpretierenden Disziplinen aufbauen. Obwohl das Grundlegende in dieser Wissenschaftsgruppe schon am Ende des 18. und bis ins 19. Jahrhundert aufgefunden ist, wird es zur Zeit in den vom Positivismus ausgehenden Schulen nicht gepflegt und leidet in Deutschland und auf dem Kontinent überhaupt daran, daß es in veralteter Sprache ausgesprochen wird. Aber das methodische Verfahren dieser Gruppe von Disziplinen steht in seinen Grundzügen fest. Doch sind die philosophischen Grundlagen des dialogischen Verständnisses der Personalität und des Verhältnisses von historischer Bedingtheit und möglicher Freiheit der Person und der öffentlichen Ordnungen noch nicht so allgemein im Bewußtsein wie die naturwissenschaftlichen. Diese Wissenschaften sind daher gegen Einbrüche metaphysischer und ideologischer Irrlehren nicht so gut geschützt wie die Naturwissenschaften.

Am wenigsten gesichert nach der Seite der Grundlagen und auch noch nicht durchgeklärt im methodischen Verfahren sind die Disziplinen, die als pragmatische und normenreflektierende genannt wurden, obgleich sie zum Teil zu den ältesten Einzelwissenschaften gehören. Es ist die Gruppe, die das menschliche Verhalten, Schaffen, die praktische Lebenstätigkeit beschreibt und reflektiert: Gesundheit, Rechts- und Wirtschaftsordnung, die Erziehung, die Politik, das Kunstschaffen, die religiöse innere und institutionelle Verfassung und die ethische Selbststeuerung des Menschen.

Diese Disziplinen bleiben der Alltagssprache am nächsten und sind mit dem praktischen Leben aller Regionen in Verbindung. Ihr Ausgangspunkt ist der common sense von gegenwärtigen Lebenskreisen, die von historisch gewordenen Lebensformen geprägt sind. Diese Lebenskreise ringen um ihren Zusammenhalt in sich und ihren Austausch mit anderen; sie haben ihre Geschichte in sich, die ihnen das Schaffen ermöglicht, sie aber auch einengt. Sie sind auf die Zukunft, auf schöpferisches Handeln gerichtet. Sie diskutieren, sie streben nach der „wahren" Ordnung, dem guten Schaffen, nach Gemeinsinn und Gedeihen, und dabei sprechen sie im normativen Felde und richten sich selbst nach Normen, die im Gespräch stehen und deren Schaffen, Prüfen und Umgestalten ihre eigentliche Thematik ist.

Die Disziplinen, die sich aus der Anwendung dieser Methoden ergeben, sind Rechtswissenschaft, Staatswissenschaften, Sozialökonomie, Politologie, Aesthetik, Erziehungswissenschaften, Ethologie,

Religionswissenschaft, Theologie. Sie sind auf die historisch-philologischen, hermeneutischen Methoden angewiesen, um ihr Material zubereitet zu erhalten. Sie werden sich auch naturwissenschaftlicher Methoden bedienen, um weiteres Material verfügbar zu haben. Aber sie sind heute noch behindert durch die ständigen Versuche, sie ausschließlich auf das naturwissenschaftliche oder das historisch-philologische Verfahren einzuengen. Das ihnen eigentümliche Verfahren ist den anderen Disziplinen oft kaum sichtbar und wird philosophisch meist falsch gedeutet. Indem den pragmatischen Wissenschaften falsche Abstraktionen zugemutet werden, versperren sie sich oft den Zugang zu den Abstraktionen, die ihrer Aufgabe konform sind. Diese dritte Methode erschöpft sich nicht in der Beschreibung von Verhaltensweisen und Vorgängen gemäss naturwissenschaftlicher Abstraktion, auch nicht im Verstehen und hermeneutischen Verfahren des Historismus; sondern sie soll vielmehr die Reflexion des handelnden Lebens ordnen, also den Dialog und den Streit um die Normen aufklären, Normen als eigengesetzte reflektieren. Sie dringt damit kritisch und produktiv, Konsens suchend und stiftend, in den großen Prozeß der moralischen Welt ein, in denen der einzelne seine personale Identität, seine Lebensorientierung, und die Gesellschaft sich den Konsens im Gemeinsinn erkämpft.
gewinnt und die Gesellschaft sich den Konsens im Gemeinsinn erkämpft.

JOHANNES FLÜGGE

DAS UNANTASTBARE UND DAS UNVERFÜGBARE

Zwei Grundbegriffe pädagogischer Anthropologie

Wir sagen „Kinder, Erwachsene, Schüler, Lernende, Lernbehinderte" und planen und organisieren für sie Schulen, Schullaufbahnen, Bildungswege, Lernwege, und dabei sind wir genötigt, über die Bedingungen nachzudenken, denen wir Rechnung tragen müssen, wenn die Bildungspläne Erfolg haben sollen. Diese Bedingungen sind einesteils Umweltbedingungen, denen die von den Bildungsplänen gemeinten Personengruppen zuvor ausgesetzt waren und von denen sie konditioniert sind, andernteils die allen Umweltbedingungen vorausgegeben Bedingungen des Menschseins.

In dem Maße, wie die von außen konditionierenden Faktoren erforscht werden und wie die Ergebnisse dieses Forschens durch das Schrifttum verbreitet und von der öffentlichen Meinung engerer und weiterer Kreise aufgenommen werden, wächst das Unvermögen, den Bedingungen des Menschseins selbst, das dem Kindsein, Schülersein, Lernbehindertsein zugrundeliegt, nachzuforschen und nachzudenken. In der Tat kann die wissenschaftliche Forschung vieler Disziplinen eine solche Fülle von Verursachungen durch äußere Bedingungen, wozu ja auch der ererbte Organismus gehört, für einen bestimmten Moment eines Menschenlebens nachweisen, daß sich die Meinung aufdrängen kann, das Menschsein erschöpfe sich im Konditioniertsein. Dieser Meinung begegnet man oft genug in einer gegen jeden Zweifel abgesicherten Gewißheit, die dann umso verständlicher ist, wenn sie notwendiges Glied eines umfassenden Lehrsystems ist. Freilich ist es noch nie gelungen und kann auch nie gelingen, das Sosein eines Menschen in irgendeinem Lebensmoment vollständig aus den Konditionen herzuleiten, die auf sein Leben eingewirkt haben. Man wird aber immer versuchen dürfen, für einzelne Züge in seinem Sosein die Konditionen aufzufinden.

Indessen, wenn man vom Konditioniertsein eines oder der Menschen spricht, spricht man nicht nur vom Konditioniertsein, sondern auch vom Menschen, und man meint auch immer etwas damit. Es genügt nun im Felde pädagogischen Denkens und Handelns nicht, die Bedeutung dessen, was Menschsein ist, den subjektiven Meinungen derer, die darüber mitreden, zu überlassen. Andernfalls blieben, da es in der Pädagogik doch immer um ein Handeln an Menschen und mit Menschen geht, die Intentionen dieses Handelns verborgen und gäben ihm den Charakter geheimer Manipulation.

Ein Pädagoge, insbesondere ein solcher, der nicht in unmittelbarem Handlungszusammenhang mit Schülern, Auszubildenden oder Zu-Erziehenden steht, sondern sich den Aufgaben der Planung und Organisation widmet, wird schwerlich sagen dürfen: „Was ich bei der Verwendung des Wortes ‚Schüler' über den Menschen denke, ist meine Privatsache". Es ist nämlich ebenso Sache des Schülers, auf den sich die Organisation und Planung bezieht. Man muß ihn als einen Dialogpartner betrachten, der seinerseits, meist nicht verbal, sondern tätig, mitbestimmt, was Menschsein in seinem Bereich ist. Er wird die produktive oder destruktive Spannung zwischen seinen Aspirationen des Menschseins und dem in einer Planung und Organisation verborgenen Begriff des Menschseins spüren und sie durch sein Verhalten beantworten. Etwas anders ist es in dem unmittelbaren Miteinander-Tätigsein von Lehrern und Schülern. Hier wird jene Spannung, weniger in verbalen Auseinandersetzungen, mehr in dialogischem Handeln, unmittelbar fruchtbar werden können.

Die Pädagogik in der Ebene der direkten Praxis und in der Ebene der Theorie und Planung ist einer der Orte, wo das anthropologische Fragen aus dem sichereignenden spannungsreichen zwischenmenschlichen Leben immer wieder notwendig entsteht. Und zwar als ein Fragen nicht nach diesem und jenem, was zur Eigenart des Menschen gehört, sondern nach dem, was die conditiones sine quibus non des Menschseins ausmacht. Die anthropologische Frage, wie sie aus der, oft sehr bedenklichen, Erfahrung im pädagogischen zwischenmenschlichen Bereich hervorgeht, ist weder Angelegenheit einsamen Nachdenkens noch das Zusammentragen wissenschaftlicher Einzelbefunde zu einem immer unfertigen Bilde, obwohl sie beides auch umfaßt, sondern sie ist die Frage nach einem Verständnis des Menschseins, mit dem die Pädagogik den auf ihre Hilfe angewiesenen Menschen entgegenkommen und das sie vor ihnen verantworten kann.

Begriffe aus dem so verstandenen Fragenbereich der pädagogischen Anthropologie sind der Begriff des Unantastbaren und der Begriff des Unverfügbaren. Beide Begriffe sind gegenstandslos, aber zur Kennzeichnung der menschlichen Seinsweise, wiewohl dem „Menschenbild" keinen sichtbaren Zug hinzufügend, unentbehrlich. Als Negationen weisen sie, im Erziehungsbereich geltend gemacht, Einstellungen und Begriffsformen, die gegenüber Sachen zulässig sein können, als gegenüber Personen unangemessen und unzulässig, obschon detaillierter Planung von „Lernprozessen" fast unvermeidlich eingewirkt, ernstlich zurück.

Der Begriff des Unantastbaren ist bei uns ein verfassungsrechtlicher Grundbegriff, der sichern soll, daß Staat und öffentliche Institutionen die Menschen nicht in einer Weise behandeln und bedenken, die ihr Menschsein mißachtet.

Der Begriff des Unverfügbaren weist auf eine spezifische menschliche Befähigung, eben die des Verfügens, hin, die gleichwohl an dem Menschen, gegen den sie sich richtet, zunächst ihre moralisch und letztlich ihre unübersteigbare Schranke findet.

Das Unantastbare

Für die Pädagogik ist der Begriff des Unantastbaren insbesondere dadurch ein höchst beachtlicher staatsrechtlicher Begriff, daß der Staat als Schulherr und die staatliche Gewalt als Erziehungsinstanz sich zur Geltung bringt.

Die allgemeine Schulpflicht ist bei uns Hinterlassenschaft des fürstlichen Absolutismus. Sie konnte verordnet werden, weil es schon ein ausgedehntes elementares Schulwesen gab, das als Antwort auf die Anforderungen bürgerlicher Lebensformen in der Stadtkultur seit dem ausgehenden Mittelalter und als Erfordernis der kirchlichen Reformation entstanden war. Der Staat, der die Eltern verpflichtete, ihre Kinder zur Schule zu schicken, beanspruchte zunächst nicht, der Schulherr zu sein. Aber in dem Maße, wie der allgemeine Schulbesuch durch die Staatsgewalt erzwungen wurde, mußte der Staat selbst die Aufgaben des Schulveranstalters übernehmen und konnte als Schulherr die Inhalte und Formen des Schulunterrichts bestimmen. Auch lag seitdem der Anspruch auf ein staatliches Bildungsmonopol im Bereich der Möglichkeit.

Die aus kulturpolitisch freiheitlicher Gesinnung hervorgegangene Reichsverfassung von 1849 enthielt in § 154 geradezu eine Ermutigung der Bürger, im Unterrichts- und Erziehungswesen initiativ tätig zu werden. Der Staat wurde verpflichtet, für die Bildung der Jugend durch öffentliche Schulen „überall genügend" zu sorgen.

Aber die Richtung auf ein staatliches Bildungsmonopol kennt diese Verfassung nicht.

Sie ist ja nicht verwirklicht worden. Der Staat als Schulveranstalter kannte bis heute beide Tendenzen: die allgemeine Schulpflicht zu verstehen als Maßnahme, daß die Jugend zu ihrem Recht komme, bei Offenheit für die Mitbestimmung der Bildungsziele durch Pädagogen und durch Wortführer gesellschaftlicher Interessen,— und die staatlich veranstaltete Schule, zu verstehen als Instrument der Staatsführung. Beide Tendenzen konnten nebeneinander wirken oder sich in der Dominanz abwechseln:

der Staat als Ermöglicher von Schulbildung, oder
der Staat als oberster Erzieher.

Die letztere Tendenz hat sich kontinuierlich verstärkt. Sie hat kulminiert in der Zeit der Diktatur der Hitler-Partei, die ohne Einschränkung als oberste nationale Erziehungsinstanz auftrat und die Schulen als Instrument der politischen Führung in Anspruch nahm. Die nachfolgende demokratische Staatsform hat die Auffassung der Schule als Instrument politischer Führung nicht ausgeräumt, sondern sich vorbehalten, von diesem Instrument notfalls oder bei Gelegenheit Gebrauch zu machen, in anderer Weise freilich als der vorangehende totalitäre Staat. Auch unser Staat meint auf die Chancen politischer Führung durch das Instrument Schule, die ihm die Epoche des Absolutismus hinterlassen hat, nicht verzichten zu können. Er weiß sich zugleich verpflichtet, den Ansprüchen, die sich als gesellschaftliche Interessen deklarieren, offener zu sein als selbst die Weimarer Republik. Währenddessen treten Ansprüche an die Institution Schule, Versuche, sie bestimmten Tendenzen dienstbar zu machen, unter neuen und oft ihre Intention verhüllenden Namen auf. Das verwirrende Bild sich zu klären und entsprechend Stellung zu nehmen und zu handeln ist eine permanente Aufgabe.

Hier soll nun zu einigen bildungspolitischen, erziehungswissenschaftlichen, unterrichtsorganisatorischen Tendenzen Stellung gesucht und genommen werden vom Boden eines Begriffes aus, der im Grundgesetz der Bundesrepublik Deutschland, zwar vieldeutig und unpräzise, eine beherrschende Stellung hat und zugleich, wenngleich nicht unter diesem Namen, ein pädagogischer Grundbegriff ist. Es ist der Begriff des Unantastbaren im Menschen.

Über den ersten Satz des Art. 1 GG: „Die Würde des Menschen

ist unantastbar", soll hier nicht spekuliert werden. Genug, daß erkennbar ist, daß er die durch die folgenden Artikel gewährleisteten Rechte umgreift und daß die Einsicht in jenes Unantastbare das Bekenntnis zu diesen unmittelbar geltenden Rechten motiviert und daß es Verpflichtung aller staatlichen Gewalt ist, die unantastbare Würde des Menschen zu achten und zu schützen.

Die Pädagogik bedurfte des GG nicht, um sich der Unantastbarkeit der Würde des Menschen und ihrer Verpflichtung, sie zu achten und zu schützen, bewußt zu werden. Es ist hier an das GG erinnert worden, um den Begriff des Unantastbaren in seinem Verhältnis zur staatlichen Gewalt zur Sprache zu bringen. Die Gefahr nämlich, daß die staatliche Gewalt das Unantastbare verletzt, ist immer gegeben, und sie ist durch Art. 7 (1) GG für das Schulwesen besonders bedrohlich.

Was bedeutet der Satz Art. 7 (1) GG: „Das gesamte Schulwesen steht unter der Aufsicht des Staates"? Er bedeutet, im Kontext des Teiles I GG über „Die Grundrechte" verstanden: Es ist Aufgabe des Staates, im gesamten Schulwesen die unantastbare Würde des Menschen zu achten und zu schützen. So war es in der hundert Jahre zuvor erarbeiteten Verfassung gemeint. Der Satz Art. 7 (1) GG ist aber zweideutig. Er kann auch, entgegen der Überschrift „Die Grundrechte", verstanden werden als ein die Grundrechte einschränkender staatlicher Vorbehalt. Tatsächlich ist Art. 7 in diesem Teil des GG ein Fremdkörper.

Er definiert und gewährleistet kein Grundrecht außer, beiläufig, dem Recht der Erziehungsberechtigten, über die Teilnahme des Kindes am Religionsunterricht zu bestimmen — also der Bestätigung der Regel, daß die Erziehungsberechtigten über die Teilnahme des Kindes am Unterricht nicht zu bestimmen haben. Außerdem wird in Art. 7 (4) GG das Recht zur Errichtung von privaten Schulen gewährleistet, unter Vorbehalt staatlicher Genehmigung, sofern es sich dabei um Ersatz für öffentliche Schulen handelt. Es bleibt bestehen, daß Art. 7 GG einen die Grundrechte einschränkenden staatlichen Vorbehalt definiert.

Insofern gibt Art. 7 (1) GG die Möglichkeit, nicht nur die Hinterlassenschaft der Epoche des Absolutismus festzuhalten, sondern auch sie in die Zukunft hin auszubauen.

Wie wenig die gekennzeichnete Zweideutigkeit von Art. 7 (1) GG zufällig und bloß verbaler Natur ist, wie sehr diese Zweideutigkeit im Innersten der Bildungspolitik unseres Staates angesiedelt ist, zeigt folgender Satz aus dem vom Deutschen Bildungsrat erarbeiteten „Strukturplan für das Bildungswesen" (1970), mit dem sich die derzeitige Bundesregierung identifiziert hat: „Die Verantwortung für das gesamte Bildungswesen liegt beim Staat und wird durch Regierung und Parlament ausgeübt" (S. 261).

Hier meldet sich in Anlehnung an Art. 7 (1) GG ein Anspruch auf ein staatliches Bildungsmonopol an, der über die staatliche Initiative zur Veranstaltung eines allgemeinen Schulwesens in der Epoche des aufgeklärten Absolutismus weit hinausgeht und ein totalitäres Bildungssystem vorbereitet. Staatsrechtliche Argumente für die Verfassungswidrigkeit der sich solcherart darstellenden Intentionen, wonach ja selbst die Fülle der die öffentlichen Schulen nicht ersetzenden Bildungseinrichtungen in die Verantwortung des Staates übernommen werden sollte, seien hier beiseite gelassen. Die hier zu erörternde Frage lautet, ob das im GG als „Würde" bezeichnete Unantastbare im Menschen bei dem hier und an vielen anderen Orten sich ankündigenden totalitären Bildungsplanungen noch geachtet und geschützt wird.

An dem Fragment eines Berichtes über eine Unterrichtserfahrung als an einem beliebig austauschbaren Beispiel sei der Ernst dieser Frage veranschaulicht. Eine Schülerin schrieb an ihren Lehrer: „Mathematik war für mich immer der Inbegriff der Langweile gewesen, und ich konnte kaum verstehen, wie dieses herrliche Erlebnis auch Mathematik heißen konnte . . . Es war, wie wenn ein neuer Teil des Gehirns entdeckt und in Gang gesetzt wurde . . . Bei jeder neuen Entdeckung schien ein neues Licht angeknipst zu werden, und das Entdeckte war dann fast lächerlich klar . . . Als wir nach mehreren Tagen die Aufgabe gelöst hatten, waren wir so stolz, als wenn das Primzahlenproblem uns unser ganzes Leben lang geplagt hätte und wir die ersten Menschen seien, die den Beweis gefunden hatten". (Aus Martin Wagenschein, „Ursprüngliches Verstehen und exaktes Denken".)

Wer kann für diese Unterrichtserfahrung verantwortlich gemacht werden? Nicht der Staat. Da ist niemand in Regierung und Parlament, der fähig gewesen wäre, die Idee dieser Art des Unterrichts in sich zu erzeugen oder durch Vorschriften den Ablauf dieses Unterrichts zu organisieren. Es darf nachträglich der Staat, in diesem Fall in der Schweiz, seine Verantwortung für Achtung und

Schutz solchen Unterrichts bekennen, aber für die Realisierung trägt der Lehrer die Verantwortung. Es hieße, die Würde des Lehrers anzutasten, ja, erheblich zu verletzen, wenn ihm seine autonome Verantwortung nachträglich abgesprochen oder planmäßig abgenommen würde. Ebenso haben die jungen Menschen im Rahmen dieses Unterrichtsganges erlebt, daß sie in die Freiheit der eigenen Tätigkeit und der Selbstverantwortung gestellt waren, ohne die derartige Unterrichtserfahrungen nicht möglich sind. Auch die Würde der Schüler wird angetastet und verletzt, wenn sie dieser ihrer autonomen Verantwortung enthoben würden. Weder Lehrer noch Schüler können rückblickend die Verantwortung des Staates für das, was sich in ihrer Unterrichtserfahrung geistig ereignet hat, entdecken. Die nächste rückwärtige Instanz, die an der Verantwortung beteiligt ist, ist die private École d'humanité und deren Initiator, Paul Geheeb. Der Staat, das sind in diesem Fall die Gesetze, hat den Rahmen zur selbstverantwortlich freien Entfaltung der Persönlichkeiten geachtet und geschützt. Er hat die Unantastbarkeit ihrer Würde im Bildungsgeschehen respektiert.

Wie in diesem anscheinend exzeptionellen Fall, der einem bedeutenden und verbreiteten Buch entnommen ist, geht es im unscheinbaren Alltag vieler Schulen nicht selten zu, auch wenn sich kein auffälliges Resultat des Unterrichts zeigt. Ohne Achtung vor der in Verantwortung, Gestaltungsphantasie, Geduld und persönlicher Zuwendung sich frei entfaltenden Persönlichkeit von Lehrern und Schülern kann ,,der Staat'' kein Bildungswesen zum Leben bringen.

Das bedeutet aber, daß in dem Maße, wie der Staat das Bildungsmonopol, ,,die Verantwortung für das gesamte Bildungswesen'', anstrebt, wie er das Schulwesen und gar das gesamte Bildungswesen zum Instrument politischen Handelns zu machen sucht, er das Risiko der freien Entfaltung der Persönlichkeiten im organisierten Bildungsgeschehen einschränken und dem verfassungsmäßig geschützten Unantastbaren im Menschen heimlich oder offen Gewalt antun muß.

Es sollte keiner Erwähnung bedürfen, daß die in Art. 2 (1) GG genannten allgemeinen Schranken der freien Entfaltung der Persönlichkeit —,,sofern er nicht die Rechte anderer verletzt und nicht gegen die verfassungsmäßige Ordnung oder das Sittengesetz verstößt'' —für das Schulwesen in doppeltem Sinne von höchster Bedeutung sind. Erstens ist das Begreiflichmachen dieser Schranken als der

Ermöglichung der freien Entfaltung des Anderen eines der wichtigsten Themen der Schulbildung; zweitens ist Schule und ist institutionalisiertes Bildungswesen überhaupt nur möglich, sofern diese Schranken sich Anerkennung verschaffen.

Sofern die Pädagogik den Personen zur freien Entfaltung zu helfen sucht im Rahmen dieser Schranken, muß sie einen Stil der Lehre und des Unterrichts erstreben, der die freie Entfaltung der Persönlichkeit erfahren läßt. Daß das eine schwere Aufgabe ist, war den Pädagogen, die sie als unabweisbar ansahen, seit je klar. Insbesondere setzt die gemeinschaftliche freie Entfaltung der geistigen Anlagen Umgangsformen voraus, die ein problemorientiertes zuchtvolles Gespräch ermöglichen. Diese Umgangsformen wiederum lassen sich nur erreichen, wenn die Schule sich die Achtung der Schüler zu erwerben, zu erhalten und zu fordern weiß. Als grundstürzender Fehler der Bildungspolitik müßte es beurteilt werden, wenn sie der freien Entfaltung der Persönlichkeiten die Bildungsinstitution als solche, die ja der freien Entfaltung jedes Anderen gilt, zur Auflösung preisgeben, aber die geistigen Bildungsprozesse in Zielen und Wegen strikt reglementieren würde. Die Sorge ist nur allzu berechtigt, daß dies tatsächlich geschieht.

Gewiß ist der „Strukturplan für das Bildungswesen" mit dem einen hier zitierten Satz nicht gerecht charakterisiert. Das ist hier auch nicht beabsichtigt. Er charakterisiert einen weithin wirksamen Trend, der eben auch in einem politisch so repräsentativen Dokument wie dem Strukturplan sich manifestiert und ausspricht. Diesem Trend folgen viele Produktionen aus Erziehungswissenschaft und Bildungsforschung. Es ist der Trend, die Entfaltung der Persönlichkeit durch das Instrument des gesamten Bildungswesens zu gesellschaftspolitisch vorentschiedenen Zielen hinzulenken.

Wirksam wird die freie Entfaltung der Persönlichkeiten für die künftige Gestalt der Gesellschaft immer sein, und also wird ein Schulwesen, das zuvörderst der freien Entfaltung der Persönlichkeiten dienen will, seinen großen Beitrag liefern zur jeweils künftigen Selbstgestaltung der Gesellschaft. Etwas anderes ist es, wenn das Schulwesen mit dem gesamten Bildungswesen zuvörderst gesellschaftspolitischen Zielen dienstbar gemacht wird. Gesellschaftspolitische Ziele sind Ziele für morgen, aber von heutigen Menschen vermittels heutiger Machtkonstellationen festgesetzt. Dabei wird, sofern der Staat das Schulwesen nicht nur pflichtgemäß beaufsichtigt, sondern das gesamte Bildungswesen verantworten und planen will, die freie Entfaltung der Persönlichkeit in den Schranken des Art. 2 (1) GG nicht mehr als unantastbar angesehen. In Wahrheit wird dann eine neue Schranke errichtet, die folgenden Zusatz zu Art. 2 (1) GG erforderlich machen würde: „. . . und soweit er nicht Teilnehmer von Veranstaltungen der Bildungsinstitutionen ist".

In welchen Abhängigkeiten die Institution Schule mit Schülern, Eltern und Lehrern nach den Modellen von maßgeblichen internationalen Organisationen und Konferenzen, Verbänden, Parteien und Regierungen gesehen wird, können einige Sätze von Gottfried Hausmann verdeutlichen: „Es wurde schon gesagt, daß die Bildungspolitik zur Gesellschaftspolitik gehört, aus der sie hervorgeht und in die sie einbezogen bleiben muß. Als abhängige Variable ebenso wie als von sich aus mitbewirkender Faktor ist die Bildungspolitik stets in einem — wenn auch ungleichgewichtigen — reziproken Interdependenzverhältnis zur umfassenderen Gesellschaftspolitik zu sehen . . . Der zunehmende Zwang, gesellschaftliche Strukturen rational zu organisieren und gesellschaftliche Prozesse rational zu steuern, hat auch im Bildungsbereich zum Aufbau und Ausbau immer differenzierterer — und damit zugleich auch immer schwieriger zu handhabender Mechanismen geführt. Vom Standpunkt der Bildungspolitik aus gesehen, sind in jüngster Zeit besonders die Beziehungen zwischen Bildungspolitik, Bildungsplanung und Bilddungsforschung stark in das Blickfeld unmittelbarer Betrachtungen gerückt worden". („Aspekte und Perspektiven gegenwärtiger Bildungspolitik" in „GEW", hrsg. Bezirksverband Braunschweig, o.J. (1971), S. 14/15.)

Selbst wenn Hausmanns Formulierung: „der zunehmende Zwang, gesellschaftliche Strukturen rational zu organisieren und gesellschaftliche Prozesse rational zu steuern", bei aller Vieldeutigkeit der einzelnen Begriffe, als zutreffend anerkannt wird, lassen sich durchaus verschiedene Folgerungen daraus ziehen. Es entspricht einer weithin vorwaltenden Denkweise, zur rationalen Steuerung gesellschaftlicher Prozesse sich des gesamtes Schulwesens und nach Möglichkeit des gesamten Bildungswesens zu bedienen. Dann freilich müßten in zunehmendem Maße die jenigen äußeren und inneren Prozesse und Tätigkeiten, die man als „Lernen" bezeichnet, für rational steuernde Instanzen verfügbar gemacht werden.

Eben dies ist ein Ziel, dem viele und aufwendige Aktivitäten in der Erziehungswissenschaft energisch zustreben. Dieses Streben ist an sich nicht neu. In der Geschichte des Schulwesens gab es immer wieder einzelne Pädagogen, die meinten, es müsse doch möglich sein, Lehrmethoden zu erfinden, die mit der Sicherheit geplanter mechanischer Abläufe den Lernerfolg garantieren könnten. Für die heutige Lernwissenschaft ist charakteristisch die experimentelle Ermittlung psychisch-physiologischer Mechanismen, die bei geeigneter Steuerung von außen einen von außen vorgeschriebenen Lernerfolg manipulierbar machen. In derzeitiger Fachsprache kann das so formuliert werden: Kraft geeigneter multimedial arbeitender Methoden muß erreicht werden, Informationen so sicher in den Lernern zu speichern, daß sie je nach der Dauer der seitdem abgelaufenen Zeit mit einem jeweils berechenbar hohen Wahrscheinlichkeitsgrad noch zuverlässig abrufbar sind. Oder: Durch geeignete z. T. mathematisch präzisierte Methoden gelingt es, den Lerner, ohne daß er es merkt, zur sicheren Aneignung „erwünschter" Endverhaltensweisen von hohem Stabilitätsgrad zu bringen; wobei „erwünscht" heißt, daß diese Verhaltensweisen lediglich der planenden und organisierenden Instanz erwünscht sind. Oder: Durch Folgen genau definierter Lernsequenzen gewinnt der Lernende jene Qualifikationen, die ihn befähigen, künftigen, durch Bildungsforschung gegenwärtig zu ermittelnden Lebenssituationen gerecht zu werden.

Gemeinsam ist den in dieser oder ähnlicher Weise sich artikulierenden, in einer ausufernden Literatur sich darstellenden Forschungen und Planungen, daß die Schüler oder Lerner gedacht werden als Material, dem sich die verselbständigt gedachten Prozesse der Information, der Verhaltenssteuerung und -prägung, der Qualifizierung auferlegen. „Es muß doch machbar sein", so die unausgesprochene, aber wie selbstverständlich vorausgesetzte Intention, „daß sich durch psycho-physiologische Steuerungsmechanismen mit geeigneten Rückmelde- (also feed-back-) Einrichtungen vorauskalkulierte Resultate mit kontrollierbarer Sicherheit erreichen lassen".

Im Hintergrund des solcherart planenden und konstruierenden Bewußtseins herrschen Denkmodelle kybernetischer oder informationstheoretischer Art oder das Denkmodell von der durchgehenden Mechanik des lebenden Organismus. Es finden sich gelegentlich aufschlußreiche Graphiken. Z. B. ein freistehender Tunnel, vergleichbar einer automatischen Autowaschanlage, trägt die Aufschrift „Kursprogramm". Die Öffnung links ist als „Eingang" bezeichnet, rechts als „Ausgang". Eine Figur bewegt sich von links auf den Eingang zu, eine andere verläßt im Laufschritt den Ausgang (R. M. Mager). Es sieht aus wie eine scherzhafte Illustration. Indessen veranschaulicht sie exakt die Starrheit des verselbständigten programmierten Unterrichts, der den Schülern jede geistige Eigenbewegung abnimmt, nur daß der eine schneller, der andere langsamer die genau vorgezeichneten sogenannten Lernschritte gehorsam geht; diese Tempounterschiede wagen Agitatoren des Programmierten Unterrichts als „Individualisierung des Lernens" einer leicht zu täuschenden Öffentlichkeit zu offerieren. Der Schüler ist hier, gemäß der Ausdrucksweise des Klassikers unter den Lernprogrammierern, B. F. Skinner, „lebendiger Organismus", der durch gewisse seinem Triebsystem zusagende Belohnungen veranlaßt wird, Schritt für Schritt sich einem von ihm nicht gewählten Dressurziel zu nähern. Der Lernprozeß ist dann vielmehr ein Produktionsgang, bei dem eine normierte Verhaltensweise hergestellt und den Schülern imputiert wird. Der vor zehn Jahren noch geschätzte Vergleich organisierten Lernens mit einem industriellen Input-output-Verhältnis ist außer Gebrauch gekommen, da gegenüber der Industrieproduktion nicht mehr so leicht von Sinnfragen zu abstrahieren ist.

Ein anderes graphisches Schema z.B. zeigt den einfachen kybernetischen Regelkreis, in dem der beherrschende „Sollwert" dem "Regler" eingegeben ist. Dieser regelt über das „Stellglied" die „Regelgröße" (d.h. die zu regelnde Größe) und teilt die „Störungen" dem „Meßfühler" mit, der sie als „Ist-Wert" dem „Regler" zurückmeldet, womit der Regelkreis geschlossen ist. In dem graphischen Schema wird nun jedem der angeführten Begriffe ein didaktischer Begriff zugeordnet, so daß „der didaktische Prozeß" als Regelkreis erkennbar wird: „Der Soll-Wert ist das Lernziel . . . Der Regler ist der wissenschaftliche Didaktiker, er vergleicht den Ist-Wert des Lernenden mit dem Soll-Wert und entwirft ein Programm zu dessen Steuerung. Das Stellglied ist die Lernsteuerung, sie kann vom Lehrer oder von Lehrobjektivationen vorgenommen werden. Lernplanung und Lernsteuerung lassen sich unter dem Oberbegriff Lernorganisation zusammenfassen. Nach der Veränderung des Lernenden wird durch die Lernkontrolle der neue Zustand festgestellt usw.". (Felix von Cube, „Der kybernetische Ansatz in der Didaktik", in „Didaktik", Hrsg. H. Röhrs, Ffm. 1971 S. 228.)

Man täte dem Autor Unrecht mit der Annahme, er wolle Lehrende und Lernende durch ihre Stelle im Regelkreis als Personen bestimmen: Selbstverständlich sind sie als Personen nicht identisch mit den Funktionen, die ihnen im Regelkreis zugewiesen sind. Im didaktischen Prozeß aber als solchem sind sie Träger von Funktionen oder Rollen, die durch ein verselbständigt gedachtes System vorgeschrieben sind.

Es wird, gemäß diesem Modell, erwartet, daß Lehrer die Funktion des Stellgliedes: die Lernsteuerung, genau dem Regler, d.h. dem wissenschaftlichen Didaktiker gemäß ausüben. Von Lehrern wird nur das Ausführen von Vorschriften erwartet, die der wissenschaftliche Didaktiker erarbeitet hat. An der Konzeption und Kritik von Lernzielen nimmt der Lehrer, im Rahmen seiner Funktion, nicht teil, ebensowenig an dem didaktischen Entwurf der Art der Realisierung der Lernziele. Daß er im didaktischen Regelkreis didaktisch produktiv tätig wird, ist nicht vorgesehen und wird nicht erwartet. Es werden von ihm keine „Störungen" der Lernvorschriften erwartet.

Anders ist es mit dem Schüler, der Regelgröße. Er ist ja zunächst dem Lernziel nicht konform; sein Ist-Wert entspricht nicht dem Soll-Wert. Die „Störungen", die er solcherart in den Lernprozeß einbringt, sind anerkannt als zu regulierende Faktoren. Sie sind aber nicht legitimiert zur Veränderung des vorgegebenen Lernprozesses oder gar des Lernziels. Die Aufgabe des Lernprozesses ist „die Veränderung des Lernenden", der daher lediglich Objekt des Lernprozesses ist. Der Lernprozeß wird in diesem gedanklichen Modell als verfügbar gedacht, und gerade der Mechanismus seiner Regulierung auf Grund der Rückmeldung macht ihn zu einem verfügbaren Prozeß. Dadurch wird auch der Schüler im Lernprozeß grundsätzlich als verfügbares Objekt interpretiert.

Den erwähnten durch Zeichnungen sich verdeutlichenden Denkformen entsprechen wirksame Formen von Methoden zur Verfügung über die Lernenden.

Von grundlegender Wichtigkeit ist dabei immer, daß das angezielte Lernergebnis oder das Lernziel von vornherein unzweideutig beschrieben ist; andernfalls ließen sich keine gradlinigen Lernwege konstruieren und kein sicheres, umwegloses Führen von Schritt zu Schritt ermöglichen. Das jeweilige Lernziel muß nicht nur unzweideutig beschrieben sein, sondern es muß auch genau kontrollierbar sein, ob es erreicht ist, und ebenso, ob die einzelnen Stadien auf dem

Lernwege erreicht sind; andernfalls könnte man nicht wissen, ob der objektivierte Lernprozeß sich auf die Lernenden übertragen hat, wozu er ja konstruiert war.

Das Postulat der vollständigen Kontrollierbarkeit der Lernergebnisse durch objektivierte Kontrollverfahren führt dazu, daß als Lernziel nicht anerkannt wird, was nicht durch Personen, die mit dem Lernenden nicht identisch sind, kontrollierbar ist. Ebenso werden Lernziele, im Rahmen dieser Denkform und dieses didaktischen Konzeptes, ausschließlich durch Personen festgesetzt, die mit den Lernenden und auch mit den Lehrenden nicht identisch sind, z.B. durch Wissenschaftler, „Experten", Futurologen, Planungstechniker, Politiker.

Ob man als Sinn des organisierten Lernens Wissensvermittlung oder Verhaltensänderung setzt, immer gilt unzweideutig genaue Lernzielbeschreibung und Konstruktion exakter Kontrollverfahren durch Personen, die mit den Lernenden und den Lehrenden nicht identisch sind, im Rahmen kybernetischer Didaktik und programmierender Methoden, als unerläßlich für den Lernerfolg.

So sind also aufausziselierte Lernresultate hin konstruierte oder programmierte Lern*wege* fast zwangsläufig durch Lern*ziele* bestimmt, auf die Lernende und Lehrende *keinen Einfluß* haben, die vielmehr durch übergeordnete Instanzen gesetzt sind. Der Sinn der Lernziele hat also seine Begründung gefunden außerhalb der Lernenden und Lehrenden und bevor sie in den Lernprozeß einbezogen sind. Für den Sinn der Lernziele tragen dann politische oder obrigkeitliche oder „gesellschaftliche" Instanzen die Verantwortung. „Gesellschaftlich" ist in diesem Zusammenhang immer in der verengten Bedeutung zu verstehen, daß wenigstens für den Akt der Lernzielbestimmung jenes Fünftel der Bevölkerung, das die Schüler umfaßt, interpretiert wird als *Objekt* gesellschaftlichter Entscheidungen, also als dem „die Gesellschaft" genannten *Subjekt* nicht zugehörig.

Natürlich können Schüler innerhalb einer zweckrational durchkonstruierten Lernorganisation auch in dem Sinne zu ihrem Recht kommen, daß sie sagen: „Es ist durchaus in meinem Sinne, was und wie ich hier lerne". Gleichwohl hat die Lernorganisation hier den Charakter des Verfügens, da sie als solche gleichgültig dagegen ist, ob das Lernziel zugleich Ziel des Lernenden ist oder nicht, und ob die strikte Führung auf dem Lernwege von dem Lernenden begehrt oder nicht begehrt ist. In jedem Fall sind Lernziel und Lernweg bewußt nicht darauf bedacht, den Lernenden in die Beratung des Lernzieles einzubeziehen und ihn Lernwege hin und wieder selbst finden zu lassen. Es läßt sich nicht entgegenhalten, durch Einbezug des Lernenden in Beratung und Organisation des Lernens werde dem Lernen der Charakter des Lernens genommen, da sowohl spontanes wie auch veranstaltetes Lernen den Beobachter eines anderen belehren.

Es braucht aber auch gegen eine Didaktik, die den Lernprozeß zu einem verfügbaren mechanischen Prozeß machen will, namens der Selbstbestimmung der Lernenden keine grundsätzliche Ablehnung formuliert zu werden. Wenn keine Nötigung zum Durchlaufen eines Kursprogramms stattfindet, vielmehr das Kursprogramm, auch wenn es starr programmiert ist, dem Kursteilnehmer oder Lernenden zur freien Verfügung gestellt wird, bracht die freie Entfaltung seiner Persönlichkeit nicht angetastet zu werden, kann die Verfügung über ihn aufgehoben sein.

Das Unverfügbare

Mit den Ausdrücken „Verfügung", „verfügbar machen", „verfügen" bringen wir keine menschliche Verirrung, sondern eine conditio humana des Daseins und Handelns in der Wahrnehmungswelt zur Sprache. Sich in der für den Menschen unendlichen Fülle dessen, was den Sinnen erscheint und ertönt, zurechtzufinden, setzt den Erwerb von verkürzenden Repräsentationen der Dinge in Form von sinnlichen Merkmalen und sprachlichen Symbolen voraus. Bei der Ausbildung oder der Aneignung solcher symbolischer Abbreviaturen beziehen wir, gemäß der Darstellung von Arnold Gehlen („Der Mensch, Seine Natur und seine Stellung in der Welt") die Wahrnehmungskomplexe ein in vorschwebende Möglichkeiten von Handlungen, deren Absichten den Dingen ihren Bedeutungsakzent geben und die Selektion von solchen Merkmalen ermöglichen, die schnellsten Überblick und jederzeitigen Einbezug in einen Handlungszusammenhang erlauben. „Die mit der Reizüberflutung gesetzte Aufgabe der Orientierung wird so gelöst, daß darin der Mensch die Dinge gleichzeitig *in die Hand bekommt*, aber auch wieder dahinstellt und erledigt, bis endlich die irrationale Überraschungsfülle der Eindrücke *reduziert* ist auf Reihen leicht übersehbarer Zentren (Dinge), deren jedes eine Fülle müheloser *Andeutungen* von möglichen Umgangserfolgen, entwickelbaren Veränderungen enthält, von dahingestellter Verfügbarkeit". (Gehlen S. 43)

Wie außerordentlich aufschlußreich dieser Blick in die Genese und die Textur des intelligenten und praktischen menschlichen Weltverhaltens auch ist und wie lebensnotwendig dieser Proseß, sich die „Eindrücke" intentional und praktisch verfügbar zu machen — man muß doch ernstlich die Grenzen dieses Sich-verfügbar machens ins Auge fassen.

Bei Gehlen heißt es: „Dieser Prozeß, welcher den größten Teil des kindlichen Alters ausfüllt, hat als Resultat die uns gegebene Wahrnehmungswelt" (S. 41). Dabei bleibt unbeachtet, daß zur Wahrnehmungswelt im kindlichen und jedem folgenden Alter Menschen gehören, an denen die Intention, sie der dahingestellt verfügbaren Wahrnehmungswelt einzuordnen, scheitert. Das sind diejenigen Menschen, die uns „angehen" oder deren Sorge und Liebe die menschliche Entfaltung in der Kindheit ermöglicht hat. Gerade im kindlichen, aber nicht nur im kindlichen Alter, ist zudem die Notwendigkeit, selbst der Wahrnehmungswelt anderer Menschen, aber nicht in dahingestellter Verfügbarkeit anzugehören, von lebensentscheidender Bedeutung. Das Empfinden, von anderen Menschen nur in der Weise aktueller oder dahingestellter Verfügbarkeit wahrgenommen zu werden, kann zur Lähmung aller Lebensenergie oder zu Ausbrüchen gewaltsamen Sich-bemerkbar-machens, etwa in der Form von Brandstiftungen, führen. Gehlens Konstruktion der Genese der „uns gegebenen Wahrnehmungswelt" ist also von bemerkenswerter Einseitigkeit, weil sie die auch in der Wahrnehmungswelt sich darstellenden sozialen Wechselwirkungen außer Acht läßt.

Es ist ein weiterer Gesichtspunkt ins Auge zu fassen, den Gehlen außer Acht gelassen hat. In seinem anthropologischen Entwurf wird, sicher zurecht, der vital notwendigen Funktion der „Entlastung" von dem Druck der durch keine Instinkte gefilterten Überflutung mit Sinnesreizen größte Bedeutung zugeschrieben. So hat die Reduktion der bedrängenden Sinneseindrücke auf „Andeutungen" erledigter, aber verfügbarer Dinge die große die Entfaltung menschlicher Potenzen ermöglichende Wirkung der Freisetzung seiner Energien. Freisetzung wozu? Gewiß, zu planendem Handeln. Aber nicht nur dazu, sondern auch zum intensiven, nicht notgedrungenen Wahrnehmen ausgewählter Phänomene. Die Entlastungsfunktion befreit auch das Wahrnehmen und ermöglicht Offenheit der Sinne für

Phänomene, deren Wahrnehmung den, der für sie die Tendenz zum Erledigen und zum Verfügbar-dahingestelltsein-lassen rückgängig macht, über sich hinausführt oder ihn verpflichtet, sich seinerseits ihnen zur Verfügung zu stellen.

Ein dritter Gesichtspunkt ergibt sich daraus, daß es fast unvermeidlich ist, die zwei hier in Erinnerung gebrachten Gesichtspunkte zu vergessen. Die im Wahrnehmen von strengen Instinktfesseln entbundene und damit der Überwältigung durch die ungedeutete Reizflut preisgegebene physisch-menschliche Organisation ist schlechthin darauf angewiesen, sich in der von Gehlen rekonstruierten Art in der Welt zu orientieren. Allzu nahe liegt es dann, bei dieser wohleingeübten Weise, mit den Erscheinungen der Welt fertig zu werden, zu verharren und auch grundsätzlich auf ihr als der angemessensten Weise, die Erscheinungen der Welt zu erledigen, aber sie gleichwohl verfügbar zu haben, zu bestehen. Das von dem Andrang des Erscheinenden mit Hilfe des habituell gewordenen verkürzenden Wahrnehmens und der sprachlichen Symbole entlastete Subjekt ist zugleich das die Verfügbarkeit alles Wahrnehmbaren besiegelnde Subjekt und tut sich daran genug. Wenn daraus eine sich selbst genügende Mentalität wird, ist der durch die Entlastung ermöglichte zusätzliche Gewinn an Weltfülle und sozialer Verwirklichung verloren. Die Erfahrung dieser Verarmung und die zornigen Manifestationen zur Verfügbarkeit degradierter Mitmenschen können das Denken zur Einkehr bringen und zum Durchbrechen der alles Erscheinende zu dahingestellter Verfügbarkeit reduzierenden Mentalität.

Diese Mentalität ist aber in dem heutigen öffentlichen Stimmengewirr, auch dem wissenschaftlichen, tonangebend. Sie bestätigt sich in weiten Bereichen der Wissenschaft und ist daher vor Zweifeln gegen sich selbst gesichert.

In dem Bereich von Bildungsplanung, Bildungsforschung, Erziehungswissenschaft, Didaktik, Lernpsychologie, Curriculumkonstruktion, Schulmanagement, Bildungsjournalismus haben wir es heute weithin mit einer Vorstellungs- und Denkweise zu tun, welche die das Arbeitsfeld repräsentierenden und organisierenden Begriffe nur anerkennen will, wenn sie Begriffe von Verfügbarem sind; eine Denkweise, die sich bemüht, die „Prozesse", in denen sich Lernen, Erziehung, Bildung vollzieht, aus „Faktoren" abzuleiten, die genau bestimmbar und mit zuverlässiger Technik einsetzbar wären, so daß die jeweiligen „Prozesse" manipulierbar und deren Ergebnisse verfügbar sein könnten.

Selbstverständlich fehlt es nicht an theoretischen wie praktischen Erfolgen, wenn sie auch den Erwartungen noch nicht entsprechen. Seine Energie erhält dieser Trend aber nicht so sehr aus Erfolgen wie aus dem Vorsatz, das von Tradition, Ideologie und Metaphysik belastete Erziehungsdenken endlich auf eine wissenschaftliche Basis zu bringen, wobei „wissenschaftlich" heißt, das bis dahin Unverfügbare theoretisch und praktisch verfügbar zu machen oder es zu ignorieren.

Wissenschaftlichkeit in diesem Sinne ist damit zugleich, sofern der Gegenstand nicht dem Bereich des Historisch-Faktischen angehört, Ermöglichung technischer Verfügung zu variablen Zwecken und Planungen.

In dem Maße, wie Wissenschaft solcherart zutreffend charakterisiert ist, unterliegt der Ausdruck „Erziehungswissenschaft" dem Verdacht, Erziehung zu verstehen als Technik der Menschenformung. Diesen Verdacht kann man in vielen Fällen bestätigt finden. Es ist zudem wahrscheinlich — Sicherheit ist hier schwer zu erreichen — daß die heutige auf Wissenschaft gegründete Erziehungstechnologie in manchen Fällen zu Dauererfolgen gelangt. Nur der *eine* Erfolg wird vom Ansatz her ausgeschlossen: daß die Erziehung in der Form der freien Entfaltung der Persönlichkeit geschieht und eine frei entfaltete Persönlichkeit unmittelbar aus ihr hervorgeht. Wir müssen dem Klassiker des Programmierten Lernens, B. F. Skinner, dankbar sein, daß er im Unterschied von vielen seiner Anhänger klar bekennt, schon durch den Titel seines Buches von 1971 „Beyond Freedom und Dignity", daß die von ihm zur Rettung unserer Zivilisation entworfene und empfohlene Verhaltenstechnologie nicht menschliche Freiheit und Würde zum Ziel hat, vielmehr auf dieses Ziel ausdrücklich verzichtet.

Wenn man aber auf Freiheit und Würde — mögen sie zunächst nur so viel bedeuten, wie unser Grundgesetz besagt — im Gang und in der Zielrichtung der Erziehung nicht verzichtet, dann muß das Erziehungsdenken die Begriffsform des Verfügbar-machens im Blick auf die Personen, für die es denkt, in sich selbst überwinden.

In einsamem Denken, wenngleich in Auseinandersetzung mit grundlegenden Philosophemen der abendländischen Philosophiegeschichte, ist Martin Heidegger der Begriffsform von Wissenschaft und Technologie der Neuzeit auf den Grund gegangen und hat zu zeigen verstanden, daß die Macht und die eiserne Schranke unseres wissenschaftlichen Denkens in der Form des Vor-Stellens der Denkinhalte in den Verfügungsbereich gegenüber dem sich distanzierenden „Subjekt" beruhen. Heideggers strengen und schwierigen Gedankengängen brauchte die Pädagogik nicht notwendig nachzugehen, um zu entdecken, daß ihre eigene grundlegende Begriffsform verfehlt ist, wenn sie gegenüber den Personen und den in diesen sich abspielenden „Prozessen", denen sie Lernen, Bildung, Erziehung, Verhaltensänderung zudenkt, die Begriffsform der Verfügbarkeit und des Verfügbarmachens walten läßt. Verfehlt ist diese Begriffsform, weil sie die Personen, auf die sie sich richtet, depersonalisiert, nämlich der Verfügung über sich selbst gedanklich enthebt. Verfehlt ist diese Begriffsform ebenso, weil diejenigen Erziehungsdenker und -Praktiker, die sie nicht überwunden haben, für sich vorweg die Rolle der Verfügungsberechtigung übernommen haben.

Zur Einkehr und Konversion kann das Erziehungsdenken oder die Erziehungswissenschaft durch die einfache Vergegenwärtigung der Tatsache gelangen, daß auf beiden Seiten des Erziehungsvorganges Personen, zwar verschiedener Aufgabenrichtungen, aber nicht verschiedener Wertigkeit sind, in einer Situation, die ein Miteinanderhandeln gebietet, wobei die Personen vom Lehrer bis zum Kultusminister und zu den Abgeordneten der Legislative zuvörderst sich als Dienende zu verstehen haben. Ebenso kann die Konversion bewirkt werden durch die Erfahrung, daß das Verfügen über Menschen deren Trägheit oder Widerstand erzeugt.

Obrigkeitliches Verfügen über Erziehungsziele, über Inhalte und Methoden des Bildungswesens, sei es durch Parlamentarier, durch Experten oder Planungskommissionen oder durch die Verwaltung; technologisches Verfügen über den Ablauf von Lern- oder Verhaltensänderungsprozessen bereiten den Weg zur Diktatur, wobei dann freilich über Trägheit, Entpersönlichung und das „Jenseits der Freiheit" nicht mehr nachgedacht zu werden braucht.

Alles, was hier bisher vorgebracht wurde, setzt sich einem verhängnisvollen Irrtum aus: als sei die Auflösung jeder festen Ordnung, ein ständiges Diskutieren über Lehrinhalte, die Ablehnung jeder pädagogischen Führung, die Planlosigkeit unterrichtlichen und erziehenden Handelns gemeint oder die unvermeidliche Folge. Ordnung, Führung, Plan sind notwendige Voraussetzungen eines

Bildungswesens und jedes Schulalltags, worin Freiheit und Würde, das Unantastbare und das Unverfügbare in den Lernenden und Sich-bildenden sich verwirklichen können. Sie können ebenso Mittel zur Herstellung von vorgeformten Verhaltensweisen, Denkformen und Urteilen sein, die für einen die einzelnen Personen transzendierenden und ihnen fremden Zweck erwünscht oder notwendig scheinen.

Der Unterschied kommt aus der Grundeinstellung der für die Gestaltung des Bildungswesens verantwortlich Tätigen. Werden Schüler als Objekte verfügenden Planens, wird ihr Lernen als Inbegriff verfügbarer oder verfügbar zu machender Prozesse interpretiert, werden sie mit wissenschaftlichen Methoden bedacht, die für verfügbare Sachen entwickelt worden sind? Oder werden Schüler, gleich welchen Lebensalters, als im Zentrum ihres Personseins grundsätzlich und wirklich unverfügbare Wesen angesehen, so daß es als töricht einzusehen wäre, wissenschaftliche Verfahren zu entwickeln, die das Unverfügbare doch noch verfügbar machen?

Je nach dem, wie die Einstellung zu dem Unverfügbaren im Schüler ist, werden sich Bildungspläne und Erziehungssysteme unterscheiden. Und zwar kommt es auf die allem Planen, Organisieren und inhaltlichen Konkretisieren voraufgehende und zugrunde liegende Einsicht in die Unverfügbarkeit der Person an, der alle Bildungsarbeit zugedacht ist.

Angesichts des Unverfügbaren im Menschen braucht die Bildungsarbeit nicht zu resignieren. Sie wird nur einen anderen Stil und eine andere Gesinnung haben als die des Verfügenwollens. Bildung und Erziehung in einem öffentlichen Bildungswesen *müssen* einen anderen Stil haben als den des Verfügenwollens, wenn sie überhaupt sollen gelingen *können*, sofern als Ziel nicht ein fremdbestimmter, in der Entfaltung seiner Persönlichkeit gehemmter, sondern ein der Selbstbestimmung fähiger und die Selbstbestimmung seiner Mitmenschen bejahender Mensch angesehen wird. Das Unverfügbare im Menschen kann angesprochen werden, es kann sich mitteilen, sich aufschließen, sich empfänglich verhalten, sich frei betätigen, es kann zustimmen, gehorchen, lernen, verwundert und interessiert sein, es kann denken. In dem wechselseitigen sozialen Verhältnis, das man Kommunikation oder auch Unterricht nennen kann, wird es um so eher gegenwärtig sein, je weniger es verfügenden Absichten begegnet. Es ist ein Irrtum zu glauben, das Unverfügbare im Menschen sei ordnungsfeindlich, zuchtlos und unbedingt widersetzlich. Vielmehr bedarf es der Ordnung, der Fähigkeit der Selbstbeherrschung und der Anerkennung begründeter Autorität, um sich zu manifestieren und tätig zu sein. Lebendige Ordnung, Selbstzucht und freiwillige Anerkennung von Autorität sind selbst schon Ergebnisse des Unverfügbaren im Menschen.

Man kann Menschen verfügbar machen, dergestalt, daß sie als Mittel zu Zwecken brauchbar werden, die nicht ihre Zwecke sind, vielleicht ihnen nicht erkennbar und von ihnen nicht anerkannt sind. Eben dies ist in dem Begriff des Verfügens enthalten, daß ein Subjekt (eine Person, eine Personengruppe oder eine Institution) die Macht hat, Gegenstände oder Personen als Mittel für Zwecke zu gebrauchen, die ihm belieben, sie also in den Zusammenhang seiner Zwecke einzufügen. Menschen können verfügbar gemacht werden, und die Mittel, sie verfügbar zu machen, sind mannigfaltig: Zwang und Belohnung, Drohungen und Versprechungen, Konditionierung, d.h. Gestaltung von Umweltbedingungen, die die erwünschten Verhaltensweisen durch Reaktionsmechanismen produzieren, Training, Kurse, Belehrungen, Lernarrangements, die zu williger Mitarbeit motivieren, ideologische Indoktrination, programmierte Erfahrungen, programmierte Täuschungen, Terror u.s.w.

So zahlreich die Mittel, Menschen verfügbar zu machen, auch sind, es bleibt ein Instanzenbereich im Menschen, der durch alle diese Mittel nicht zu erreichen ist. Gerade auf dieses innere Reservat des Unverfügbaren aber richten sich alle jene Anstrengungen. Die das Personsein begründenden Instanzen sollen, gemäß dem Vorsatz des Verfügenden, von ihm ihre Richtung und ihre Impulse erhalten. Indessen, je zudringlicher der Verfügende wird, desto mehr verschließt sich ihm die Personinstanz im Menschen, desto unzugänglicher wird das Unverfügbare im Menschen.

Dieses Unverfügbare ist die freie Zuwendung zu dem, was sich zur Aneignung anbietet. Die freie Zuwendung zeigt sich auf verschiedene Weise: als Liebe zu einem Tun oder einem Inhalt, der sich der Anschauung und Erkenntnis darstellt, als selbstvergessenes Versenktsein in eine Sache oder eine Tätigkeit, als Fragen, als Arbeit an einer selbstgestellten Aufgabe, als Freude über die Erweiterung der eigenen Existenz, als späte Dankbarkeit dafür, als sachliches Interesse unter Vergessen des eigenen Vorteils, als Weiterentwickeln des Angeeigneten.

Vor dem verfügenden Zugriff ziehen all diese Strebungen und Regungen sich zurück. Sie bedürfen, um sich dem, was sich ihnen zur Aneignung anbietet, frei zuzuwenden, einer achtungsvollen Zurückhaltung des Anbietenden, der nicht nur ehrlich dem Unverfügbaren Raum gibt, sondern auch weiß, daß er durch Zudringlichkeit oder psychologische, technologische, kybernetische Überlistung einen Widerstand oder eine Lähmung im Innersten der Person erzeugt.

WOLFGANG JACOB

DIE HIOB-FRAGE IN DER MEDIZIN *

Im Zeitalter der „Machbarkeit" droht das Bewusstsein von der pathischen Existenz des Menschen, droht das Wissen um die Unverfügbarkeit des menschlichen Schicksals und seiner Gestalt verloren zu gehen. Die Folgen sind tiefgreifender, als es auf den ersten Blick erscheinen mag.

Eine Welt leidloser Machbarkeiten und der daraus resultierenden Illusionen führt in ihrer Konsequenz zur Mitte der menschlichen Existenz als Nichts-mehr-Wissen vom Anderen, die Leidlosigkeit und Machbarkeit zum fehlerlosen Funktionieren verpflichteter maschinierter Gesundheit, die Verachtung der Hilflosigkeit und die Vernichtung des Schwachen, Alten und Kranken, eine rigide Euthanasieforderung, die Missachtung der Erfahrung die die totale und willkürliche Manipulation der Natur sind Konsequenzen, deren Keime mancherorts sichtbar werden.

In einer solchen Welt mutet das Schicksal des Einzelnen an wie eine Lappalie. Er scheint nichts anderes zu sein, als das wahllose Glied in einer nach den Gesetzen das Zufalls und der Notwendigkeit entstandenen Gattung: Homo sapiens.

Der homo patiens hat in einer Welt totaler Machbarkeiten keine Chance. Kranksein erscheint als ein Nichtseinsollendes, in sich sinnloses Ereignis; die Krankheit ist nichts anderes als ein zu reparierender Defekt. Von der Bedeutung des Krankseins, von dem Verhältnis des Kranken — und auch der Sterbenden — zu dem Gesunden darf nicht mehr die Rede sein.

Dass in der Existenz des Kranken etwas vor sich geht, dass in ihm eine neue Wirklichkeit sich ankündigt, deren der Mensch gerade in seiner Ohnmacht, nicht in seiner Macht ansichtig zu werden vermag, wäre einer der Gründe für den Gesunden, sich des Kranken anzunehmen.

Im Buch Hiob ist von der Unverfügbarkeit all dessen die Rede,

---

* Herrn Professor Dr. Wilhelm Doerr zum 60. Geburtstag in herzlicher Verbundenheit und Freundschaft.

was dem Menschen lieb ist: Besitz, Gesundheit, Leben. Der Mensch ist abhängig von einem Grund, der selbst nicht Gegenstand seiner Verfügbarkeit werden kann. Das Buch Hiob enthält eine wichtige Mitteilung über den gesunden und den kranken Menschen. Die Gefährdung seiner intakten Existenz bringt ihn in ein anderes — ohnmächtiges Verhältnis zu seiner menschlichen Mitwelt, zur Verfügbarkeit über die Welt zu bohrendem Zweifel über den Sinn des Lebens.

An den Grenzen des Fortschrittens stellt sich der Medizin drängender die Frage: Wer ist der kranke Mensch, was bedeutet Kranksein für den Menschen?

Das Buch Hiob endet mit dem Satz: „Und Hiob starb alt und lebenssatt". Es beginnt mit der Schilderung des Mannes Hiob: „Derselbe war schlecht und recht, gottesfürchtig und mied das Böse und zeugte sieben Söhne und drei Töchter, und seines Viehes waren siebentausend Schafe, dreitausend Kamele, fünfhundert Joch Rinder und fünfhundert Eselinnen, und er hatte sehr viel Gesinde; und er war herrlicher denn alle, die gegen Morgen wohnten".

Nichts in diesen Sätzen deutet auf die Geschichte Hiobs hin, auf die bevorstehende katastrophische Entwicklung seines Lebens, die tiefe Verzweiflung, die tödlich erscheinende Erkrankung und schließlich auf die erbitterte Klage Hiobs gegen Gott. Nichts verrät, daß Hiob, von Gott in die Hände des Satans gegeben, Haus und Hof, Acker und Vieh, alle seine Söhne verlieren wird, daß er von Schwären bedeckt, in der Asche sitzend aus dem Munde seines Weibes den Satz empfängt: „Hältst du noch fest an deiner Frömmigkeit? Ja, sage Gott ab und stirb!"

Zwischen diesen Sätzen spannt sich das Schicksal Hiobs, die tiefgreifende Krise seiner Existenz, sein Elend, die Krankheit aus. Er weiß nichts von dem Prolog im Himmel, von dem Gespräch zwischen Gott und dem Satan, von der Zustimmumg Gottes zu dem Vorschlag des Widersachers: „Siehe da, er sei in deiner Hand; doch schone seines Lebens! Da fuhr der Satan aus vom Angesicht des Herrn und schlug Hiob mit bösen Schwären von der Fußsohle an bis auf seinen Scheitel".

Es geht in dieser Geschichte nicht um den Tod, es geht um Krise und Krankheit.

In den frühen biblischen Texten erscheint Krankheit als das von Gott geschickte Übel, als Folge einer Sonderung von Gott, dagegen

Gesundheit als Segnung Gottes, als Nähe zu ihm. Krankheit als das Nicht-sein-sollende schlechthin gehört zu allen Zeiten in das Repertoire der menschlichen Existenz und ihrer Auslegung. Selbst die Krankengeschichten des Neuen Testaments geraten — als verstünde sich das von selbst — in den Sog dieser Deutung. In der säkularisierten Medizin erbt sich diese These fort. Zwar erscheint der Kranke als der bemitleidenswerte Mensch, dem Hilfe gebührt; die Krankheit jedoch als Abweichung vom Normalen, als destruktiv wirksamer Organprozeß, als das zu beseitigende Übel, als das Falsche gegenüber dem Wahren, als ein parasitärer Regelkreis inmitten einer Kybernetik des Gesunden, wird als von dem Kranksein des Menschen getrennt erfahren; sie ist als ein schädigendes Agens auszumerzen.

Die Krankheit Hiobs ist oft als Krankheitsbild im Sinne einer endogenen Depression gedeutet worden. Mag sie Züge dieser Krankheit tragen, das Entscheidende des Krankheitsprozesses ist dadurch nicht erklärt; von Schwären ist die Rede; „Gebein und Fleisch" sind angetastet. Nun — so prophezeit der Satan — wird Hiob Gott ins Angesicht absagen.

Der Text

Es erscheinen die drei Freunde Hiobs am Lager des Kranken. Sie entsetzen sich; der Anblick ist schrecklich. Sieben Tage und sieben Nächte — so sagt der Text — sitzen sie mit ihm auf der Erde und schweigen vor der Größe seines Schmerzes. Die Klage Hiobs bringt sie aus ihrer Fassung: „Warum bin ich nicht gestorben von Mutterleib an? Warum bin ich nicht verschieden, da ich aus dem Leibe kam- Warum hat man mich auf den Schoß gesetzt? Warum bin ich mit Brüsten gesäugt? So läge ich doch nun und wäre still, schliefe und hätte Ruhe mit den Königen und Ratsherren auf Erden, die das Wüste bauen".

Jetzt reden sie doch: „Du hast's vielleicht nicht gern, so man versucht, mit dir zu reden; aber wer kann sich's enthalten?"

Die Rede des ersten Freundes, des Eliphas, wird laut und selbstsicher: „Rufe doch! Was gilt's, ob einer dir antwortet? Und an welchen von den Heiligen willst du dich wenden? Einen Toren aber erwürgt wohl der Unmut, und den Unverständigen tötet der Eifer . . . aber beuge dich unter das Joch, selig der Mensch, den Gott straft, der Gottlose wird ins Schwert fallen".

Nun erst beginnt die wirkliche Qual des Kranken: „Wenn man doch meinen Unmut wöge und mein Leiden zugleich in die Waage legte, denn nun ist es schwerer als Sand am Meer; darum gehen meine Worte irre". „Ist doch meine Kraft nicht steinern und mein Fleisch nicht ehern.... Meine Brüder trügen wie ein Bach, wie Wasserströme, die vergehen, die trübe sind vom Eis .... zur Zeit, wenn sie die Hitze drückt, versiegen sie; wenn es heiß wird, vergehen sie von ihrer Stätte".

Die Worte Hiobs gegen seine Freunde werden verzweifelt, ja aufsässig: „Warum tadelt ihr rechte Rede? Wer ist unter euch, der sie strafen könnte? .... Aber eines Verzweifelnden Rede ist für den Wind. Ihr fielet wohl über einen armen Waisen her und grübet eurem Nächsten Gruben. Doch weil ihr habt angehoben, sehet auf mich, ob ich vor euch mit Lügen bestehen werde".

Verzweifelt der Aufschrei zu Gott: „Warum machst du mich zum Ziel deiner Anläufe, daß ich mir selbst eine Last bin? Und warum vergibst du mir meine Missetat nicht und nimmst nicht weg meine Sünde? Denn nun werde ich mich in die Erde legen, und wenn du mich morgen suchst, werde ich nicht da sein".

Selbst dieser Schrei der Verzweiflung wird von den Freunden nicht gehört. Noch hat Hiob nur sein Schicksal beklagt, noch hat er sich nicht gegen Gott erhoben, noch erkennt er: Mit dem Allmächtigen kann niemand hadern: „Ja, ich weiß gar wohl, daß es also ist und daß ein Mensch nicht Recht behalten mag gegen Gott". Die Qual wird unergründlicher, die Verzweiflung ausweglos: „Gefällt dir's, daß du Gewalt tust und mich verwirfst, den deine Hände gemacht haben, und bringst der Gottlosen Vornehmen zu Ehren?"

„Ein unnützer Mann bläht sich, und ein geborener Mensch will sein wie ein junges Wild. Aber die Augen der Gottlosen werden verschmachten"; das schleudert ihm Zophar entgegen, die Empörung des Kranken anstachelnd: „Ja, ihr seid die Leute, mit euch wird die Weisheit sterben!"

Die Hin- und Widerrede zwischen Hiob und den Freunden spitzt sich zu. Der Kranke überbietet jene, die ihn zur Demut ermahnen; er selbst nimmt die Gerechtigkeit Gottes für sich in Anspruch und warnt die Freunde: „Wollte Gott, ihr schwieget, so wäret ihr weise!" Vergeblich, bei seinen Freunden Gehör zu finden; im Gegenteil, sie antworten: „Soll ein weiser Mann so aufgeblasene Worte reden und seinen Bauch so blähen mit leeren Reden? .... Du hast die

Furcht fahren lassen und redest verächtlich vor Gott. Denn deine Missetat lehrt deinen Mund also, und hast erwählt eine listige Zunge". Sie halten mit ihren Beschuldigungen nicht mehr zurück. Hiobs verzweifeltes Gebaren, sich in seiner Ohnmacht seinen Freunden verständlich und vernehmlich zu machen, erstickt in tiefster Düsternis. „Ich war in Frieden, aber er hat mich zunichte gemacht; er hat mich beim Hals genommen und zerstoßen und hat mich ihm zum Ziel aufgerichtet. Er hat mich umgeben mit seinen Schützen; er hat meine Nieren gespalten und mich nicht verschont; er hat meine Galle auf die Erde geschüttet"..... „Mein Odem ist schwach, und meine Tage sind abgekürzt; das Grab ist da".

Die Vorwürfe der Freunde gegen den Kranken, gegen die Gottlosigkeit seines Aufbegehrens kennen nun keine Grenzen: „Willst du — so herrscht Bildad in seiner zweiten Rede den Kranken an — vor Zorn bersten? Meinst du, daß um deinetwillen die Erde verlassen werde und der Fels von seinem Ort versetzt werde? Das Licht der Gottlosen wird verlöschen. Seine kräftigen Schritte werden in die Enge kommen, und sein Anschlag wird ihn fällen".

Kaum vermag Hiob sich gegen diese Anklage noch zur Wehr zu setzen. „Wie lange plagt ihr noch meine Seele, und peinigt mich mit Worten?" Es ist gar nicht die Verzweiflung an Gott, die ihn plagt. Selbst die Menschen nehmen nicht wahr, „daß Gott mir Unrecht tut, und hat mich mit seinem Jagdstrick umgeben". Er entgegnet den Freunden dennoch in der Überzeugung der Erlösung: „Und nachdem diese meine Haut zerschlagen ist, werde ich ohne mein Fleisch Gott sehen".

Der leibliche Zustand, in dem ihn seine Freunde sehen, ist unerträglich geworden: „Meine Nächsten haben sich entzogen, und meine Freunde haben mein vergessen .... Mein Odem ist zuwider meinem Weibe, und ich bin ein Ekel den Kindern meines Leibes .... Alle meine Getreuen haben einen Greuel an mir; die ich lieb hatte, haben sich wider mich gekehrt. Mein Gebein hanget mir an Haut und Fleisch, und ich kann meine Zähne mit der Haut nicht bedecken. Erbarmet euch mein, erbarmet euch mein, ihr meine Freunde! denn die Hand Gottes hat mich getroffen. Warum verfolgt ihr mich gleich wie Gott und könnt meines Fleisches nicht satt werden?" Doch selbst durch diesen Satz des Kranken lassen sich die Freunde nicht rühren. Der Vorwurf der Gottlosigkeit, die Drohung mit dem Schicksal des Gottlosen wird schon zur Litanei. Jetzt steigert sich der Chor der Reden zu krassem Angriff auf den Empörer: „Nein, deine Bosheit ist zu groß, und deiner Missetaten ist kein Ende . . . . du hast die Müden nicht getränkt mit Wasser und hast dem Hungrigen dein Brot versagt; du hast Gewalt im Lande geübt und prächtig darin gesessen; Die Witwen hast du leer lassen gehen und die Arme der Waisen zerbrochen. Darum bist du mit Stricken umgeben, und Furcht hat dich plötzlich erschreckt".

Nichts — so entgegnet Hiob — deutet darauf hin, daß Gott den Gottlosen straft. Gott erhält die Mächtigen durch seine Kraft, „die Armen müssen ihnen weichen", und dennoch nimmt der Tod weg „die da sündigen, wie die Hitze und Dürre das Schneewasser verzehrt".

Als ob Hiob in dieser Auseinandersetzung fußgefaßt habe, so klingt seine Antwort an den letzten Redner, an Bildad: „Wie stehest Du dem bei, der keine Kraft hat, hilfst dem, der keine Stärke in den Armen hat! Wie gibst Du Rat dem, der keine Weisheit hat, und tust kund Verstandes die Fülle! Zu wem redest Du, und wes Odem geht von Dir aus?" Wer aber will die Macht und die Unergründlichkeit Gottes verstehen?

Der Freunde Reden ist erschöpft. Dem Kranken kommt sein früheres Leben in Erinnerung. „Oh, daß ich wäre wie in den vorigen Monden, in den Tagen, da mich Gott behütete; . . . . wie ich war in der Reife meines Lebens, da Gottes Geheimnis über meiner Hütte war . . . . da mich die Jungen sahen und sich versteckten, und die Alten vor mir aufstanden, da die Stimme der Fürsten sich verkroch und ihre Zunge an ihrem Gaumen klebte". . . . . „Ich war ein Vater der Armen; und die Sache des, den ich nicht kannte, die erforschte ich. Ich zerbrach die Backenzähne des Ungerechten und riß den Raub aus seinen Zähnen". Jetzt im Elend hat sich dieses Schicksal gänzlich verkehrt: „Des Nachts wird mein Gebein durchbohrt allenthalben, und die mich nagen, legen sich nicht schlafen." „Meine Haut über mir ist schwarz geworden, und meine Gebeine sind verdorrt vor Hitze". Es nützt nichts, erneut das eigene rechtschaffene Leben zu beteuern: „Oh hätte ich einen, der mich anhört! Siehe, meine Unterschrift — der Allmächtige antworte mir! — und siehe, die Schrift, die mein Verkläger geschrieben!"

In diese Akme der Selbstrechtfertigung des Kranken greift Elihu ein, der Jüngste unter den Freunden: „Ich bin jung, ihr aber seid alt; darum habe ich mich gescheut und gefürchtet, mein Wissen euch kundzutun." Nun will auch er antworten: „Denn ich bin der Reden voll, daß mich der Odem in meinem Inneren ängstet". Auch Elihu tadelt den kranken Hiob wegen seiner Selbstrechtfertigung.

„Gott ist mehr als ein Mensch". Das ist der erste Satz, den er Hiob entgegenhält. *Er* behütet den Menschen vor Hoffart. *Er* ist der Versöhnende. *Er* vergilt nicht die Sünde und Verkehrung des Rechtes. *Er*, der Allmächtige beugt das Recht nicht. Wahrhaft, nicht als ein Schein und Gegenstand des Haderns und des Handelns erscheint die Gerechtigkeit Gottes. Er ist der Schöpfer der Natur, seine Allmacht in den Wettern, „da, merke auf, Hiob, stehe, und vernimm die Wunder Gottes!"

Nicht die Einsicht in die Gerechtigkeit des Herrn, sondern die Wunder der Schöpfung werfen Hiob zu Boden, der Grund des Meeres, Himmel und Erde, die Sterne des Firmaments: „Wer gibt die Weisheit in das Verborgene? Wer gibt verständige Gedanken?"

Nicht Gott straft den Gottlosen, wie die drei Freunde zuvor verheißen hatten, sondern der Mensch steht der Gewalt, der Unendlichkeit, der Größe der geschaffenen Natur gegenüber. Dort entsteht das wahre Verhältnis des Menschen zu Gott, nicht in der unmittelbaren anthropomorphen Zwiesprache, welche sich spiegelt in dem Satz des Elihu: „Achtest du das für recht, daß du sprichst: „Ich bin gerechter denn Gott"? Denn du sprichst: „Wer gilt bei dir etwas? Was hilft es, ob ich nicht sündige?" Ich will dir antworten ein Wort und deinen Freunden mit dir. Schaue gen Himmel und siehe; und schaue an die Wolken, daß sie dir zu hoch sind. Sündigest du, was kannst du ihm schaden? Und ob deiner Missetaten viel ist, was kannst du ihm tun? Und ob du gerecht seist, was kannst du ihm geben, oder was wird er von deinen Händen nehmen? Einem Menschen, wie du bist, mag wohl etwas tun deine Bosheit, und einem Menschenkind deine Gerechtigkeit. Man schreit, daß viel Gewalt geschieht, und ruft über den Arm der Großen; aber man fragt nicht: „Wo ist Gott, mein Schöpfer, der Lobgesänge gibt in der Nacht, der uns klüger macht denn das Vieh auf Erden und weiser denn die Vögel unter dem Himmel?"

Erst diese Rückkehr zu den wahren Dimensionen der Schöpfung Gottes ermöglicht das Gespräch über die Gerechtigkeit und Größe Gottes: „Ich will mein Wissen weit herholen, und beweisen, daß mein Schöpfer recht habe". Gott ist mächtig „von Kraft des Herzens", er ist mächtig „und verachtet doch niemand". „Den Gottlosen erhält er nicht, sondern hilft dem Elenden zum Recht".

Er ist der Schöpfer und der Regent der Welt, er „macht das Wasser zu kleinen Tropfen und treibt seine Wolken zusammen zu Regen".

„Auch dich — so redet Elihu Hiob an — lockt er aus dem Rachen der Angst in weiten Raum, da keine Bedrängnis mehr ist; und an deinem Tische, voll alles Guten, wirst du Ruhe haben. . . . Hüte dich und kehre dich nicht zum Unrecht, wie du denn vor Elend angefangen hast". . . . . „stehe und vernimm die Wunder Gottes!" Wind und Wetter, Licht und Finsternis stehen in seiner Gewalt. „Von Mitternacht kommt Gold; um Gott her ist schrecklicher Glanz. Den Allmächtigen aber können wir nicht finden, der so groß ist von Kraft; das Recht und eine gute Sache beugt er nicht. Darum müssen ihn fürchten die Leute; und er sieht keinen an, wie weise sie sind".

Jetzt ertönt die erste Rede des Herrn aus dem Wetter: „Wer ist der, der den Ratschluß verdunkelt mit Worten ohne Verstand?"

Messe dich, Hiob mit der Schöpfung. „Bis hierher sollst du kommen und nicht weiter; hier sollen sich legen deine stolzen Wellen!"

„Hast du bei deiner Zeit dem Morgen geboten, und der Morgenröte ihren Ort gezeigt?". . . . „Bist du in den Grund des Meeres gekommen und in den Fußstapfen der Tiefe gewandelt? Haben sich dir des Todes Tore je aufgetan? oder hast du gesehen die Tore der Finsternis?" . . . . „Kannst du die Bande der sieben Sterne zusammenbinden? Oder das Band des Orion auflösen? Kannst du den Morgenstern hervorbringen zu seiner Zeit oder den Bären am Himmel samt seinen Jungen heraufführen? Weißt du des Himmels Ordnungen, oder bestimmst du seine Herrschaft über die Erde?"

Wer ist der Schöpfer der Tierwelt? Wer bringt sie hervor? „Fliegt der Adler auf deinen Befehl so hoch, daß er sein Nest in der Höhe macht?"

Der zweiten Rede des Herrn aus dem Wetter („Will mit dem Allmächtigen rechten der Haderer? Wer Gott tadelt, soll's der nicht verantworten?") antwortet Hiob kleinlaut und spricht: „Siehe ich bin zu leichtfertig gewesen; was soll ich antworten? Ich will meine Hand auf meinen Mund legen. Ich habe e i n m a l geredet, und will nicht antworten; zum andernmal will ich's nicht mehr tun".

In dieser zweiten Rede weist der Herr auf den Behemoth hin, „den ich neben dir gemacht habe; . . . . seine Kraft ist in seinen Lenden. . . . er ist der Anfang der Wege Gottes; der ihn gemacht hat, der gab ihm sein Schwert. Die Berge tragen ihm Kräuter, und alle wilden Tiere spielen daselbst". Ihn kann der Mensch nicht zum Knecht machen, mit ihm nicht spielen „wie mit einem Vogel". Ähnlich der Leviathan: „Sein Herz ist so stark wie ein Stein und so fest wie ein unterer Mühlstein. Wenn er sich erhebt, so entsetzen sich die Starken; und wenn er daherbricht, so ist keine Gnade da. . . . Er achtet Eisen wie Stroh, und Erz wie faules Holz". Hiob wirft sich zu Boden: „Ich hatte von dir mit den Ohren gehört; aber nun hat mein Auge dich gesehen. Darum spreche ich mich schuldig, und tue Buße in Staub und Asche".

Gleich im nächsten Satz heißt es: „Da nun der Herr diese Worte mit Hiob geredet hatte, sprach er zu Eliphas von Theman: „Mein Zorn ist ergrimmt über dich und über deine zwei Freunde. So nehmet nun sieben Farren und sieben Widder und gehet hin zu meinem Knecht Hiob und opfert Brandopfer für euch und lasset meinen Knecht Hiob für euch bitten. Denn ihn will ich ansehen, daß ich an euch nicht tue nach eurer Torheit; denn ihr habt nicht recht von mir geredet wie mein Knecht Hiob' ".

Das Buch Hiob geht jetzt rasch dem Ende zu. Man hat in der Theologie versucht, die einzelnen Teile desselben historisch zuzuordnen und nach ihrem Inhalt voneinander zu trennen. Dieser textgeschicht liche Kunstgriff würde an dem Mitgeteilten nichts ändern:

„Und der Herr wandte das Gefängnis Hiobs, da er bat für seine Freunde. Und der Herr gab Hiob zwiefältig so viel, als er gehabt hatte. Und es kamen zu ihm alle seine Brüder und alle seine Schwestern und alle, die ihn vormals kannten, und aßen mit ihm in seinem Hause und kehrten sich zu ihm und trösteten ihn über alles Übel, das der Herr über ihn hatte kommen lassen". „Und er kriegte sieben Söhne und drei Töchter . . . . und wurden nicht so schöne Weiber gefunden in allen Landen, wie die Töchter Hiobs. Und ihr Vater gab ihnen Erbteil unter ihren Brüdern".

Die Krankengeschichte

Der Krankengeschichte Hiobs geht das zweite Gespräch des Herrn mit dem Satan voraus. Die Folgen des ersten Gesprächs zwischen Gott und dem Satan hatten nicht zur Krankheit Hiobs geführt. Durch den Verlust aller seiner Nächsten und seiner gesamten Habe wird er zwar auf die nackte Existenz seiner selbst verwiesen; sein Glaube aber und sein Vertrauen auf den Herrn bleiben unverletzt: „Ich bin nackt von meiner Mutter Leibe gekommen, nackt werde ich wieder dahinfahren. Der Herr hat's gegeben, der Herr hat's genommen, der Name des Herren sei gelobt".

In dem zweiten Gespräch fordert der Satan mehr: „Die Haut und alles, was ein Mann hat, läßt er für sein Leben. Hier recke deine Hand aus und taste sein Gebein und Fleisch an; was gilts, er wird dir ins Angesicht absagen".

Gott gibt Hiob in die Hand Satans, unter einer Bedingung: „Siehe da, er sei in deiner Hand, doch schone seines Lebens!"

Bereits der nächste Satz ist der Beginn der Krankengeschichte: „Da fuhr der Satan aus vom Angesicht des Herrn und schlug Hiob mit bösen Schwären von der Fußsohle an bis auf seinen Scheitel".

Sie enthält einen Bericht darüber, wie es dem Kranken zumute ist, in welcher Verfassung er sich befindet, welche Krise aufkommt, in welche Katastrophe und Verzweiflung er gerät, wie die Nächsten, sein Weib, die drei Freunde sich zu ihm verhalten, welche Last sie auf ihn, den Kranken, legen, in welcher Weise sie die Hölle der Verzweiflung noch verstärken und die Hoffnungslosigkeit seiner Existenz noch bekräftigen: Es hat keinen Zweck, sage Gott ab und stirb.

Die Wendung des Krankheitsprozesses wird eingeleitet durch das Erscheinen Elihus, des jüngsten der Freunde, durch die Rede, welche er mit dem Kranken führt. Durch seine Vermittlung wandelt sich die Wahrnehmung des Kranken. Es wird ihm die Natur, die Schöpfung gegenwärtig; aus ihr wird ihm die Stimme Gottes vernehmbar.

Der Text berichtet über diese Wandlung des Kranken (Kap. 40-42) Hiob antwortet dem Herrn: „Siehe, ich bin so leichtfertig gewesen; was soll ich antworten? Ich will meine Hand auf meinen Mund legen. Ich habe einmal geredet und will nicht antworten; zum anderen Mal will ich's nicht mehr tun".

Das ist der eine, wie eine Bekehrung klingende Satz, den Hiob redet. Der andere lautet: „Ich erkenne, daß du alles vermagst, und nichts, was du dir vorgenommen, ist dir zu schwer".

Die folgenden Sätze sind ein Zwiegespräch zwischen Hiob und dem Herrn: „Wer ist der, der den Ratschluß verhüllt mit Unverstand?", so fragt Gott. Und hier liegt der Urgrund des Zweifels, der Urgrund der Krise und der Entfernung von Gott verborgen.

Hiob antwortet dem Herrn: „Darum bekenne ich, daß ich habe unweise geredet, was mir zu hoch ist, und ich nichts verstehe".

Etwas ist — nachdem die Stimme Gottes dem Kranken vernehmbar wurde — nun auch verständlich geworden; die Krankengeschichte berichtet von einer neuen Erfahrung des Kranken: „Ich hatte von dir mit den Ohren gehört, aber nun hat mein Auge dich gesehen. Darum spreche ich mich schuldig und tue Buße in Staub und Asche".

Der Kranke erfährt einen neuen Zugang zur Welt; an die Stelle des Gehorsams tritt die Einsicht in die Gewalt der Schöpfung, aus welcher die Stimme Gottes zu ihm spricht.

Dem durch die Schöpfung vermittelten Zwiegesprächs mit Gott folgt im Text unmittelbar eine Mitteilung über die drei Freunde Hiobs. Nicht sie, die den Kranken ermahnenden und ihm Rat erteilenden Gesunden, nicht sie als die im Status des Gesunden und der Gottwohlgefälligkeit sich Sonnenden erhalten Recht vor Gott, sondern Gott gibt sie in die Hände des ehemals Kranken: „Da nun der Herr diese Worte mit Hiob geredet hatte, sprach er zu Elihu von Theman: 'Mein Zorn ist ergrimmt über dich und über deine zwei Freunde; denn ihr habt nicht recht von mir geredet wie mein Knecht Hiob. So nehmt nun sieben Farren und sieben Widder und gehet hin zu meinem Knecht Hiob und opfert und brandopfert für euch und lasset meinen Knecht Hiob für euch bitten. Denn ihn will ich ansehen, daß ich an euch nichts tue nach eurer Torheit; denn ihr habt nicht recht von mir geredet wie mein Knecht Hiob' ".

In einem einzigen Satz wird die Epikrise vorgetragen: „Und der Herr wandte das Gefängnis Hiobs, da er bat für seine Freunde. Und der Herr gab Hiob zwiefältig so viel, als er gehabt hatte".

Mit diesem Satz ist die Krankengeschichte abgeschlossen.

Krankheit und Kranksein

In der gesamten Heiligen Schrift ist von der inneren Verfassung und Krise des Kranken nirgends so ausführlich die Rede wie im Buch HIOB. Die Auseinandersetzung des Kranken, der bis auf die Knochen seines Leibes in seinem Verhältnis zu Gott erprobt wird, mit den Nächsten, die Auseinandersetzung Hiobs mit den ihm nahestehenden Menschen enthält die Auseinanderstezung des Kranken mit sich und mit Gott.

In anderen Kapiteln der Bibel erfahren wir, wie Gott den Menschen straft (im vierten Buch Mose: die Krankheit Miriams [1]); oder,

---

[1] 4. Mose, 11.

wie in der Gegenwart Christi der Satan den Menschen verläßt [2]; oder —hier handelt es sich nicht um Krankheitsprozesse im engeren Sinne, sondern um Aufhebung eines Leidenszustandes oder gar des Todes- wie der Blinde geheilt wird [3] und der Tote aufersteht [4].

Bei den Aposteln sind Auferweckung und Heilung nicht nur Zeichen für die Gegenwart und Kraft des Herrn, sondern das Schicksal des Kranken, des Gebrechlichen, des Sterbenden verkörpert und macht zugleich offenbar die Geschichte des „Knechtes Jesus" [5].

Nirgends aber ist die *Krise* des Kranken als der Inhalt seines Krankseins so tief und nachhaltig zum Ausdruck gebracht worden als in der Krankengeschichte Hiobs.

Man hat versucht, die Krankheit Hiobs im Sinne der modernen Medizin zu diagnostizieren. Schon dieser Versuch kommt von der Wahrheit des Krankseins ab; der Kranke ist von dem naturwissenschaftlichen Versuch der Krankheitsdeutung wie durch einen Abgrund getrennt. Das geht bereits aus den gänzlich verschiedenartigen Deutungsmöglichkeiten einer Wissenschaft hervor, welche zu erklären versucht, was Natur sei und wie sie entsteht. Der Versuch, Natur als das Ergebnis der Prinzipien Zufall, Notwendigkeit und Selektion zu deuten, setzt voraus, daß Natur als die von Gott geschaffene Natur, aus der die Stimme Gottes selbst vernehmbar wird, nicht sei. Jede Sehnsucht und jede Versuchung, Leben zu machen, enthält die schweigende Voraussetzung: Gott ist tot, ich werde sein wie Gott.

Ein Gespräch zwischen Gott und dem Menschen ist in einer solchen Vorstellungswelt ohnehin nicht denkbar und auch nicht gefragt. Daß Krankheit oder Kranksein — wie auch immer — etwas mit dem Verhältnis des Menschen in Gott zu schaffen haben könnte, tritt nicht in den Bereich einer auch nur vorstellbaren Möglichkeit. Der aus einer isoliert-naturwissenschaftlichen Betrachtungsweise sich herleitende Krankheitsbegriff ist a-theistisch. Die utopische Extrapolation desselben: Krankheit sei nichts als ein auszumerzen-

---

[2] Lukas 11.

[3] Joh. 9.

[4] Joh. 11.

[5] Apostelgeschichte 3: „welchen ihr überantwortet und verleugnet habt vor Pilatus, da er urteilte, ihn loszulassen. Ihr aber verleugnetet den Heiligen und Gerechten und batet ihn, daß man euch den Mörder schenkte; aber den Fürsten des Lebens habt ihr getötet. Den hat Gott auferweckt von den Toten, des sind wir Zeugen".

des, ein zu eradizierendes Übel — eine derartige Extrapolation zerstört den Menschen und zerstört die Menschheit. Gen-Manipulationen, Sozial-Darwinismus, Euthanasie der Alten, der Kranken, der Behinderten, der Schwachen sind die unausbleiblichen Konsequenzen eines radikalisierten, nichts anderes als Wirklichkeiten dieses wissenschaftlichen Weltbildes zulassenden Denkens. In solchem Denk-zusammenhang reduziert sich das Schicksal des Kranken, die Krise des Kranken, über welche das Buch HIOB berichtet, zu einer Farce, zu einem abergläubischem Gestammel erbärmlicher menschlicher Existenz, welche nach der Befreiung durch den „Übermenschen" verlangt. Die Qual der Krankheit und des Krankseins, der Leidenszustand des Kranken verschwinden aus dem Blickfeld, sie werden zu einer quantité négligeable im Alltag der Medizin. Der Siegeszug und das Fortschrittsdenken einer technisch-operationalen Medizin scheinen die Gesetze solcher Wirklichkeitszusammenhänge aufzuheben, in welcher der Leidenszustand und die Krise des Kranken offenbar werden. Selbst tödliche Gefahr der Krankheit für den Kranken reduziert sich zu einem Nichts im Fortschrittsdenken künftiger technisch-operationaler Möglichkeiten zur Bewältigung auch dieses Zustandes, selbst wenn sich die Aufhebung des Todes — Unsterblichkeit — nicht erhoffen läßt.

Die Krise des Kranken im Buch HIOB weist uns auf etwas ganz anderes hin. Da ist zunächst der vermeintliche Schuldspruch Gottes über den Menschen, der seit Jahrtausenden den Kranken niederdrückt und quält und endlich tötet. Gesundheit als Verdienst eines gottgewollten Schicksals, Krankheit und Tod als der Sünde Sold sind die herkömmlichen Argumente, unter deren Deutung noch heute das Schicksal des Kranken fällt; ein Argument, das sich — wie bereits gesagt — bis in die säkularisierte Auffassung von der Krankheit als dem parasitären Regelkreis hinein verfolgen läßt. Diese Auffassung erzwingt geradezu eine leichtfertige Gleichsetzung des Gesunden mit dem Wahren und des Kranken mit dem Falschen, indem sie von der Krise des Krankseins absieht.

Selbst die Krankengeschichte Hiobs — so wird gesagt — lasse Andeutungen in diesem Sinne zu; habe es doch der Knecht Hiob letztlich daran fehlen lassen, sich seiner wahrhaften Stellung vor Gott zu versichern. Die Krankheit erweise sich eben doch als Strafe Gottes, als eine Konsequenz der Entfernung, des einsetzenden Zweifels, der Empörung gegen Gott, als „Krankheit zum Tode" (Kierkegaard) schlechthin. Der Satz Viktor v. Weizsäckers — „Der Mensch bekommt seine Krankheit nicht nur, er macht sie auch" — weise darauf hin, daß Hiob in die Krise nicht nur der Verzweiflung, sondern auch der Krankheit hereingeraten sei, weil er sich nicht genügend darum bekümmert habe, zu erkennen, daß diese Krankheit ein Spiel des Satans und nicht Gottes, deshalb also zu verwerfen sei.

Eine derartige Deutung enthält — ähnlich wie die naturwissenschaftliche — nicht nur jene Grundvoraussetzung der 'Machbarkeit' des Gesunden und des Kranken, sondern sie verkörpert, sie materialisiert gleichsam das Urteil der drei Freunde.

Gemeint ist aber mit dem Satz Viktor v. Weizsäcker's etwas anderes; er kann nur verstanden werden als ein Moment der „pathischen Existenz des Menschen" schlechthin: „Der Mensch ist abhängig von einem Grund, der selbst nicht Gegenstand der Erkenntnis werden kann" (Grundverhältnis, V. v. Weizsäcker). Nicht Machbarkeit des Gesunden und des Kranken wird hier vorausgesetzt, sondern in allem, was der Mensch macht, ist auch das Krankwerden und das Kranksein, ist die gegenseitige Abhängigkeit der Menschen voneinander, ist die Krise der menschlichen Existenz als solche, ist der Tod einbegriffen. „Gegenseitigkeit des Lebens" bedeutet: wir Menschen, die wir leben hier und jetzt, sind — ob wir wollen oder nicht — aufeinander bezogen, aufeinander angewiesen, voneinander abhängig und das auch und vor allem in Hinblick auf Gesundheit und Krankheit.

Von hierher wird deutlich, warum Gott im letzten Kapitel des Buches HIOB die drei Freunde in die Verantwortung Hiobs gibt. Die Rede: „Gott straft keinen Unschuldigen", der Mensch habe also auch seine Krankheit sich selbst zuzuschreiben, diese Schuldübertragung der drei Freunde auf den Kranken zerbricht an dem Urteil Gottes über seinen Knecht Hiob („Ihr habt nicht Recht von mir geredet wie mein Knecht Hiob"). Das ist die Rechtfertigung des Kranken, nicht der Gesunden, die Rechtfertigung der Not, des Elends, der Verzweiflung, der Verlassenheit, ja, der Anklage und schließlich der verzweifelten und leidenschaftlichen Empörung des kranken Menschen gegen Gott.

Ein anderes neuzeitliches Argument lautet, Hiob habe, unwissend der eigentlichen Ursache der Krankheit und damit unwissend seiner selbst, mit dem Gegner (dem Satan) paktiert. Diese, aus der anthropologischen Medizin Viktor v. Weizsäcker's gelegentlich abgeleitete These läßt sich hier ebenfalls nicht begründen. Von Anfang an bleibt

Hiob unkundig der Absprache zwischen Gott und dem Teufel; nirgends ist im Buch HIOB davon die Rede, daß jene Urgründe der Versuchung dem Krankheitsgeschehen selbst anzulasten seien; nirgends kann der Beweis geführt werden, Hiob habe sich „unbewußt" mit dem Satan gegen Gott verbündet und darum habe seine Krankheit diesen Lauf genommen. Auch der Satz des Herrn „Siehe da, er sei in deiner Hand" (Kap. 2) kann nicht so gedeutet werden, als habe Hiob es daran fehlen lassen, einerseits sich in dieser äußersten Situation der Prüfung seiner Demut und der Gnade Gottes zu versichern und andererseits gegen Gott zu protestieren, dort nämlich, wo ihn die Stimmlosigkeit, Stummheit Gottes angesichts dieser seiner Verlorenheit ganz ungereimt vorkommen mußte. Gerade das Preisgegebensein des Menschen in einer Welt der Freiheit und des Todes, das Sich-Ereignen jenes Grundverhältnisses zeigt in dem Nicht-gewärtig-werden der geschaffenen Welt, der Schöpfung Gottes die Abhängigkeit der Existenz des Menschen von einem Grunde an, der selbst nicht Gegenstand der Erkenntnis werden kann.

Aus dem Text läßt sich als causa proxima der Krankheit nichts anderes entnehmen als die Absprache zwischen Gott und dem Satan. Dem Ablauf der Krankheitskrise liegt also so etwas wie eine Bewährungsprobe des Kranken zugrunde.

Eine derartige Deutung muß dem neutralen mit dem Krankheitsprozeß befaßten isoliert-naturwissenschaftlich orientierten medizinischen Denken inakzeptabel erscheinen; denn es stellt sich die Aufgabe, Krankheit als ein nicht-sein-sollendes Übel (praeter naturam) auf dem kürzesten Wege zu beseitigen. Gerade das erscheint ihm als der von dem Kranken ihm abgeforderte Beitrag, als der eigentliche Gegenstand ärztlicher Hilfe. Und in der Tat, jener von dem Krankenhausseelsorger allzu rasch verkündete Sinn des Krankseins als einer inneren Bewährung verliert seine Bedeutung, solange es zunächst einmal darum geht, Krankheit als ein nicht-sein-sollendes Übelkonkret zu beseitigen.

Ein Bruch in der Deutung des Krankseins kommt dort auf und wird dort sichtbar, wo Unheilbarkeit und Heilbarkeit der Krankheit als Phänomene aufeinanderstoßen, sich gegenseitig ablösen. Die gestern noch tödliche Krankheit, welche Schmerzen, langes Siechtum, Auszehrung und Tod unabweisbar zur Folge hatte, kann schon morgen zu jenen Krankheiten gehören, bei denen ärztliche Hilfe rasch und wirksam möglich ist.

Von daher also läßt sich die Frage nach dem Sinn des Krankseins nicht stellen. Unter naturwissenschaftlichen Aspekt bedeutet Krankheit nichts anderes als einen Prozeß, dem der Zustand der Gesundheit überlegen ist. Es regiert hier unnachsichtig das Gesetz des „survival of the fittest".

Wenn jedoch Kranksein, ja, wenn organische Krankheit den geschaffenen Menschen befällt, so läßt sich der rein biologische Prozeß der Krankheit nicht isoliert aus sich selbst heraus deuten. Krankheit ist nicht zuletzt ein Ereignis unter Menschen; der Krankheitsprozeß greift unter Umständen tief in das menschliche Leben, in die Lebensgeschichte des Kranken und seiner Mitmenschen ein. Die Beschränkung der Deutung des Krankheitsgeschehens auf biologische Kategorien aber kann nichts anderes zur Folge haben als eine Einordnung des kranken Individuums als eines Exemplars der Gattung homo sapiens in das biologische Gattungsschicksal; und dieses verhält sich gegenüber dem Betroffenen, dem Kranken gänzlich gleichgültig.

Im Gegensatz zu allen neueren Evolutionstheorien ist es in der Heiligen Schrift — und hier im Buche HIOB — die Schöpfung, die als das Werk Gottes zwischen Gott und dem Menschen vermittelt; aus ihr wird die Stimme Gottes vernehmbar. Der a-theistische Evolutionismus dagegen verstellt sich den Zugang zu solchen Zusammenhängen selbst. Unter seinem Aspekt sind Begriffe einer anthropologischen Medizin wie „Grundverhältnis", „pathische Existenz", „Krise", „Biographie" des Kranken, „menschliches Schicksal", der „Nächste", die „Mitmenschen", „Gott" inakzeptable Begriffe.

Krise und Krankheit (Erste und zweite Gesundheit)

Die Krankengeschichte des Buches HIOB eröffnet eine andere Weise des Nachdenkens über Kranksein und Krankheit, als dies herkömmlich geschieht. Mit der Krise verschwindet die Krankheit. Die Krise selbst aber erscheint als eine durch andere Mächte induzierte Weise der Existenz, in welche der Mensch, der kranke Mensch, verwickelt wird. Nicht er, der Kranke, setzt sich der Krise aus, sondern er wird ihr ausgesetzt (pathische Existenz).

Was bedeutet Krankheit, was bedeutet Kranksein? Was bedeutet die Krise des Kranken im Ablauf seines Lebens? Was bedeutet sie für ihn, für den Menschen schlechthin?

Die Krankheit Hiobs ist ausgespannt zwischen den verschiedensten Mächten, zwischen Gott und dem Satan, dem Weibe Hiobs und den drei Freunden, zwischen Elihu, dem jüngsten der Freunde und der aus den Wettern vernehmbar werdenden Stimme Gottes. Nicht zuletzt betrifft die Krise des Krankseins den Kranken selbst! Er ist der Vermittler, er der Konzentrationspunkt der Kräfte und Mächte, welche in der Krankheit miteinander kämpfen. Dieser Gesichtspunkt stand im Mittelalter noch im Mittelpunkt der menschlichen Existenz. Aus der säkularisierten Medizin ist er so gut wie ganz verschwunden.

Das Buch HIOB zeigt den Menschen als den Mittler, als den Bewährungspunkt zwischen Gott und dem Satan, als Anlaß, als Anstoßnahme, als Ärgernis, als angreifbar in seinem Elend und in Gefahr. Der Mensch stürzt in den Abgrund der Verzweiflung, des Zweifels, der Hoffnungslosigkeit, ohne daß von irgendeiner Seite her sich ihm der Sinn seines Elends zeigt. Die drei Freunde erhalten Unrecht mit ihrem Anliegen, diese Entfernung des Kranken aus der Mitte seines Lebens als „Gottlosigkeit" zu diffamieren. Sie lindern damit nicht nur nicht die Leiden des Kranken, sondern sie bürden sie ihm überschwänglich auf.

In dem Verhalten der Freunde äußert sich eine Art typischer Verfassung des Gesunden gegenüber dem Kranken. Der Gesunde vermag sich nicht nur nicht in die Lage des Kranken zu versetzen, sondern er widerspricht ihm, er fordert ihn auf, den Kopf nicht hängen zu lassen, er fragt ihn, prüft ihn auf Herz und Nieren, ob denn nicht sein Verhältnis zu sich selbst, zu seinen Mitmenschen oder zu den höheren Welten, aber auch zur diesseitigen Welt in Unordnung geraten sei. Dem Kranken wird die Schuldfrage des Krankseins allzu leicht und allzu gerne aufgebürdet. Es scheint so, als stimme hier der Gesunde in den Lobgesang des „survival of the fittest" unbedenklich ein.

Was aber geschieht dem Kranken nach der Krise? In Hinsicht auf das Buch HIOB lautet die präzise Frage: Sind Gesundheit und Wohlstand nach der überstandenen Krankheitskrise von anderer Art als vor Beginn der Krankheit?

Daß der Mensch Hiob durch die Krise ein anderer geworden ist, geht aus dem Text des Buches HIOB hervor; auch, daß der Knecht Gottes ohne sein Wissen in eine exemplarische Krise gestürzt wird, daß der Mensch als kranker Mensch eben jene Last nicht nur des

Krankheitsschicksals, sondern des inneren Haders, der Verzweiflung, der Todesnähe, der Entfernung von den Mitmenschen zu tragen hat, ein Weg, auf dem der Gesunde ahnungslos beiseite steht und niemand anderen als sich selbst zu rechtfertigen vermag.

Inmitten der hoffnungslosen Finsternis seiner Verzweiflung erfährt Hiob durch den Anruf Elihu's, zu welch aussichtsloser Ohnmacht seine Klage verurteilt ist; zugleich dringt die Schöpfung Gottes nun auf ihn ein. Es gelingt Elihu, den Kranken von der Ohnmacht seiner Klage faktisch, d.h. durch Hinweis auf die Unmachbarkeit und Gewalt der Schöpfung zu überzeugen, ihn gleichsam bis ins Mark zu treffen. Jetzt erst wird dem Kranken selbst die Stimme des Herrn aus den Wettern vernehmbar; sie gelangt aus den Werken der Schöpfung nun direkt zu ihm hin, und es wird die Unverbrüchlichkeit der Nähe des Schöpfers zu seinem Geschöpf durch die Vermittlung des sterblichen Leibes und durch die Krise der Krankheit erfahrbar. Daß sie von dem Kranken, dem Knecht Gottes, nicht aufgegeben, sondern durchgehalten worden war, macht den Inhalt der im Buch HIOB geschilderten Krise aus, um den es geht.

Krise und Krankheit deuten auf etwas noch nicht Seiendes, etwas noch nicht in Erscheinung Getretenes hin. Im Kranksein, in der Krise erfährt der Mensch wie in einem Ent-Wurf, einer Prolepsis, in einem das bisherige Sein durchdringenden Ereignis das noch nicht Seiende eines neuen Seins. Wenn wir die erste naive Gesundheit mit dem durch die Krise gegangenen und neuerworbenen Gesundheitszustand vergleichen, so mutet die Gesundheit vor der Krise an wie eine natürliche, von der Natur gegebene Mitgift; sie enthält noch nichts von der Verheißung eines Seins, dessen Nichtseiendes — die Krise — das von ihm Verschiedene der zweiten Gesundheit schon anzuzeigen vermöchte. Ebenso, wie der Tod als das Nichtseiende des ewigen Lebens dieses nicht anzuzeigen vermag, aber doch enthält, so ist Kranksein nicht als Abbruch und Ende eines alten Seins, als dessen schlechte Erfüllung zu begreifen, sondern in der Krankheit beschreitet der Kranke den Weg zu einem neuen Sein.

„Aber eines Verzweifelnden Rede ist für den Wind"— Macht und Ohnmacht des Kranken

Die Verzweiflung des Kranken ist eine Absage an das So-seiende des Daseins, an das Hier und Jetzt der Welt, in der der Kranke lebt und die er wahrnimmt. Es ist zugleich der Rest der Hoffnung auf ein von diesem Sein sich unterscheidendes Dasein, welches aber nicht in Erscheinung tritt, sich nicht zeigt. Dieser verzweifelte Kampf des Kranken mit den Mächten der Krankheit, der Ohnmacht des Leibes und der Seele enthält die Hoffnung, die verzweifelte Sehnsucht nach einem Sein, das sein könnte, aber nicht ist und vielleicht auch nicht sein wird, niemals sein wird.

Diese Art der Verzweiflung unterscheidet sich von jener, welche Kierkegaard als „die Krankheit zum Tode" beschreibt; und so setzt Kierkegaard der „Krankheit zum Tode" denn auch den Satz von der Krankheit, welche er nicht beschreibt, voraus: „diese Krankheit ist nicht zum Tode" (Johannes 11, 4). Wenn die Krankheit zum Tode „das schrecklichste ist, das der Christ kennenlernte", so kann nach Kierkegaard von einer Krankheit zum Tode im strengen Sinn nur dann die Rede sein, wenn es sich um eine Krankheit handelt, „bei der der Tod das Letzte und bei der das Letzte der Tod ist". Dies sei, so sagt Kierkegaard, der Fall bei der Krankheit „Verzweiflung". In ihr sei der Tod zum Gegenstand der Hoffnung geworden [6]. Das Fazit lautet: „Sünde ist: daß *man vor Gott* (*oder mit der Vorstellung von Gott*) *verzweifelt nicht man selbst, oder verzweifelt man selbst sein will.* Sünde ist also die potenzierte Schwachheit oder der potenzierte Trotz: ist die Potenzierung der Verzweiflung" [7].

Hier in der Verzweiflung Hiobs ist nicht von der Sünde, sondern von dem Unrecht die Rede: „Der du Unrecht säufst wie Wasser". Die Verzweiflung ist nicht das verzweifelt man selbst oder verzweifelt nicht man selbst sein wollen. Die Verzweiflung Hiobs ist die Hoffnungslosigkeit des stimmlos Gewordenseins vor den Menschen und vor Gott: „aber eines Verzweifelnden Rede ist für den Wind".

Das genau ist die Situation des Kranken; sein eigenes Anliegen ist stimmlos geworden und auch in der verzweifelten Sprache des Organes erscheint es nur verstümmelt und kaum vernehmbar. Im Gegenteil, von dem Leibe des Kranken wenden die Gesunden sich ab: „Meine Nächsten haben sich entzogen, und meine Freunde haben mein vergessen. . . . mein Odem ist zuwider meinem Weibe, und ich bin ein Ekel den Kindern meines Leibes. . . . alle meine Getreuen haben einen Greuel an mir; die ich lieb hatte, haben sich wider mich gekehrt". Die Klage gegen Gott ist nichts anderes als der tiefste

---

[6] S. Kierkegaard, Die Krankheit zum Tode, s. 15.
[7] a.w. S. 72.

Ausdruck der Verzweiflung, als die Herausforderung an Gott: „Der Allmächtige antworte mir!"

In jedem Kranksein ist ein Stück abgründiger Verzweiflung des Kranken stimmlos und stumm geworden, dem Vernehmen der anderen entzogen; der Kranke vermag sich nicht mehr vernehmlich zu machen; er erhebt verzweifelt seine Stimme gegen taube Ohren. Sein eigentliches Anliegen bleibt der menschlichen Mitwelt verborgen (Fremdverborgenheit). Die Unauflösbarkeit der Fremdverborgenheit — so lange der Mitmensch des Kranken ihrer nicht ansichtig zu werden vermag — trennt die Welt des bedenkenlos Gesunden von der ureigentlichen, pathischen Existenz des Menschen. Wie durch einen Abgrund voneinander geschieden wandeln der Gesunde und der Kranke auf verschiedenen Wegen des Schicksals, der Gesunde als Freund der Götter, der Kranke verworfen im Elend, in der Verzweiflung, dem Vorwurf der Sünde, dem Nicht-sein-sollenden, dem „parasitären Regelkreis" der Krankheit ausgesetzt. Das ist die Beschreibung der ohnmächtigen Situation des Kranken.

Welches aber ist seine Macht?

Nicht der Kierkegaard'sche Trotz des Kranken — „verzweifelt man selbst oder verzweifelt nicht man selbst sein zu wollen" — erhebt hier die Macht des Trotzes zur Macht der Krankheit, wenngleich auch dieses Ausmaß der Verzweiflung den Kranken gelegentlich zu überwältigen vermag. Die Macht des Kranken zeigt sich in der Empörung und zugleich Feinsinnigkeit gegenüber der Stumpfheit und dem Übel, gegenüber der Verkettung des Wahren mit dem Falschen, der „Verlogenheit des Lebens" (V. v. Weizsäcker), welche in der Haltung des Gesunden dem Kranken begegnet und ihn zu überwältigen versucht: „Sage Gott ab und stirb"; „Gott straft keinen Unschuldigen"; „Der Gottlose wird ins Schwert fallen" oder: „denn deine Missetat lehrt deinen Mund also und hast erwählt eine listige Zunge".

Die Bitte aber des Kranken: „Erbarmet euch mein, erbarmet euch mein, ihr meine Freunde! Denn die Hand Gottes hat mich getroffen. Warum verfolgt ihr mich gleich wie Gott und könnt meines Fleisches nicht satt werden?" — seine Bitte und sein verzweifelter Anruf verhallen im Nichts, sie stoßen auf taube Ohren. Er, der Kranke, so lautet die Antwort der Freunde, hat sich selbst die Übel, die Gott ihm auferlegt, zuzuschreiben. Nicht die verzweifelte Rechthaberei des Kranken, wohl aber das Vernehmen-können der rechten Stimme — des Elihu — und, durch sie vermittelt, der Stimme Gottes aus dem Wetter, zeichnet ihn in seiner Ohnmacht aus und macht ihn mächtig: Dieses in der Krise neu erworbene Vermögen des Eindringens der Schöpfung, das Vernehmen ihrer Nähe und Gewalt zugleich, gibt dem Kranken die Zuversicht und das Vertrauen in Gott zurück. ihm zeigt sich *nach* der Krise ein Stück neuen Lebens und neuer Gesundheit, der gegenüber der Gesunde verzweifelt er selbst oder verzweifelt nicht er selbst bleiben möchte. „Ich hatte von Dir mit den Ohren gehört; aber nun hat mein Auge dich gesehen". Es ist letztlich gerade dieses „Urvertrauen der Angst der Welt, welches selbst noch schöpferischer Akt ist" (P.Schütz), was den Kranken vor dem naiv Gesunden auszuzeichnen vermag. In der Krise wird dem Kranken das Unverfügbare spürbar als „das Zeichen für den Freiraum des Schöpfers, zu tun, was er will". Diese Krankheit als das Verschiedene von dem Nichtseienden im Hier und Jetzt der daseienden Gesundheit ist Aufbruch zu jenem Sein des Unverfügbaren. Sie ist „Krankheit nicht zum Tode".

PASCUAL JORDAN

ZUFALL UND GESETZ IM PHYSIKALISCHEN GESCHEHEN

Das durch die Schriften Monod's erregte Aufsehen hat verbreitet die Vorstellung erzeugt, daß durch Monod erstmalig eine erbebliche Rolle des Zufalls innerhalb des Naturgeschehens aufgezeigt worden sei. Dies ist jedoch eine nicht nur sehr einseitige, sondern auch eine irreführende Meinung. Tatsächlich hat die moderne Entwicklung der Physik in breitester Weise das Vorhandensein von nur statistischen Naturgesetzen aufgedeckt: Dieses Thema ist geradezu *das* Thema der modernen Atom- und Quantenphysik. Der vorliegende Aufsatz möchte hierzu einige Informationen zusammen fassen; es soll dabei nicht etwa eine persönliche Ansicht des Verfassers in den Vordergrund gestellt werden, und es sollen auch keine inhaltlich *neuen* Gesichtspunkte entwickelt werden. Wichtiger scheint es zunächst, lediglich in Form einer *Berichterstattung* die grundsätzlichen Entwicklungen anzudeuten, welche sich den modernen Physikern ergeben haben — in einer Weise, die zu einem durchaus einheitlichen, übereinstimmenden Urteil aller heute lebenden maßgeblichen Sachverständigen geführt hat.

Dabei muß berichtet werden, daß zwei der bedeutendsten Physiker unseres Jahrhunderts sich dagegen gesträubt haben, die von der Gesamtheit der anderen Physiker vollzogene tiefgehende Veränderung der grundsätzlichen Beurteilung der Naturgesetzlichkeit mit zu vollziehen. Und zwar handelt es sich gerade um die Physiker Einstein und Planck, also zwei Forscher, die in größtem Ausmaß selber die „revolutionäre" Umgestaltung der physikalischen Vorstellungswelt angebahnt und weitgehend durchgeführt haben, deren Vollzug den Hauptinhalt des in unserem Jahrhundert vollzogenen Stückes der Geschichte der Physik gebildet hat. Diese überragende Rolle der beiden Genannten in der Physikgeschichte des XX. Jahrhunderts ist auch außerhalb des Kreises der Physiker selber durchaus bekannt geworden; und es mag deshalb manchem Außenstehenden überraschend oder geradezu befremdend sein, daß die wissenschaftlichen Überzeugungen, welche sich in den letzten Jahrzehnten in der Physik ausgebildet haben, gewichtige Thesen einschließen, denen gegenüber Max Planck — der ehrwürdige Begründer der „Quantentheorie" — im letzten Abschnitt seines Lebens und Wirkens ernste Bedenken ausgesprochen hat; während Albert Einstein, der geniale Schöpfer der Relativitätstheorie — geradezu leidenschaftlich seine Ablehnung und entschiedene Verwerfung der fraglichen Behauptungen bekundet hat.

Es handelt sich um die These, daß in der sogenannten „*Mikrophysik*" (in Unterscheidung von der „Makrophysik") das *Kausalitätsprinzip* seine Gültigkeit verliert. Heisenberg hat das ausgedrückt in dem Satz „Die Quantenphysik hat die definitive Widerlegung des Kausalitätsprinzips erbracht"; und ähnlich radikale Äußerungen könnten von anderen bedeutenden Physikern unserer Zeit zitiert werden, vor allem von Niels Bohr und Max Born. Als Buch ist erschienen ein Briefwechsel zwischen Born und Einstein: Born hat versucht, seinen Lebensfreund Einstein für eine Anerkennung der Ungültigkeit des Kausalitätsprinzips in der Mikrophysik zu gewinnen, aber Einstein hat so entschieden seine gegenteilige Überzeugung von der Unentbehrlichkeit der Kausalität im *Gesamtbereich* der Physik bekundet, daß dieser dramatische Briefwechsel geradezu bis zu einer Strapazierung der Lebensfreundschaft dieser beiden bedeutenden Physiker gegangen ist. Niemand wird ihren Briefwechsel ohne tiefe Bewegung auch im menschlichen Sinne lesen können.

Planck hat seine Bedenken gegen die Anzweiflung des Kausalitätsprinzips nicht so lebhaft unterstrichen, wie Einstein; doch war auch für ihn ein großer Ernst der von ihm angemeldeten Bedenken gegeben. Der Verfasser hatte das Glück, noch kurze Zeit vor Plancks Lebensende von ihm zu einer persönlichen Unterhaltung eingeladen zu werden, und ich hatte damals den Eindruck, daß seine Bedenken vielleicht nicht ganz so unwiderruflich sein würden, wie sie mir vorher geschienen hatten. Jedoch kann ich dabei nicht die Möglichkeit ausschließen, daß seine Formulierungen in diesem Gespräch vielleicht „entschärft" gewesen sein mögen durch die große Güte eines alten Mannes, der die wissenschaftlichen Bestrebungen seines damals noch recht jung gewesenen Gesprächspartners mit rührender Freundlichkeit beurteilte.

Die Tatsache, daß die Gesamtheit der großen internationalen *Familie der Physiker* (wie Bohr es gerne nannte) sich entschließen konnte, trotz der Warnungen so bedeutender Physiker wie Planck und Einstein sich entschieden auf die Seite Bohrs, Borns und Heisenbergs zu stellen und die Gültigkeit des Kausalitätsprinzips für die Mikrophysik endgültig zu verneinen, kann man nur dann voll verstehen, wenn man sich den Physik-geschichtlichen Vorgang wissenschaftlicher *Urteilsbildung* richtig vorstellt. Diese Urteilsbildung gründet sich niemals auf Anerkennung von Autoritäten — die dankbare Verehrung, welche fast alle Physiker der ganzen Welt für Planck und Einstein empfunden haben, gründete sich auf die Erkenntnisse, deren Wahrheit uns von Planck und Einstein *bewiesen* worden ist. Die bloße persönliche Überzeugung (als solche, und ohne Beweis von diesen großen Fachgenossen vorgetragen), daß doch auch in der Mikrophysik die Kausalität noch entdeckt werden würde, unterlag der Möglichkeit menschlichen Irrens. Obwohl Einstein noch die letzten drei Jahrzehnte seines Lebens einem angestrengten heroischen Ringen um die Erzielung von Beweisgründen für seine Auffassung gewidmet hat, so vermochte er dies Ziel nicht zu erreichen. Es enthält deshalb keine Respektlosigkeit, wenn die heutigen Physiker einheitlich überzeugt sind, daß er sich in diesem Punkte tatsächlich geirrt hat.

Das Wort „Mikrophysik", welches oben benutzt worden ist, ohne daß wir auf seine Definition eingegangen sind, könnte auch durch die Worte „Atomphysik" oder „Quantenphysik" ersetzt werden. Es handelt sich um dasjenige Kapitel der Physik, in welchem der Beweis erbracht wird, daß *Demokrit* tatsächlich recht hatte mit seiner Vermutung, daß die Materie zusammengesetzt sei aus *Atomen*. Daß diese Behauptung *Demokrit*s richtig sein müsse, hatten fast alle Physiker und Chemiker des vorigen Jahrhunderts *geglaubt* — sie waren sehr bereitwillig, die Atomvorstellung als Wahrheit anzuerkennen. Erst gegen Ende des vorigen Jahrhunderts meldeten sich Kritiker, welche nachdrücklich betonten, daß die „Atomhypothese" eben durchaus eine *Hypothese* sei — also ebenso wohl falsch wie richtig sein könne. Diese Kritik hat damals schockartig auf die Physiker und Chemiker gewirkt — aber auch tiefen Eindruck gemacht. Viele Physiker damaliger Zeit kamen zu der Überzeugung, daß die Atomhypothese in der Tat eine *unrichtige* Hypothese gewesen sei.

Planck allerdings lehnte die Zweifel an der Atom-Hypothese ab, und brachte diese Stellungnahme mit Entschiedenheit zum Ausdruck. Einstein seinerseits lieferte den ersten Hinweis auf experimentelle Möglichkeiten zum Wahrheitsbeweis für die Atomhypothese — er erkannte den Anfang eines solchen Beweises in gewissen experimentellen Ergebnissen, die damals schon vorlagen, aber noch nicht in ihrer wahren Bedeutung verstanden worden waren. Schlag auf Schlag sind dann (nach 1905) weitere Beweise für die „reale Existenz der Atome" geliefert worden. Aber schon 1900 hatte Planck seine große Entdeckung gemacht, die dann aus der beginnenden „Atomphysik" zugleich eine „Quantenphysik" machte: Er stellte fest (selber aufs Tiefste überrascht), daß die Atome (wenn es sie gibt), die Eigenschaft haben, in *Sprüngen* zu reagieren — ganz entgegen dem berühmten alten Spruch „natura non facit saltus", welcher behauptet hatte, daß alle Naturvorgänge, wenn genau genug beobachtet, in *fließenden Übergängen* verlaufen.

Das Jahr 1905 war für den jungen Einstein ein Jahr triumphaler Erfolge. Er legte damals seine erste bahnbrechende Untersuchung zur Relativitätstheorie vor. Ferner zeigte er damals den ersten Weg zum Wahrheitsbeweis für die Atomhypothese. Und er vertiefte drittens die Plancksche Entdeckung durch den Nachweis, daß die Lichtenergie, welche ein Atom in einem „Quantensprung" plötzlich abgibt, auch hinterher als ein teilchen-artiges „Paket von Lichtenergie" zusammen bleibt. Die berühmte Wellentheorie des Lichtes hatte also doch noch nicht das letzte Wort über die Natur des Lichtes gesprochen — die ältere Newtonsche „Emissionstheorie", welche den Lichtstrahl als eine Geschoßgarbe von „Licht-Teilchen" deutete, erwies einen noch nicht gewürdigten Wahrheitsgehalt.

Rückblickende heutige Betrachtung muß anerkennen, daß Einstein für diese damalige Entdeckung der „Lichtquanten" einen vollgültigen *Beweis* geliefert hatte. Jedoch war die Physik im Jahre 1905 noch nicht dazu gereift, diese Beweisführung voll würdigen zu können. Planck selber sah diese Radikalisierung seiner eigenen Erkenntnis mit Zweifeln an; und auch Niels Bohr, der 1913 (also acht Jahre später) das neue große Physik-Kapitel der quantenphysikalischen Deutung der Spektrallinien bahnbrechend eröffnete, machte nur von der Planckschen Entdeckung Gebrauch, die anschließende Einsteinsche Entdeckung vorsichtshalber noch unberücksichtigend lassend.

Im Grunde hatte schon die Plancksche Entdeckung des sprunghaften Reagierens mikrophysikalischer Gebilde den Nachweis geliefert, dass die Gesetze der Mikrophysik grundsätzlich andere sind, als diejenigen der „Makrophysik", also der großen, zahlreiche Atome in sich enthaltenden Körper.

Die allen Naturerscheinungen zugrunde liegende Welt der mikrophysikalischen Kleinstgebilde zeigt also Naturgesetze, welche von allen (schon vorher bekannt gewordenen) Gesetzen der Makrophysik tiefgehend verschieden sind: Die „Quantensprünge" als Reaktionsform mikrophysikalischer Gebilde unterliegen keiner kausalen Vorausbestimmung; jeder einzelne solche Quantensprung ist also ein *Zufall*. Jedoch beherrschen statistische Naturgesetze diese Welt der Atome und ihrer Quantensprünge. Auf zwei weit verschiedenen Gedankenwegen konnten die Geheimnisse der Mikrophysik enthüllt werden: Zahlreiche Physiker vereinigten unter der Führung N. Bohrs ihre Kräfte in der Erforschung der Spektrallinien und ihrer anfangs so rätselhaft erschienenen Gesetze — diese Forschungen führten später Heisenberg zum Entwurf einer von aller „klassischen" Makrophysik tiefgehend verschiedenen „Quantenmechanik", welche durch Dirac und durch eine Gemeinschaftsarbeit Born-Heisenberg-Jordan zu einer systematischen Theorie ausgestaltet wurde. Andererseits gab de Broglie den Gedanken Einsteins über die Lichtquanten eine grandiose Vertiefung und Erweiterung, die dann von Schrödinger erfolgreich aufgegriffen wurde. Nach de Broglie zeigt sich der im Fall des Lichts vorliegende „Dualismus" von Wellen und Teilchen auch bei allen anderen Arten von Strahlung, insbesondere Kathodenstrahlen — die Behauptung, daß auch diese, die früher nur als Teilchenstrahlung (von „Elektronen") betrachtet wurden, „andererseits" auch Welleneigenschaften haben, ist dann schlagend bestätigt worden, und Schrödinger konnte daraus Folgerungen für das Verhalten der inneratomaren Elektronen ableiten, die weitgehend gleichbedeutend waren mit den Ergebnissen der „Quantenmechanik".

Alle in der Erkennung physikalischer Naturgesetze errungenen Erfolge früherer Physik-Geschichte sind weit in den Schatten gestellt durch die Erfolge der vereinigten Quantenmechanik und (Schrödingerschen) „Wellenmechanik", und die auf dieser Grundlage aufgebauten Folgerungen betreffs der Naturgesetzlichkeit der Mikrophysik haben deshalb ein Fundament von ungeheurer Überzeugungskraft. Die grundsätzliche Behauptung ist die, daß in der Mikrophysik statt *kausaler* Naturgesetze nur *statistische* gelten — deren *Folgerungen* gerade die kausalen Gesetze der Makrophysik sind.

Nehmen wir als Beispiel eines typischen Quantensprungs den radioaktiven Zerfall etwa eines Radium-Atoms, so ist für ein *individu-*

elles Atom nur eine *Wahrscheinlichkeit* für das Eintreten dieses Zerfalls naturgesetzlich gegeben. Das bedeutet, daß einerseits für die zeitliche Entwicklung einer *großen Menge* von Radium-Atomen (etwa eines ganzen Milligramms Radium) eine strenge Vorausbestimmung gilt; daß aber der Zerfall eines individuellen Atoms innerhalb dieses Rahmens ausdrücklich dem Zufall überlassen bleibt.

Für die biologischen Erscheinungen ergibt sich aus dem hohen Kompliziertheitsgrad der Organismen eine hochgradig gesteigerte *Spontaneität*, welche die Reaktionen lebender Organismen in noch höherem Grade als diejenigen mikrophysikalischen Individuen heraus treten läßt aus kausaler Vorausbestimmtheit.

Was kausal nicht vorausbestimmt ist, kann auch nicht beeinflußt werden — der von der Mikrophysik und ihren biologischen Folgerungen aus gegebene akausale Charakter mikrophysikalischer und erst recht biologischer Reaktionen macht also diese Reaktionen zu etwas *Unverfügbarem* in dem von Paul Schütz erläuterten Sinne. Daß das Naturgeschehen in einem früher nie geahnten Umfang solches Zufälliges, Unverfügbares enthält, ist wohl das Überraschendste, was in der modernen Entwicklung der Naturwissenschaften hervor getreten ist.

HEINZ KIMMERLE

HOFFNUNG IM WIDERSTREIT

Über die Grenzen der technischen Prognostik

Die Frage nach der Zukunft wird im Denken der Gegenwart in einer großen Breite, zum Teil auch mit beachtlicher Intensität gestellt und in ihren verschiedenen Aspekten entfaltet. Das Aufbrechen dieser Frage ist mehr als eine feuilletonistische Modeerscheinung. Freilich gibt es in der Fülle der Literatur zum Thema Zukunft, Hoffnung, Utopie eine große Zahl von Publikationen, die leichtfertig, ohne konkreten Nachweis mit diesen Begriffen operieren, in denen die Zukunftsbezogenheit nicht als ein Modus des menschlichen Verhaltens erfaßt wird, der im Zusammenhang der Ganzheit dieses Verhaltens zu interpretieren ist. Es besteht Anlaß genug, über *Ernst und Unernst der Zukunftsforschung* nachzudenken [1], den Appell *Mut zur Utopie* mit einem gehörigen Fragezeichen zu versehen [2]. Aber es bleibt eine Lebensfrage der gegenwärtigen Menschheit, ob sie die „großen Zukunftsaufgaben", die ihr gestellt sind, zu lösen vermag. Ohne Zweifel ist in dieser Hinsicht so etwas wie ein „Wandel des Bewußtseins" notwendig. Es gilt, die zukünftige Geschichte in einer bisher nicht bekannten Weise in den Entscheidungen der Gegenwart ausdrücklich zu antizipieren, die von ihnen ausgehenden möglichen Entwicklungen allen Ernstes moralisch zu verantworten.

I.

Auf dem Gebiet der praktischen Zukunftsplanung, soweit sie auf berechenbaren oder jedenfalls exakt quantitfizierbaren Momenten aufgebaut ist, läßt sich das Problem relativ leicht lösen. Je besser man die Möglichkeiten der Prognose in diesem rein technischen Sinne zu entwickeln und zu benutzen versteht, um so erfolgreicher wird das Handeln auf die Dauer sein. Im Hinblick auf die entscheidenden

---

[1] s. H. Lübbe: *Ernst und Unernst der Zukunftsforschung*. In: Merkur 23 (1969), S. 125-130.

[2] s. G. Picht: *Mut zur Utopie*. Die großen Zukunftsaufgaben. (Zwölf Vorträge.) München 1969; zum folgenden vgl. bes. den ersten und den letzten Vortrag.

Zukunftsaufgaben ist die gegenwärtige Menschheit, sofern sie überleben will, zum Erfolg verurteilt. Deshalb ist es in den relevanten Fragen des Zusammenlebens die Pflicht eines jeden, auf dem jeweiligen Gebiet die verfügbaren Vorausberechnungen und sonstigen zuverlässigen Angaben über die zukünftige Entwicklung zu berücksichtigen.

Die rasche Veränderung der technischen, ökonomischen und sozialen Lebensbedingungen ist in der heutigen Zeit von statischen Ordnungsvorstellungen aus weder theoretisch zu begreifen noch praktisch zu gestalten. Das Versäumnis der Vorausschau auf die zu erwartende Entwicklung muß in vielen Bereichen eine Katastrophe nach sich ziehen. Unter den jetzt gegebenen Voraussetzungen ist es sicher wahr, daß die Zukunftsforschung „weniger Utopien realisierbar als Katastrophen vermeidbar" zu machen hat [3].

Die Fragwürdigkeit der technischen Prognose liegt aber darin, daß sie über den Bereich der berechenbaren Momente hinaus die Zukunft als solche bestimmbar zu machen sucht. Sofern die Futurologie mehr zu bieten verspricht als Angaben über technologisch beherrschbare Details, erhebt sie einen falschen philosophischen Anspruch. Es ist notwendig, daß sie sich über die Möglichkeiten und die Grenzen ihrer Vorausschau Rechenschaft gibt. Die Grenzbestimmung folgt aus der Überlegung, daß die zukünftige Entwicklung in ihrer Komplexität, das Zusammenwirken aller Faktoren nicht völlig zu durchschauen, nicht ohne Rest in mathematischer Symbolsprache zum Ausdruck zu bringen ist. Diese wesenhafte Unbestimmtheit der zukünftigen Entwicklung im ganzen darf nicht aufgehoben oder relativiert werden. Sie bildet das Feld, in dem die technischen Prognosen bestimmte Orientierungsmarken setzen können, das sich aber ebensowenig in seiner äußeren Erstreckung, dem räumlichen Nebeneinander und dem zeitlichen Nacheinander, vollkommen erfassen wie in seiner inneren Struktur, der individuellen Entscheidung jedes einzelnen, gänzlich determinieren läßt. Es ist eine philosophische Aufgabe, nicht nur diese Grenzen der technischen Prognostik aufzuzeigen, sondern darüber hinaus den Bereich kritisch auszumessen, in dem die Zukunftsbezogenheit des Menschen auf verläßlichen Grundlagen beruht.

---

[3] s. Lübbe a.a.O. S. 130. - Das eindrücklichste Dokument der Entwicklung notwendiger Planungsaspekte zur Vermeidung einer Katastrophe ist das Buch von D. Meadows: *Grenzen des Wachstums.* (Bericht des Club of Rome zur Lage der Menschheit.) Stuttgart 1972.

II.

Die traditionelle Philosophie gibt in dieser Frage nur spärliche Auskunft. Es ist indessen nicht so, wie Bloch meint daß die Philosophie der Hoffnung in der „Geschichte der Wissenschaften" in einem ausgearbeiteten Sinne „nicht vorkommt" [4]. In der philosophischen Arbeit der Gegenwart finden sich auch außerhalb von Bloch eine Reihe von Beiträgen zu diesem Thema, die ausdrücklich oder unausdrücklich bestimmte traditionelle Betrachtungsweisen in der gegenwärtigen Situation zu aktualisieren suchen. Was demgegenüber im Denken Blochs tatsächlich neu ist, einen Durchbruch im Vergleich zur Tradition bedeutet, kann sich erst zeigen, wenn diese Beiträge wenigstens im Überblick referiert und kritisch beleuchtet werden, wenn sich erweist, daß sein *Prinzip Hoffnung* eine Dimension utopischen Denkens eröffnet, die in der bisherigen Philosophie noch nicht zum Thema gemacht worden ist.

Die philosophische Begründung der Hoffnung im Denken der Gegenwart (außerhalb von Bloch) ist durch zwei verwandte geistesgeschichtliche Strömungen auf den Plan gerufen: durch die Philosophie des Absurden, die vor allem Albert Camus entwickelt, sowie durch die Existenzialanalyse Martin Heidiggers, in welcher der Angst eine besondere erschließende Bedeutung zukommt. Camus leugnet mit der Sinnhaftigkeit der Welt und des menschlichen Daseins zugleich die Berechtigung der Hoffnung. Angesichts der Absurdität der Welt und des Daseins in ihr gilt es allein als redlich, in der Verzweiflung auszuharren, jede „Ausflucht" in eine Hoffnung zu vermeiden. Die „beharrliche Verneinung jedes übernatürlichen Trostes" führt zum natürlichen Glück, das sich an nichts mehr klammert, demgemäß auch nichts mehr zu verlieren hat. Sisypnos wird zur Symbolfigur dieses „absurden Glücks" [5].

Man sieht leicht, daß in dieser Philosophie die alte stoische Tradition, das Streben nach Ataraxie, nach der Ungestörtheit der natürlichen Glückseligkeit, aufgenommen und, radikaler als bei Epikur, gegen Theologie und Metaphysik in jeder Form gewendet wird. In seinem umfangreichen theologischen Buch über die Hoffnung hat Paul Schütz gezeigt, daß die Struktur der Absurdität, daß allein im Ausharren in der Verzweiflung das Glück gewonnen wird, ein ent-

[4] s. E. Bloch: *Das Prinzip Hoffnung*. Frankfurt/M. 1959. S. 4 f.

[5] s. A. Camus: *Der Mythos von Sisyphos*. (Ein Versuch über das Absurde.) Hamburg 1959, S. 46, 93, 110 f.

scheidendes Moment der Theologie Luthers wieder aufgegriffen, nicht eigentlich säkularisiert, sondern in einem neuen antitheologischen System geltend gemacht wird [6].

Es ist vor allem diese antitheologische und antimetaphysische Grundhaltung im Denken von Camus, die Gabriel Marcel veranlaßt, eine neue Begründung der Philosophie der Hoffnung zu versuchen. Im Namen der traditionellen christlichen Metaphysik wendet er sich gegen „die Verweigerung des Heils und die Erhöhung des absurden Menschen" [7]. Sein Entwurf einer „Metaphysik der Hoffnung" sucht sich darin von den Voraussetzungen des gegenwärtigen Denkens aus zu begründen, daß der subjektive Akt des Hoffens phänomenologisch genauer untersucht wird. Was die Hoffnung gegenüber dem Optimismus oder ähnlichen Verhaltensformen kennzeichnet, liegt aber darin, das in den Akten des Hoffens etwas mitgesetzt ist, das nicht mehr phänomenologisch zu erklären ist, in dem uns das „Geheimnis des Seins" entgegentritt [8]. Der phänomenologisch ausweisbare Aspekt, die Hoffnung als „Hoffen, daß", die darauf beschränkt bleibt, sich auf ein „bestimmtes Bild" zu richten, vermag den Nihilismus der Philosophie des Absurden letztlich nicht zu widerlegen. Alle bestimmten Hoffnungen können sich als trügerisch erweisen. Nur die „absolute Hoffnung", die den bestimmten Hoffnungsakten zugrundeliegt, überwindet „jede mögliche Enttäuschung", verleiht jene „Sicherheit des Seins oder im Sein", die den nihilistischen Einwand entkräftet. Die „absolute Hoffnung" ist freilich an den „absoluten Glauben" gebunden. „Sie erscheint als Antwort des Geschöpfes auf das unendliche Wesen, dem es sich verpflichtet weiß für alles, was es ist, und dem es ohne Ärgernis keine wie immer auch geartete Bedingung stellen kann." Der Nihilismus, das unbedingte Ausharrenwollen in der Verzweiflung, wird also schließlich nicht durch rationale Argumente widerlegt; ihm wird das „Geheimnis des Seins" entgegengestellt, das als Sein für jeden, der daran teilhat, die Sinnhaftigkeit garantiert, die es unbedingt zu bejahen gilt. Die Antimetaphysik soll durch eine neue Metaphysik, die im Sein als solchen begründet ist, überwunden werden.

---

[6] s. P. Schütz: Parusia — Hoffnung und Prophetic. Heidelberg 1960. S. 376 und 380.

[7] s. G. Marcel: *Homo viater*. Düsseldorf 1949; darin bes. die Abhandlung mit der zitierten Überschrift.

[8] s. G. Marcel: *Philosophie der Hoffnung*. München 1957. S. 35, zum folgenden S. 49 und 51 f.; vgl. ders.: *Geheimnis des Seins*. Wien 1952. S. 475 ff.

Ohne den metaphysischen Ansatz dieser Hoffnungsphilosophie zu übernehmen, will Otto Friedrich Bollnow die darin vorgefundene Unterscheidung von relativer und absoluter Hoffnung aufgreifen. Relative, auf ein bestimmtes Ziel gerichtete Hoffnung und absolute, von bestimmten Zielen unabhängige Hoffnung unterscheiden sich nach seiner Darstellung wie in der Existenzialanalyse Heideggers die „stets bestimmt gerichtete Furcht" und die „gegenständlich unbestimmte Angst". Bollnow sucht auf diese Weise für die absolute Hoffnung, die nach Marcel an den absoluten Glauben geknüpft ist, ein eigenes anthropologisch beschreibbares Fundament aufzuweisen. Während die relative Hoffnung wie die Furcht als „intentional bestimmtes Gefühl" zu erfassen ist, das sich erfüllen oder auch nicht erfüllen kann, gehört die absolute Hoffnung wie die Angst in das Gebiet der „intentional unbestimmten Stimmung", die sich nicht an bestimmte Gegenstände klammert, deren elementare Erfahrung das Sein überhaupt, das sich in der Angst zu entziehen scheint, umgekehrt als ein Verläßliches, als den „tragenden Grund" des menschlichen Hoffens sichtbar macht. Die Grundstimmung der Angst, die in der Existenzphilosophie ungebührlich im Vordergrund steht kann also überwunden, eine „neue Geborgenheit" als das sachlich Angemessenere erwiesen werden [9].

Bollnow erkennt indessen selbst, daß seine Analyse der Hoffnung als „intentional unbestimmter Stimmung" in den wesentlichen Strukturen damit zusammentrifft, „was in der Scholastik schon immer als theologische Tugend bezeichnet wird." Die Unterscheidung von relativer und absoluter Hoffnung kommt in der thomistischen Lehre in dem Begründungsverhältnis zum Ausdruck, das von der „natürlichen" zur „übernatürlichen Hoffnung" führt, die allein als „theologische Tugend" möglich ist. Die Ausrichtung des Hoffens auf die „übernatürliche Glückseligkeit" bedingt aber, daß sie über die bestimmten welthaften Gegenstände hinausgelangt. Dieser Überschritt ist den Menschen nicht von ihren bewußten Intentionen aus verfügbar. Dennoch liegt er nach der Auffassung von Bollnow im Bereich der menschlichen Möglichkeiten. Die philosophische Rede von der absoluten Hoffnung ist dadurch zu rechtfertigen, daß sich ihre Strukturen, ähnlich wie bei anderen Phänomenen, die in der

[9] s. O.F. Bollnow: *Neue Geborgenheit.* (Das Problem einer Überwindung des Existentialismus.) Stuttgart 1955. (2. Aufl.) S. 100 mit Anm. 25, vgl. S. 19-25.

Tradition rein religiös erklärt worden sind, im menschlich-natürlichen Bereich durchaus nachweisen lassen, daß ihre religiöse Interpretation sachlich-inhaltlich nichts Neues hinzubringt, sondern allenfalls als Bestätigung einer schon bekannten anthropologischen Gegebenheit gelten kann [10].

Es gibt eine Reihe anderer ähnlicher Versuche, die Hoffnung phänomenologisch und anthropologisch zu begründen. Darauf brauche ich im einzelnen nicht eizugehen [11]. Es soll hingegen nicht unerwähnt bleiben, daß Karl Jaspers in einem Rundfunkvortrag gezeigt hat, wie von den Voraussetzungen seiner Philosophie aus das Problem der Hoffnung zu behandeln ist. Er möchte den „heroischen Verzicht" auf die Hoffnung (den Camus formuliert) und die „gläubige" Neubegründung (die Marcel versucht) zu einer „dritten Weise des Hoffens" verschmelzen, die sich auf dasjenige richtet, „was uns in unserem Leben hier und jetzt vergönnt sein könnte". Die bestimmte Hoffnung ist dabei auch für ihn der erste Schritt auf dem Weg, der durch die „Umkehr" der trotzigen Verzweiflung hindurch schließlich dazu führt, „noch im Scheitern" der „Erfahrung des Sinnes" innezuwerden, die dem Menschen die Kraft verleiht, sich als Hoffenden aus dem „Versagen" wiederzugewinnen. Die „Hoffnung auf die Vernunft" liegt von vornherein in einer Fluchtlinie, welche auf die letzte Begründung des Hoffens zielt, die es im Leben des Menschen gibt: „die Erfahrung ewiger Gegenwart, ohne Vergangenheit und Zukunft, die Erfahrung, im Scheitern nicht verloren zu sein, weil, in der biblischen Chiffre zu sprechen, Gott ist". Die tiefste menschliche Erfahrung, die zur Begründung der Hoffnung aufgeboten wird, wird auch hier mit der religiösen Erfahrung gleichgesetzt. [12]

Nun muß man aber sehen, daß die Argumentationsebene der Philosophie Heideggers von den Gegenthesen, die Marcel oder auch

---

[10] s. *ebenda* S. 118 f.; für den Zusammenhang der thomistischen Lehre vgl. J. Pieper: *Über die Hoffnung*. München 1949. (6. Aufl.)

[11] Eine phänomenologisch-anthropologische Analyse der Hoffnung, bei der auf die „eigene innere Erfahrung" zurückgegangen wird, in der sich die „Wesenseigenart" des Hoffens erschließt, findet sich bei H. Middendorf: *Über die Hoffnung*. Phil. Diss. München 1937. Die Verwurzelung der Hoffnung in den vitalen Schichten des menschlichen Lebens betonen H. Plügge: *Über die Hoffnung*. In: Situation 5 (1954), S. 54 ff und W. Brednow: *Der Mensch und die Hoffnung*. In: Sammlung 9 (1954), S. 529-539 und 596-608.

[12] s. K. Jaspers: *Die Kraft der Hoffnung*. In: Die Hoffnungen unserer Zeit. (Zehn Beiträge.) München 1963. S. 9-23, bes. S. 21-23.

Bollnow gegen Camus' Verzicht auf die Hoffnung vorbringen, ebensowenig erreicht wird wie von Jaspers' Versuch, heroische Verzweiflung und gläubige Neubegründung der Hoffnung miteinander zu verbinden. Diese Tatsache ist in einer Heidelberger Dissertation aus dem Jahre 1957 deutlich herausgearbeitet worden. [13] Zwar behandelt Heidegger die Hoffnung ebenfalls im Zusammenhang der Ausführungen über Stimmungen und Affekte, in denen die „Befindlichkeit" des menschlichen Daseins zum Ausdruck kommt. Aber seine gesamte Analyse der Strukturen der Existenz sucht diese in ihrem bestimmten zeitlichen Sinn zu erfassen. Der Vorrang der Zukunft, den er konstatiert, das Sich-vorweg-sein des menschlichen Daseins, von dem aus dieses erst die Vergangenheit und die Gegenwart als das für es Gewesene bzw. im Augenblick Gesetzte zu ergreifen vermag, kann zur Grundlage einer zeitlich-geschichtlich auf die Zukunft ausgerichteten Bestimmung des Wesens der Hoffnung gemacht werden. [14]

Indessen, in Heideggers zeitlich-geschichtlicher Analyse der existenzialen Strukturen wird die Sphäre der menschlichen Subjektivität nicht überschritten. Der „existenziale Sinn des Hoffens" muß demgemäß unter welchem zeitlichen Aspekt auch immer als ein „Für-sich-erhoffen" bestimmt werden. Die Ausrichtung auf die Zukunft kann für das Phänomen Hoffnung lediglich bedeuten: In jeder Zukunft werde ich die Kontinuität meines Selbst durchhalten, ich

---

[13] s. H. Fahrenbach: *Wesen und Sinn der Hoffnung*. Phil. Diss. Heidelberg 1957, vgl. zum folgenden bes. S. 24-26, 71-81, 124 und den ganzen theologischen Teil S. 147 ff.

[14] s. M. Heidegger: *Sein und Zeit*. Tübingen 1953. (7. Aufl.) S. 339-346; vgl. zum folgenden S. 326 f.— Diese Interpretation Heideggers kann sich auf die von ihm selbst herausgegebenen Vorlesungen seines Lehrers E. Husserl: *Zur Phänomenologie des inneren Zeitbewußtseins*. In: Jahrbuch für Philosophie und phänomenologische Forschung. Bd. 9. Halle 1928. S. 367 ff. stützen, in denen von den Phänomenen Phantasie und Wiedererinnerung aus als Gegenstück „Retention", zur Weiterwirkung des bewußt und nicht mehr bewußt Erinnerten, die „Protention", die Konstituierung eines Erwartungshorizonts, analysiert wird (s. bes. S. 395-424, 452 f und 490). Husserl spricht in diesem Zusammenhang auch, im Unterschied zu Heidegger, von Zeitobjekten, die in der Erwartung wie in der Erinnerung intendiert werden und in denen sich gegenüber der Jetzt-Impression bestimmte Modifikationen bilden (s. S. 380-385). Diese Analyse ist einerseits noch an der Philosophie Brentanos orientiert, andererseits weist sie aber auch auf Bloch voraus. Sie wird von dem letzteren an entscheidender Stelle in seine Philosophie der Hoffnung aufgenommen und schafft eine wesentliche Voraussetzung für ein konkretes Verständnis der Hoffnung.

werde mir, meinen mir eigenen Möglichkeiten treu bleiben können. Das Worauf der Hoffnung, die konkreten Möglichkeiten, in denen ein bestimmter Einzelner sich verwirklicht oder nicht verwirklicht, in denen ferner nicht nur sein individuelles Schicksal, sondern auch der weitere Weg der kleineren und größeren geschichtlichen Gemeinschaften, zu denen er gehört, auf dem Spiel steht, kommt bei Heidegger nicht in den Blick. Seine zeitlich-geschichtliche Interpretation der existenzialen Strukturen insistiert auf deren formaler Bedeutung, wie sie innerhalb des Bereichs des einzelnen menschlichen Daseins zu erfassen ist. Das bedingt ein Verständnis der Hoffnung, welches demjenigen, das von Jaspers entwickelt wird, nicht unähnlich ist. Freilich muß man sich im Horizont der Analysen Heideggers sehr viel strenger auf die phänomenologisch ausweisbaren Momente dieser Hoffnungsstruktur beschränken.

Hoffnung ist in diesem Zusammenhang als reines Hoffendsein des menschlichen Daseins zu beschreiben. Sie steht für die immer erneuerte Erfahrung der reinen Zukünftigkeit des menschlichen Existierens. In ihr kommt der Grundzug dieses Existierens zum Ausdruck, angesichts der Offenheit einer letztlich nicht bestimmten Zukunft die Erfahrung des Scheiterns nicht zu fixieren, d.h. zu verzweifeln, sondern das eigene Sein als Seinkönnen offenzuhalten.

Wenn man Heideggers Existenzialanalyse auf diese Weise als Philosophie der Hoffnung auslegt, wird ihr existenzieller Unterton vernehmbar. Sie enthüllt sich als die Entfaltung der Bewegung Existierens, die sich aus der Uneigentlichkeit des Verfallens immer neu in die Offenheit des Seinkönnens freigibt. Damit wird seine Konzeption unmittelbar zur Tradition des Voluntarismus in Beziehung gesetzt, die über Kierkegaard zurückreicht bis zu Luther und der nominalistischen Strömung des Mittelalters, schließlich bis zu Augustin und seiner Durchdringung des neuplatonischen Systems mit der biblischen, primär der paulinischen Erlösungstheologie. Dieser Zusammenhang bestätigt sich in der bereits erwähnten theologischen Arbeit über die Hoffnung von Paul Schütz, sowie in einem Aufsatz von Friedrich Gogarten, in dem das Seinkönnen der reinen Zukünftigkeit des menschlichen Daseins im Unterschied zu den berechenbaren Aspekten der bestimmten Hoffnung ausdrücklich als das Wesen der „christlichen Hoffnung" interpretiert wird. Im Rückgriff auf Luther wird diese Hoffnung als die „reinste Hoffnung auf den reinsten

Gott" erfaßt und darin der Bezug auf konkrete Hoffnungsgegenstände definitiv eliminiert [15].

Diese Linie läßt sich zurückverlängern bis zu Augustin, dem die profane Hoffnung von vornherein als „eitle Hoffnung" gilt. Die christliche Hoffnung ist demgegenüber „spes supernaturalis, caelestis, aeterna et stabilis, spiritualis". Sie ist unverlierbar „durch Gewalt von außen her" und richtet sich letztlich allein auf die „Auferstehung des Fleisches", auf die transzendente Welt, in der die jetzt bestehenden Umstände der „sichtbaren Welt" endgültig überwunden sind [16].

III.

Vor dem Hintergrund dieser Beiträge zu einer Philosophie der Hoffnung läßt sich im einzelnen bestimmen, worin die besondere Leistung Blochs auf diesem Gebiet zu erblicken ist. Zweifellos muß man zunächst die Konkretion des Hoffnungsverständnisses erwähnen, den Bezug auf bestimmte Gegenstände, der im Wesen der Hoffnung als solcher verankert ist. Das Worauf der Hoffnung ist keineswegs nebensächlich für die Struktur dieses Aktes, sondern darin sind für seine möglichen Gegenstände, den Gegenstandsbereich des Hoffens als solchen konkrete Bestimmungen gesetzt. Diese neue Sicht gewinnt Bloch weil für ihn die Hoffnung als subjektiver Akt nicht nur in den Bereich der Stimmungen und Affekte gehört, sondern zugleich als „kognitiver Vorgang" zu erfassen ist. Sie bildet nicht nur den Gegenbegriff zur Angst und zur Verzweiflung, sondern auch zur Erinnerung. In ihr ist ein Horizont der Erwartung, eine Direktion des Vorausdenkens wirksam, die sich genauer bestimmen lassen als der Gegenstandsbezug eines blossen Affekts, der nicht wie die Hoffnung „fähig ist zu logisch-konkreter Berichtigung und Schärfung" [17].

Bevor ich auf die wesentliche Konkretion der Hoffnungsstruktur bei Bloch näher eingehe, möchte ich kurz zeigen, daß er die subjek-

---

[15] s. F. Gogarten: *Die christliche Hoffnung.* In: Deutsche Universitätszeitung 9 (1954), S. 1 ff.

[16] s. L. Ballay: *Der Hoffnungsbegriff bei Augustinus.* (Münchner Theologische Studien II, 29.) München 1964, bes. S. 147-160 und 171-281. Im Anhang dieser Arbeit wird die sachliche Übereinstimmung des Augustinus mit den Aussagen der paulinischen Theologie der Hoffnung eigens nachgewiesen, wie sie P. Benoit als Auslegung von Römer 8, 23 („Nous gémissons, attendant la délivrance de notre corps") dargelegt hat (s. S. 294-301).

[17] s. Bloch a.a.O. S. 126 f.

tive Fundierung des Hoffens, seine Verwurzelung in den Schichten des Bewußtseins nicht nur breiter, sondern auch präziser und tiefer erfaßt, als es in der Tradition geschieht. Methodisch gesehen, handelt es sich um Untersuchungen, die in das Gebiet der Anthropologie und der philosophischen Phänomenologie gehören. Im Rahmen dieser Untersuchungen benützt aber Bloch wichtiges Material, das er aus dem Gebiet der Tiefenpsychologie übernimmt. Darin ist er nicht unbedingt originell; ähnliche Übernahmen finden sich bereits bei französischen Vertretern der phänomenologischen Forschungsrichtung [18]. Zur Klärung des Hoffens als einer Leistung des Bewußtseins stützt sich Bloch vor allem auf die Psychologie des Traums, wie sie von Siegmund Freud entwickelt worden ist. Aber bei Bloch ist die Denkrichtung genau umgekehrt wie bei Freud. Er analysiert im Gegenzug gegen die Freudsche Psychologie des nächtlichen Traums das Phänomen des Tagträumens, der produktiven Phantasie, die das Wirkliche der gegebenen Welt ebenso umbaut, den eigenen Wünschen gemäß erscheinen läßt, wie es im nächtlichen Traum der Fall ist. Dabei werden jedoch im nächtlichen Traum Bewußtseinsinhalte aktiviert, die in den Bereich des Verdrängten, Nicht-Mehr-Bewußten abgesunken waren, während der Tagtraum Vorstellungen, gewünschte Situationen vor das geistige Auge treten läßt, in denen er Erhofftes, das bis dahin in dieser Form noch nicht bewußt gewesen ist, zum Vorschein bringt [19].

Die Entdeckung des Noch-Nicht-Bewußten als einer neuen „Bewußtseinsklasse" halte ich für das Entscheidende in der Blochschen Philosophie der Hoffnung. Sie ermöglicht ihm, das Korrelat dieser Bewußtseinsstruktur, das Noch-Nicht-Gewordene, philosophisch zum Thema zu machen und das Worauf der Hoffnung konkret zu bestimmen. Die konkreten Aussagen über den Gegenstandsbereich des Hoffens, seine bestimmten charakteristischen Strukturen schlagen die Brücke zum Thema Utopie. Sie verbinden die Philosophie der Hoffnung mit der Frage nach der Zukunft überhaupt, die einerseits in der Futurologie, der wissenschaftlichen Vorausberechnung zukünftiger Entwicklungen, andererseits in der Utopie, der vorgestellten, durch die Phansatie beflügelten Ausmalung gewünschter Situationen oder Verhältnisse, zum Ausdruck kommt. Diese Analy-

[18] s. M. Merleau-Ponty: *Phénoménologie de la perception.* Paris 1954. S. 184 Anm. 3.

[19] s. Bloch a.a.O. S. 86-121, zum folgenden S. 129-132.

sen Blochs müssen deshalb an dieser Stelle kurz referiert werden, damit die Philosophie der Hoffnung in den Zusammenhang der Zukunftsbezogenheit des Menschen in seiner vollen Breite einbezogen und von daher ihr Beitrag zum Problem Zukunft und Utopie erfaßt werden kann.

Die bestimmten Hoffnungen, die von der Philosophie der Hoffnung außerhalb von Bloch nur am Rande behandelt wurden, weil sie das Wesen der Hoffnung nicht so deutlich zu erkennen geben wie das reine, von bestimmten Gegenständen unabhängige Hoffendsein, rücken jetzt ins Zentrum der Erfassung des Wesens der Hoffnung. Freilich, auch das Phänomen des Hoffens gegen alle Hoffnung, das Hoffen als eine „Grundhaltung der Seele" ist Bloch nicht unbekannt. Er untersucht dieses Phänomen sehr genau. Die Hoffnung begründet sich nach seinen Ausführungen letztlich im „Kern des Existierens" selbst, im Jetzt des gelebten Lebens, in dem jeder Einzelne seinem Dasein die gewünschte Richtung zu geben sucht. Dieses Jetzt des gelebten Augenblicks, der stets erneuerte Versuch, in der äußeren Welt, im Miteinanderdasein mit den Anderen das eigene Selbst, die eigentliche Intention des individuellen Existierens darzustellen, bleibt dem bewußtmachenden Zugriff entzogen. Aber auch das Jetzt des gelebten Augenblicks, die darin verborgene tiefste Intention des Menschen hat ein bestimmbares gegenständliches Korrelat. Was der Mensch zutiefst will, ist zugleich sein letztes, fernstes Ziel, das zwar nicht als solches, wohl aber als richtunggebender Faktor in den näher gelegenen, greifbaren Zielen konkret erfaßt werden kann. Das gilt nicht nur für die Existenz des Einzelnen, für seine individuelle Selbstverwirklichung, es betrifft immer auch die konkreten Ordnungsformen, in denen dieses Selbst sein Eigenstes zu realisieren hoffen kann [20].

Es ist problematisch, das letzte Ziel der menschlichen Hoffnung überhaupt als Endzustand der geschichtlichen Entwicklung zu antizipieren. Die Auseinandersetzung mit Bloch, die an diesem Punkte einsetzen muß, brauche ich hier nicht im einzelnen zu führen [21]. Was im Jetzt des gelebten Augenblicks entspringt, die „Wunschbilder des erfüllten Augenblicks", das nunc stans der Mystik, die

---

[20] s. *ebenda* S. 334-349.

[21] vgl. H. Kimmerle: *Die Zukunftsbedeutung der Hoffnung.* (Auseinandersetzung mit Ernst Blochs „Prinzip Hoffnung" aus philosophischer und theologischer Sicht.) Bonn 1966, s. bes. S. 108-135.

Ewigkeit der christlichen Jenseitshoffnung, oder wie es in der Tradition auch immer beschrieben worden ist, bildet, philosophisch betrachtet, bloße Grenzbegriffe, die sich im Horizont zeitlich-geschichtlicher Zukunft als solche nicht konkretisieren lassen. Aber es gilt festzuhalten, daß in den bestimmten Hoffnungen, die aus dem Noch-Nicht-Bewußten aufsteigen, auf ein konkretes Noch-Nicht-Gewordenes gerichtet sind, ein Hoffnungspotential steckt, das auf der einen Seite noch tiefer im menschlichen Bewußtsein verborgen ist und auf der anderen Seite noch weiter in den Horizont zukünftiger Möglichkeiten vorgreift, das von daher den bestimmten Hoffnungen ihre Richtung vorgibt, ihnen einen unauflösbaren Rest von Unbestimmtheit, von Offenheit im Blick auf die Zukunft beimischt.

Ich möchte hier nicht auf die gelehrte, stoffreiche, methodisch interessante Inventarisierung von Alltagshoffnungen, illusionistischen und konkreten Utopien, Wunschbildern der letzten Erfüllung und die Wege ihrer möglichen Verwirklichung eingehen, die Bloch im *Prinzip Hoffnung* und in seinen anderen Schriften vorgelegt hat. Sie lassen sich sehr genau bestimmten Zonen im Horizont der Zukunft und den entsprechenden Schichten im menschlichen Bewußtsein zuordnen. Darüber hinaus kann man diese Hoffnungen mithilfe des begrifflichen Instrumentariums, das Bloch entwickelt, in ihrem Möglichkeitssinn erfassen, auf ihren Realitätsgehalt im Bereich des Möglichen hin kritisch untersuchen. So ergibt sich eine Klärung des Gebrauchs der Begriffe, in denen Utopisches als Konkret-Zukünftiges ausgesagt werden kann.

Bloch unterscheidet vier Schichtender Kategorie Möglichkeit. Davon ist die erste, das „formal Mögliche", der coniunctivus irrealis, in unserem Zusammenhang nicht näher von Interesse. Was Bloch als zweite und als dritte Schicht einführt, das „sachlich-objektiv" und das „sachhaft-objektgemäß Mögliche", liegt in Wahrheit auf der gleichen Ebene. Einmal geht es primär um die subjektive Seite, ob ein Mensch, indem er etwas für möglich erklärt, sachlich-objektiv ist, ob er die eigenen Wünsche und Erwartungen in angemessener Weise auf die Gegebenheiten seiner Umwelt bezieht. Dabei ist sowohl an die Welt der Dinge als auch an die Mitwelt gedacht, die nicht vom eigenen Wunschdenken aus überwuchert werden dürfen. Zum andern läßt sich unter methodischen Aspekten die objektive Seite für sich betrachten; man kann am Objekt bestimmte auf die Zukunft vorausweisende Faktoren analysieren, aus denen hervorgeht, ob eine Zielprojektion diesem gemäß ist oder nicht. Dazu gehören soziologische und technische Prognosen, die Vorausschau aufgrund berechenbarer Momente, die in der Gegenwart eine notwendige, aber in ihrer Verabsolutierung äußerst problematische Rolle spielen.

Beide Seiten sind zusammengefaßt, zu einer Einheit gebracht, die allein erst die Grundlage für verantwortliche Entscheidungen im Blick auf die Zukunft darstellt, im „objektiv-real Möglichen". Diese Einheit der überwiegend subjektiven und der überwiegend objektiven Momente des utopischen Denkens ist nicht rein theoretisch konstruierbar. Sie wird angestrebt, wenn die Utopie in den Zusammenhang der Geschichte zurückgenommen wird, in dem das Gewesene möglichst umfassend und möglichst genau erforscht, das Gegenwärtige in seinen Intentionsgehalt ebenso eindringend wie sorgfältig erhoben und von dieser Grundlage aus das Zukünftige als ein Mögliches ins Auge gefaßt wird. Aber auch die Utopie, die in dieser Weise auf „Tendenzwissenschaft" und „Intentionsforschung" aufgebaut ist, bildet nur ein „Versuchsmodell", einen experimentellen Entwurf, der vom Fortgang der Geschichte bestätigt oder nicht bestätigt, in jedem Falle ständig korrigiert, den veränderten Bedingungen angepaßt werden muß [22].

IV.

Es bedarf keiner Frage, daß Bloch durch die Tradition des marxistischen Denkens zu dieser Konkretion des Hoffnungsverständnisses geführt wird. Sein eigenes Frühwerk: *Geist der Utopie,* in dem der Anschluß an den Marxismus bereits vollzogen ist, aber sein Denken insgesamt noch nicht durchdrungen und geprägt hat, setzt einen durchaus abstrakten, allein vom menschlichen Subjekt her konzipierten Begriff der Hoffnung voraus. Der Marxismus bezeichnet lediglich die „Weltwege, vermittelst derer das Inwendige auswendig und das Auswendige wie das Inwendige werden kann" [23].

Blochs Verhältnis zum Marxismus bleibt ein Problem. Ohne an dieser Stelle die Einzelheiten dieses Problems erörtern zu können, möchte ich soviel sagen, daß er die marxistische Natur- und Ge-

[22] vgl. Bloch a.a.O. S. 258-278.
[23] s. E. Bloch: *Geist der Utopie.* Berlin 1923. (2. Aufl.) S. 313.

schichtsdialektik in der von Engels entwickelten Form übernimmt. Diese Fassung des Marxismus hat er durch einen eigenen Rückgang auf Hegel ergänzt und bereichert, ohne jedoch die dogmatischen Strukturen eindeutig aufzuheben. Ergänzung und Bereicherung beziehen sich darauf, daß er den „subjektiven Faktor" in der geschichtlichen Entwicklung betont, daß er der „Tendenzwissenschaft" die „Intentionsforschung" hinzufügt. Die „Tendenzwissenschaft" als solche ist nach seiner Auffassung vom Marxismus in ihren wesentlichen Punkten konsequent und überzeugend entwickelt. Sie soll lediglich, im Sinne des Marxismus selbst, den veränderten Verhältnissen angepaßt, aufgrund der neu entstandenen Bedingungen weiter entwickelt werden [24].

Diese Problematik führe ich im gegenwärtigen Zusammenhang deswegen an, um zu zeigen, daß die Übernahme marxistischer Theoreme nicht von selbst zur Konkretion des Hoffnungsverständnisses führt. Es gibt andere Theoretiker, die den Marxismus in dieser oder einer ähnlichen Form rezipieren, ohne den entscheidenden Fortschritt in der Philosophie der Hoffnung zu erzielen, der bei Bloch erreicht wird. Dies läßt sich an Martin Buber und auf andere, in den letzten Jahren aktuell gewordene Weise an Herbert Marcuse zeigen. Vor allem für den ersteren gilt, daß er, ähnlich wie Bloch, jüdische Überlieferung in die Philosophie der Hoffnung einbringt, die letztlich bis zu den alttestamentarischen Propheten zurückreicht. Gewiß hat der Marxismus als solcher von Anfang an apokryphe jüdische Elemente in sich aufgenommen. Martin Buber sucht dies geltend zu machen, indem er im Rahmen der marxistischen Tradition die Utopisten rehabilitiert, die von Marx und Engels im Kommunistischen Manifest eindeutig kritisch behandelt worden sind [25]. Bei Marx und Lenin arbeitet er den utopischer Gehalt ihrer Theorien heraus. Aber es sind schließlich doch sehr allgemeine Prinzipien, die aus dieser Tradition gewonnen werden. Es geht um das rechte Verständnis von „Kollektivität", ohne daß bestimmte Formen eines Kollektivs der Zukunft sichtbar werden. Die Staatsmacht soll vermindert, aber niemals völlig aufgehoben, die Autonomie des Einzelnen nach Möglichkeit gesteigert, aber bestimmte feste Grenzen dabei niemals über-

---

[24] s. Kimmerle a.a.O. S. 96-107.

[25] s. K. Marx / F. Engels: *Ausgewählte Schriften*. 2 Bde. Berlin 1961. Bd 1. S. 50-52; vgl. die Schrift von Engels „Die Entwicklung des Sozialismus von der Utopie zur Wissenschaft". Bd 2. S. 83-144.

schritten werden. Die *Pfade in Utopia* enden, wie es scheint, im Niemandsland der Abstraktion. Die Hoffnung richtet sich nicht auf konkrete Aufgaben der Weltbewältigung in der eigenen Gegenwart und der darin sichtbar werdenden bestimmten Zukunft, sondern vielmehr auf ein unbestimmtes Morgen oder Übermorgen, das der Konkretion der gefundenen Prinzipien günstiger sein mag [26].

Demgegenüber gelangt Herbert Marcuse aufgrund seines Versuchs, die marxistische Theorie zu aktualisieren, gerade nicht zu einer neuen Begründung der Hoffnung, sondern zur „großen Weigerung", zur Resignation, innerhalb des bestehenden Systems überhaupt etwas zu verändern. Die Aussichtslosigkeit einer konkretern Verwirklichung des Erhofften führt ihn unter den Bedingungen der fortgeschrittenen Industriegesellschaft zum Verzicht auf die Hoffnung als solche. Dies ist kein heroischer Verzicht im Sinne von Camus, aber doch ein Verzicht mit der Gebärde des Trotzes. Die Rationalität der gesellschaftlich-politischen Verhältnisse verflacht nach der Darstellung Marcuses zu der „technologischen Rationalität" einer universalen äußeren Machbarkeit, die in der Hand der Herrschenden zum Instrument einer Stabilisierung des bestehenden Systems mißbraucht wird, die gegenwärtig von keiner oppositionellen Theorie und Praxis unterlaufen werden kann. Die „eindimensionale Gesellschaft" bedingt ein „eindimensionales Denken". Die „kritische Theorie" im Sinne des Marxismus findet keinen Ansatzpunkt, keine realen „geschichtlichen Kräfte", auf die sie bauen könnte, die eine Veränderung in den Horizont konkreter Möglichkeit rücken würden. Deshalb muß sie diese Erfolglosigkeit eingestehen, zugleich aber jede Kollaboration zu vermeiden suchen.

Da innerhalb des bestehenden Systems die Hoffnungslosigkeit unausweichlich ist, wenn man es wirklich durchschaut, entsteht eine Solidarität mit denen, die von dieser Hoffnungslosigkeit am härtesten betroffen sind, mit den „unterdrückten und überwältigten Minderheiten", die keine reale Aussicht auf Befreiung aus diesem Zustand haben. Um dieser Hoffnungslosen willen hält Marcuse an der Hoffnung fest [27].

Es ist eine quasitheologische Denkstruktur, die in diesem Hoff-

---

[26] s. M. Buber: *Pfade in Utopia*. Heidelberg 1951, bes. S. 240 ff., vgl. S. 176.

[27] s. H. Marcuse: *Der eindimensionale Mensch*. Neuwied-Berlin 1967, bes. S. 266-268; vgl. ders.: *Repressive Toleranz*. In: Kritik der reinen Toleranz. (edition suhrkamp 181.) Frankfurt/M. 1968. S. 127 f.

nungsverständnis zum Ausdruck kommt. Sie ist gewiß nicht ohne die Herkunft Marcuses aus der Schule Heideggers zu erklären, über die er mit der Tradition des Voluntarismus verbunden ist, für die sich die Hoffnung, die sich in der Welt an nichts mehr halten kann, als reine Hoffnung neu begründet, deren Korrelat die Transzendenz als solche ist.

V.

Weder bei Buber noch bei Marcuse bedingt die Übernahme marxistischer Theoreme ein konkretes Verständnis der Hoffnung [28]. Es bleibt die eigene Leistung von Ernst Bloch, die Zukunftsbezogenheit des Menschen als ein Verhalten erfaßt zu haben, in dem die subjektive und die objektive Seite so zusammenspielen, daß darin auf die Einheit beider gezielt wird. Wenn man auf diese Weise die Zukunftsbezogenheit als Modus des menschlichen Verhaltens erkennt, gilt es, ihren Zusammenhang mit dem Weltverhalten überhaupt zu untersuchen. Aus philosophischer Sicht erscheint es als das entscheidende Merkmal des Menschen der Zukunft, daß er in stärkerem Maß als bisher ein Mensch der Zukunft ist, daß die konkrete Zukunftsbezogenheit in seinem Weltverhalten eine größere Rolle spielt, als dies in Vergangenheit und Gegenwart der Fall gewesen ist. Die Klärung der konkreten Zukunftsbezogenheit im Zusammenhang des Weltverhaltens überhaupt, durch die eine höhere Form der Bewußtheit des geschichtlichen Lebens erschlossen wird, bildet deshalb einen wichtigen Beitrag zur Lösung der „großen Zukunftsaufgaben", vor denen die Menschheit heute steht.

Durch eine konkrete Interpretation der Analyse der Geschichtlichkeit der menschlichen Daseins, die Heidegger gegeben hat, kann man die Zukunftsbezogenheit als Modus des Verhaltens überhaupt beschreiben. Bestimmte geschichtliche Erfahrungen, die nicht mehr unmittelbar bewußt sind, können durch wissenschaftliche Bewußtmachung aktualisiert, und unter dem Einfluß von Intentionen und Impulsen der jeweiligen Gegenwart, die ebenfalls von bestimmten Wissenschaften weitgehend zu erheben sind, in einen Zukunftsentwurf umgesetzt werden. Die Zukunftswissenschaft kann deshalb

---

[28] Ähnliches ließe sich für Karl Mannheim zeigen, nach dessen Auffassung die utopische Potenz des Denkens in der Gegenwart versiegt, weil ihr die gesellschaftlichen Voraussetzungen fehlen (s. K. Mannheim: *Ideologie und Utopie*. Frankfurt/M. 1952. (3. Aufl.), bes. S. 220 f.

konkrete Pläne nur entwickeln, wenn sie mit den Geschichtswissenschaften und sowohl mit der soziologischen und politologischen als auch mit der psychologischen und anthropologischen Erhellung der Gegenwart kooperiert.

Die berechenbaren, rein technischen Momente der Vorausschau auf die Zukunft dürfen nicht für sich stehen bleiben, ohne auf die gesellschaftlich-politische Entwicklung und die subjektive Hoffnungspotentialität bezogen zu werden. Es ist kein Nachteil, wenn die Utopien in technischer oder in anderer Hinsicht zur „Exzentrizität" neigen, weil sie die Menschen dadurch auf „alles Mögliche" gefaßt machen [29]. Aber die Exzentrizität darf nicht zur Einseitigkeit, zum Verlust der Einheit des menschlichen Verhaltens führen, das sich in konkreten Situationen zu bewähren hat. In diesen Situationen findet stets eine Auseinandersetzung mit der gegenwärtigen Umwelt, ihren Intentionen und Tendenzen statt, die von bestimmten geschichtlichen Voraussetzungen geprägt worden sind. Im Ergebnis dieser Auseinandersetzung, dem „objektiv Möglichen" einer Situation, bleibt das Moment des Unbestimmten, das sich durch die Unverfügbarkeit des menschlichen Verhaltens, d.h. letztlich seine Freiheit, konstituiert [30].

Ich möchte zwei Beispiele konkreter Zukunftsbezogenheit anführen, deren Interpretation exemplarisch zeigen kann, was gemeint ist, während die bisherige Untersuchung, zunächst einmal die Bedingungen aufweisen sollte, unter denen dieser Modus des Verhaltens überhaupt möglich ist. Das erste Beispiel liegt auf dem Gebiet der Zukunft der Wissenschaft, das zweite betrifft die allgemeine gesellschaftlich-politische Entwicklung.

Die Zukunft der Wissenschaft entzieht sich in besonderem Maß einer einseitigen futurologischen Prognose. Das meint Hermann Lübbe mit seiner These: „Was immer wir futurologisch über die Zukunft wissen mögen — eines gerade können wir mit Sicherheit nicht wissen, was wir nämlich künftig wissenschaftlich wissen werden." [31] Aber es gilt auch hier: man kann Tendenzen und Intentionen erfor-

---

[29] vgl. M. Schwonke: *Vom Staatsroman zur Science Fiction.* (Eine Untersuchung über Geschichte und Funktion der naturwissenschaftlich-technischen Utopie.) Stuttgart 1957. S. 143-146.

[30] vgl. zu „historischen Prognosen" R. Wittram: *Die Zukunft in den Fragestellungen der Gegenwart.* In: Geschichte - Element der Zukunft. Tübingen 1965. S. 13-20.

[31] s. Lübbe a.a.O. (Anm. 1) S. 130.

schen. Die Ausrichtung der wissenschaftlichen Arbeit in den verschiedenen Disziplinen ist nicht ein blindes Spiel des Zufalls. Wie die anderen Bereiche des gesellschaftlichen Lebens so hat die wissenschaftliche Arbeit ihre besondere Geschichte, die für jedes einzelne Fach wie für die Entwicklung der Wissenschaft im ganzen betrachtet werden kann. Demgemäß ist zu erwarten, daß ihr auch bestimmte zukünftige Möglichkeiten offenstehen, andere aber als nicht wahrscheinlich gelten müssen.

Wenn man in diesem Sinne von den Tendenzen in der Arbeit einer bestimmten Wissenschaft oder mehrerer wissenschaftlicher Gebiete aus ihre Zukunftsperspektiven aufzuweisen sucht, wird man bemerken, daß die großen Linien der Forschung nicht an die bloße innerwissenschaftliche Diskussion gebunden sind. Sie bewirken durch den Fortschritt in der Wissenschaft zugleich Veränderungen des Denkens, die im allgemeinen geschichtlichen Bewußtsein ihren Niederschlag finden, die auf diese Weise für das Handeln neue Voraussetzungen schaffen. Umgekehrt sind die Bedürfnisse einer Zeit, die in ihr gestellten zentralen Aufgaben nicht ohne Einfluß auf den Fortgang der wissenschaftlichen Arbeit. Dieses Wechselverhältnis mag im einzelnen wenig zu durchschauen, durch unterschiedliche Konstellationen in der Aufgabenstellung der Wissenschaft und der übrigen Bereiche der Gesellschaft überdeckt sein, im Blick auf grössere geschichtliche Entwicklungszusammenhänge wird man es in verschiedener Weise durchaus bestätigt finden. So haben zuletzt die Entdeckungen auf dem Gebiet der Atomphysik nicht nur ein neues Weltbild begründet, sondern in eins damit an der Heraufführung eines neuen Zeitalters in der Geschichte der Menschheit mitgewirkt.

Nun scheint sich heute in der wissenschaftlichen Arbeit eine Denkrichtung anzukündigen, die erneut tiefgreifende Veränderungen für das allgemeine geschichtliche Bewußtsein wie auch für das faktische gesellschaftliche Dasein nach sich ziehen wird. Diese Denkrichtung ist eindrucksvoll dokumentiert in dem Sammelband, den Ernst Benz unter dem Titel *Der Übermensch* herausgegeben hat. [32] Die konkrete zukunftsbezogene Aussage dieses Buches ist darin zu erblicken, daß hier Wissenschaftler der verschiedensten Fachrichtungen im Zusammenhang ihrer jeweiligen Disziplin zu der Erkenntnis gelangen, daß

[32] s. E. Benz (Hrsg.): *Der Übermensch.* (Eine Diskussion.) Zürich-Stuttgart 1961 (mit Originalbeiträgen von E. Benz, H. Mislin, L. Müller, A. Portmann, J. B. Rhine, E. Sänger, P. Scheibert, H. Spatz, O. Wolff).

für die Menschengattung als solche eine neue Epoche beginnt, eine Epoche, die über den bisherigen Entwicklungsstand des Menschenwesens hinausführt. Die wissenschaftlichen Beiträge diese Bandes treffen in der Aussage zusammen, daß die Frage nach der Zukunft, die sich heute allenthalben stellt, in ihrem Kern als die Frage nach der Zukunft des Menschen zu begreifen ist. Die Voraussetzungen dafür sind sichtbar, daß sich die Menschengattung, die biologische, anthropologische, psychologische und intellektuelle Konstitution des Menschen zu einer neuen höheren Gestalt entwickelt. [33]

Das Hervortreten dieser Gestalt wird indessen nur ermöglicht durch die bewußte Kooperation der betroffenen Wissenschaften, die das gemeinsame Ziel erkennen, ihre jeweilige Arbeit auf die Erreichung dieses Ziels ausrichten. Die konkrete Zukunftsbezogenheit, die den Menschen der Zukunft kennzeichnet, wird wie eine Reihe anderer Verhaltensformen davon abhängig sein, daß sich der Mensch, der sie zu realisieren sucht, an den Ergebnissen dieser Wissenschaften orientiert, die in einem neuen, die leibliche Konstitution wesentlich mit umfassenden Sinn als Wissenschaften vom Menschen anzusprechen sind.

Das zweite Beispiel konkreter zukunftsbezogener Aussagen, das die allgemeine gesellschaftlich-politische Entwicklung betrifft, klingt nicht so optimistisch wie das soeben angeführte. Wenn Utopie bedeutet: Vorwegnahme einer besseren Welt im Sinne einer problemlosen ungefährdeten Zukunft, dann gehört dieses Beispiel eher in der Bereich der Anti-Utopie. Paul Tillich schrieb im Jahre 1932 ein Buch, das damals unmittelbar nach seinem Erscheinen wieder eingestampft werden mußte. Nach dem Zusammenbruch von 1945 wurde es neu gedruckt und herausgebracht. Aber es blieb auch dann weitgehend unbeachtet. Die Entwicklung ging an diesem Buch vorbei. Es erwies sich, daß die politische und geistige Situation im Nachkriegsdeutschland kein hinreichendes Maß an Bewußtheit in sich hervorbrachte, um den konkreten zukunftsbezogenen Sinn, der darin steckt, zu erfassen. Ich meine das Buch *Die sozialistische Entscheidung* [34]. In seinen unmittelbaren Bezügen gehört es ganz in

[33] vgl. hierzu das neue Buch von K. Lorenz: *Die Rückseite des Spiegels.* (Versuch einer Naturgeschichte menschlichen Erkennens.) München 1973, in dem trotz aller Gefahren die Möglichkeit zu einer ungeahnten Höherentwicklung in der Menschheit bestätigt wird.

[34] B. Tillich: *Die sozialistische Entscheidung.* Offenbach/M. 1948; vgl. auch die spätere Arbeit von dems.: *Politische Bedeutung der Utopie im Leben der*

den Zusammenhang der Situation der untergehenden Weimarer Republik. Aber die Kategorien, von denen aus diese Situation analysiert wird, haben auch heute noch konkrete Bedeutung. Zur inhaltlichen Füllung der noch immer bestehenden Zukunftsbezogenheit dieser Kategorien ziehe ich einige Studien desselben Verfassers mit heran, die er bereits weitere zehn Jahre früher, also 1922, zuerst veröffentlicht hat [35].

Drei Dinge erscheinen mir über ihre unmittelbare situationsbezogene Aussage hinaus in den Analysen Tillichs für die gesellschaftlich-politische Entwicklung bedeutsam. Erstens, die Masse ist der eigentliche Träger der Geschichte, und zwar im aktiven wie im passiven Sinn. (Auf der einen Seite handelt die Masse selbst, indem sie spontan ihren Willen bekundet. Andererseits bringt sie aus ihrer Mitte einzelne hervor, die für sie handeln, indem sich ihr Handeln zugleich auf sie zurückrichtet.) Es kommt darauf an, daß die Masse dies begreift und sich den Forderungen dieser Tatsache gemäß verhält. In ihr kommt eine vom bürgerlichen Denken verdeckte und vergessene mittlere Schicht des menschlichen Verhaltens zwischen den Extremen der reinen Vernunft und des Triebmechanismus zur Wirksamkeit. Zweitens, diese Mitte läßt sich bestimmen als die Einheit von ursprungsmythischen Mächten und rational ausgerichtetem Verhalten des autonomen Menschen, genauer gesagt, als die Brechung der Bindung an den Ursprungsmythos durch rationale Kräfte, ohne daß die ursprungsmythischen Mächte zum Triebmechanismus depotenziert, die autonome Vernunft zur blutleeren Abstraktion hinaufstilisiert werden. Die Einheit von beidem verwirklicht sich in Symbolen. Das entscheidende Symbol, das dem Handeln der Masse im aktiven wie im passiven Sinn zu einem angemessenen Selbstverständnis verhilft, ist das Symbol der Erwartung, in dem die Kräfte der Prophetie auf dem Boden einer auf sich gestellten autonomen Welt wirksam werden. Drittens, wenn auf diesem Weg die angemessenen Formen des Handelns der Masse und des Umgangs mit ihr nicht entwickelt werden, kommt eine „konservative Revolution",

---

Völker. Berlin 1951, in der an die Stelle der konkreten, situationsbezogenen Analyse allgemeine Prinzipien, gesetzt werden. S. 65: „Wichtig sind die Prinzipien, die aus dieser oder jener Situation folgen, wie immer wir die Situation beschreiben, ist die Idee, die die Utopie in ihrer Unwahrheit überwindet und ihrer Wahrheit behält".

[35] vgl. P. Tillich: *Masse und Geist. Studien zur Philosophie der Masse.* Berlin-Frankfurt/M. 1922.

in der die Regungen der Masse bewußt oder unbewußt mißbraucht, unter dem Deckmantel des Bemühens um geordnete Verhältnisse äußerlich-technisch manipuliert werden. Diese Entwicklung ist im Nationalsozialismus buchstäblich so eingetreten.

In der Geschichte nach 1945 ergibt sich eine andere Alternative, die moralisch auf einer anderen Stufe steht, in der Sache aber keine wesentliche Änderung bedeutet. Es ist heute eher so, daß die Regungen der Masse als oberflächlich verkannt, durch Befriedigung der Konsumbedürfnisse vorübergehend paralysiert und durch flache ideologische Programme überdeckt werden. Unter verschiedenen Vorzeichen ist, wie es scheint, in Ost und West das „bürgerliche Prinzip" aufs Neue zur Herrschaft gelangt. Die Dynamik der Masse als Subjekt-Objekt der Geschichte wird aber in der Zukunft wieder durchbrechen. Was mit ihr und was durch sie geschieht, wird nicht primär die Frage der Entscheidung für dieses oder jenes Prinzip sein, sondern vielmehr das Problem der Gestaltung des gesellschaftlichen Prozesses nach der wissenschaftlichen Erforschung des Wesens und der Funktionen der Masse in ihren jeweiligen Erscheinungsformen.

Es ist zuerst von Marx gezeigt worden, daß die Masse zu Unrecht als das bloß „passive, geistlose, geschichtslose, materielle Element der Geschichte" betrachtet worden ist. In Wahrheit lassen sich die „Ideen und Aktionen" der Geschichte letzten Endes als „Ideen und Aktionen von ‚Massen' " darstellen und begreifen [36]. Der bewußte Vollzug der gesellschaftlich-geschichtlichen Entwicklung, der dieser Erkenntnis Rechnung trägt, bewirkt eine revolutionäre Umwälzung der bestehenden gesellschaftlich-politischen Theorie-Praxis. Einerseits wird dieser Vollzug nur möglich, wenn die wissenschaftliche Erfassung des Wesens und der Funktionen der Masse in praktischer Absicht geschieht, als wissenschaftliche Theorie ihren gezielten Bezug auf die gesellschaftlich-politische Praxis reflektiert. Auf der anderen Seite müssen an ihm relevante geschichtliche Kräfte beteiligt sein, Gruppen oder Parteien, die sich, indem sie diese Theorie in die gesellschaftlich-politische Wirklichkeit umsetzen, als wahrhafte „Avantgarde der Masse" erweisen, weil sie nichts anderes wollen, als diese in die Wahrheit ihres Wesens einzusetzen. Die Gefahr ist

---

[36] s. K. Marx: *Die Heilige Familie.* In: Die Frühschriften. Hrsg. von S. Landshut, Stuttgart 1953, S. 319 und 323.

dadurch nicht gebannt und muß noch einmal ausdrücklich genannt werden, daß diese Gruppen oder Parteien das Versprechen, Ordnung und Sicherheit wieder herzustellen, zum Vorwand machen, die erweiterten Kenntnisse der Funktionszusammenhänge der Massenbewegungen zynisch zu mißbrauchen.

HANS-JOACHIM KLIMKEIT

DAS PHÄNOMEN DER GRENZE IM MYTHISCHEN DENKEN

Die mythische Bedeutung des Weltmittelpunktes, der als *axis mundi* oder *omphalos tēs gēs* im Lebensraum eines Volkes oder Staates liegt und hier entweder mit einem Kultzentrum oder mit der Residenz eines sakralen Herrschers identifiziert wird, ist schon mehrfach thematisiert worden[1]. Weniger Aufmerksamkeit hat man der Vorstellung von der Grenze im mythischen Denken gewidmet. Und doch vermag gerade das Faktum des Grenzbewußtseins in seiner räumlichen Ausprägung — auf die wir uns hier alleine beschränken — nicht unwichtige Einsichten zu liefern im Hinblick auf das Bewußtsein von den Grenzsphären menschlicher Existenz überhaupt.

Hier bieten nun Überlegungen Ernst Cassirers eine entscheidende Hilfestellung. In seiner „Philosophie der symbolischen Formen" [2] hat Cassirer eine Analyse mythischen Denkens vorgelegt, der auch noch in der modernen Mythendeutung besondere Bedeutung zuzuschreiben ist. Zweifellos ist manches in dieser Analyse primär bestimmt von den Verhältnissen der römischen Religionsgeschichte, an denen sich Cassirer vornehmlich orientierte, auch wenn er anderes Material heranzog. Dennoch können seine Einsichten zumindest „kontrastdiagnostisch" zur Aufdeckung entsprechender Gegebenheiten in anderen Kulturen beitragen.

In seinen Ausführungen zum Raumproblem unterscheidet Cassirer den *mythischen Raum* vom *Wahrnehmungsraum* einerseits und vom *geometrischen* oder *mathematischen* Raum andererseits. Der *mathematische* Raum, so führt er aus, stellt eine gedankliche Konstruktion dar und ist durch die Merkmale der Stetigkeit, der durchgängigen Gleichförmigkeit und der Unendlichkeit bestimmt. Hier ist kein Punkt vor dem anderen ausgezeichnet, keine Linie relevan-

---

[1] Vgl. die neuere Zusammenfassung der Lit. bei: J. Z. Smith, The Wobbling Pivot, in: Journal of Religion, Vol. 52, Nr. 2 (Apr. 1972), 134-149.

[2] E. Cassirer, Philosophie der symbolischen Formen, Bd. II. Wir zitieren hier nach der Ausgabe der Wissenschaftlichen Buchgesellschaft, Darmstadt 1958. Es kommt für uns vor allem Bd. II, Kap 2 in Frage.

ter als die andere. Es bedarf „einer Aufhebung dessen, was in der sinnlichen Anschauung unmittelbar gegeben erscheint", um zu diesem reinen, mathematischen Gedankenraum zu gelangen. (II,104).

Damit steht dieser theoretisch konstruierte Raum aber dem *sinnlichen Wahrnehmungsraum* konträr gegenüber. Dieser kennt endliche Grenzen, herausragende Punkte, verschiedenartige Linien, Flächen und Gebilde, die sich voneinander abheben. Der durch die sinnliche Wahrnehmung erfaßte Raum ist also gerade nicht stetig, homogen und unendlich, sondern inhaltgefüllt und begrenzt.

Der *mythische Raum* nimmt nach Cassirer eine Mittelstellung zwischen beiden skizzierten Raumtypen ein, wobei er aber als „konkretes Bewußtseinsgebilde" dem Wahrnehmungsraum verwandter ist als dem mathematischen. Mit dem durch die Sinne erfaßten Raum teilt er das Charakteristikum, daß jede Stelle mit einem bestimmten Inhalt belegt ist, der sich nicht als eigenes Bedeutungsmoment von der Stelle, an der er erscheint, abstrahieren läßt. „Die Scheidung von ‚Stelle' und ‚Inhalt', die der Konstruktion des ‚reinen' Raumes der Geometrie zugrunde liegt, ist hier noch nicht vollzogen und nicht vollziehbar". Jeder Punkt und jede Richtung im Raum sind hier aber nicht nur inhaltlich gefüllt, sondern darüber hinaus auch mit einem je eigenen wertmäßigen Akzent versehen, mit einer eigenen gefühlsmäßigen „Tönung". Diese besondere Bewertung von Stelle bzw. Richtung und dazugehörigem Inhalt macht das Spezifische des mythischen Raumes aus. Mit jedem Ort und jeder Richtung sind „gewissermaßen spezifische mythische Gefühlswerte verknüpft". (106). Damit beruhen Differenzierungen im mythischen Raum auf Differenzierungen, „die sich in eben diesem Gefühlsgrund vollziehen" (119). „Die Orte und Richtungen im Raume treten auseinander, weil und insofern mit ihnen ein verschiedener Bedeutungsakzent sich verknüpft, weil und sofern sie mythisch in verschiedenem Sinne gewertet werden" (119).

Worauf beruht nun diese je unterschiedliche Bewertung, durch die *Differenzierungen* vorgenommen und damit *Grenzen* gesetzt werden? Cassirer antwortet, in dieser Wertung vollziehe sich „ein spontaner Akt des mythisch-religiösen Bewußtseins" (119). Es sind also bewußtseinsmäßige, geistige und gefühlsmäßige Unterscheidungen und Abgrenzungen, die das mythische Bewußtsein in räumliche Gliederungen transponiert. „Die Grenzen, die das mythische Bewustsein setzt und durch die sich ihm die Welt geistig und räumlich gliedert, beruhen . . . darauf, daß der Mensch in seiner unmittelbaren Stellung zur Wirklichkeit, als Wollender und Handelnder, sich begrenzt,— daß er dieser Wirklichkeit gegenüber für sich bestimmte Schranken aufrichtet, an die sein Gefühl und sein Wille sich bindet" (106). Dabei sind aber die Scheidungen und Trennungen, die hier vollzogen werden, unmittelbarer, unreflektierter Art, „schon im primären Sinneseindruck vollzogen . . . , ohne daß es hierzu einer besonderen geistigen Arbeit bedürfe" (117). Deshalb stehen im mytischen Denken räumliche und geistige Unterschiede und Differenzierungen in ständiger Vermittlung, „es findet eine fortwährende Übersetzung, eine Übertragung wahrgenommener und gefühlter Qualitäten in räumliche Bilder und Anschauungen" statt (107).

Hierbei dient der mythische Raum — und damit ist er dem mathematischen analog — als ein Bezugssystem, auf das die verschiedensten Gegebenheiten der unräumlichen, gefühlsmäßigen und geistigen Welt räumlich abgebildet werden. Es werden die diversesten Vorstellungen und Qualitäten, die als zusammengehörig empfunden werden, zueinander in Beziehung gesetzt, wenn sie in räumliche Bilder und Anschauungen zusammengefaßt erscheinen. Ein Beispiel dafür sind die durch verschiedene Bezüge bewerteten Himmelsrichtungen. Wenn z.B. dem Norden ein Gott, ein Stern, eine Farbe, ein Körperteil, ein Tier, ja selbst ein psychischer Affekt zugeschrieben wird, so sind hier Gegebenheiten derselben qualitativen Tönung oder Werthaftigkeit korreliert. Es hebt sich durch die Korrelation „ihre gegenseitige absolute Fremdheit auf: die örtliche ‚Vermittlung' führt zu einer geistigen Vermittlung", die zutiefst begründet ist in der ursprünglichen Identität des Wesens der Dinge (109). Und wie Korrelationen Zusammengehörigkeit im Wesensmäßigen verraten, so spiegeln Gliederungen und Grenzziehungen im mythischen Raum entsprechend qualitative Differenzierungen.

Aus dem „Zusammenschluß aller Differenzierungen in einem großen Ganzen" ergibt sich der mythische Grundplan der Welt (109). Er zeigt eine Struktur, die immer wieder — im Großen wie im Kleinen, im Makrokosmos wie im Mikrokosmos — stets in seiner Ganzheit neu abgebildet erscheint. Sie läßt sich nicht teilen, wohl aber immer weider in verschiedene Bereiche der eigenen Lebenswelt projizieren. So reflektiert sich das Fernste jenes Grundplanes der Welt im Naheliegensten, z.B. im Kosmos des Lebensraumes, des Tempels oder gar des eigenen Körpers. „Das Fernste rückt mit dem Nächsten zusammen, sofern es sich in ihm irgendwie ‚abbilden' läßt" (114).

Es ist nun eine Grundthese Cassirers, daß sich der Aufbau des Kosmos im mythischen Bewußtsein, ob latent oder in klarer gedanklicher Bestimmung, nach polaren Motiven gestaltet, die ihren Urgrund im Gegensatz von Licht und Finsternis haben und ihre Akzente durch das Gegensatzpaar heilig/profan erhalten. „Und eben dieser Unterschied ist es denn auch, an den sich alle Sonderungen der einzelnen Raumgebiete und mit ihr jegliche Art der Gliederung im Ganzen des mythischen Raumes anknüpft. Der charakteristische mythische Akzent des „Heiligen" und „Unheiligen" verteilt sich auf die einzelnen Richtungen und Gegenden in verschiedener Weise und verleiht damit jeder von ihnen selbst eine bestimmte mythisch-religiöse Prägung" (121).

Ihre klassische Ausprägung erhält diese polare Aufteilung in einen heiligen und einen profanen Bereich für Cassirer im Begriff und im Gegenstand des römischen *Templum,* der sich als gesonderter Bezirk darstellt, herausgelöst und unterschieden von dem ihn umgebenden Bereich des weltlichen, profanen Seins.

Dieses System der religiös bestimmten, räumlichen Abgrenzung, die einer grundlegenden geistigen Differenzierung entspricht, hat — wie Cassirer darlegt — die kultur- und geistesgeschichtliche Entwicklung des Abendlandes zutiefst geprägt. Im Anschluß an Nissen [3] weist er darauf hin, daß auf der Grundlage dieser fundamentalen raummythischen Unterscheidung ein Koordinatenschema entsteht, welches das Denken und die Begriffsbildung in einem zunehmend differenzierten Maße bestimmt und sich in den verschiedensten Lebensbereichen auswirkt. Es spiegelt sich nicht nur konkret in de Architektur des römischen Hauses, (wo z.B. der Überschreitung der Schwelle besondere Bedeutung zukommt), oder in der Anlage der italischen Stadt, oder der Gliederung des römischen Lagers, sondern auch in den rechtlichen und sozialen, politischen und wissenschaftlichen Unterscheidungen, die das Denken vornimmt. Überall wird der Grundakt der „Limitation" im Anschluß an die sakrale Raumtrennung bestimmend. Die genaue mathematische Bestimmung von Größen setzt — bereits bei den Griechen — den Gedanken der exakten räumlichen Begrenzung voraus. Die Ausbildung des rechtlichem

[3] Nissen, Das Templum. Antiquarische Untersuchungen, Berlin 1869. Ders., Orientation, Studien zur Geschichte der Religion, 1. Heft, Berlin 1906.

Begriffs des Eigentums und seiner Unantastbarkeit, und die weiterführende Scheidung zwischen öffentlichem und privatem Besitz beruhen auf dem Akt der Grenzziehung. „Denn nur das Land, das von festen Grenzen, von unverrückbaren mathematischen Linien eingeschlossen, das limitiert und assigniert ist, gilt als Privatbesitz. Wie zuvor der Gott, so eignet sich jetzt der Staat, die Gemeinde, der Einzelne, kraft der Vermittlung der Idee des „Templum", einen bestimmten Raum zu und macht sich in ihm heimisch" (124).

Auch in christliches Denken, meint Cassirer, sei die raummythisch begründete Idee der Limitation eingedrungen. Sie spiegele sich nicht etwa nur in äußeren Eigentümlichkeiten der Kirchenarchitektur, sondern ebenso in der bewußten glaubensmäßigen Abgrenzung von anderen, als nicht normativ empfundenen Glaubensäußerungen. Man mag sich fragen, ob nicht die Exklusivität der prophetischen Tradition, wie sie sich von Israel herleitet, übersehen wird, wenn die eindeutige Fassung des christlichen Glaubensbekenntnisses als Erbe römischen Demarkationsdenkens hingestellt wird, aber es kommt uns zunächst nur darauf an, die Implikationen sichbar zu machen, die Cassirer mit der fundamentalen Trennung von heilig und profan verbindet.

Es ist also Cassirers Grundthese, daß die religiös-mythische Bedeutung der Limitation — getragen von der Grundidee der Scheidung von heilig und profan — sich in geistigen Differenzierungen erweise und spiegele, wie auch umgekehrt geistige und gefühlsmäßige Differenzierungen in äußeren Abgrenzungen nach Art der genannten Trennung zum Ausdruck kommen. „Wo immer das mythische Denken und das mythisch-religiöse Gefühl einem Inhalt einen besonderen Wertakzent verleiht, wo immer es ihn gegen andere auszeichnet und ihm eine eigentümliche Bedeutung beilegt, da pflegt sich ihm diese qualitative Auszeichnung im Bilde der räumlichen *Sonderung* darzustellen" (128). Alle Lebensverhältnisse, die aus dem Alltäglichen und Gewöhnlichen durch ihre je eigene mythische Bedeutsamkeit herausgehoben sind, bilden einen besonderen Daseinsbereich, „einen eigenen Ring des Daseins, ein umhegtes und umfriedetes Seinsgebiet, das sich durch feste Schranken von seiner Umgebung abscheidet, und das in dieser Abscheidung erst zu einer eigenen, individuell-religiösen Gestaltung gelangt" (128). Der Eintritt und der Austritt aus diesem besonderen Bereich wird durch sakrale Vorschriften geregelt. Eine bedeutsame Form solchen Überganges ist der Eintritt in ein neues Lebensstadium. Dieser wird durch Übergangsriten bewerkstelligt und kenntlich gemacht, und solche *rites de passage* reichen von der Geburtszeremonie bis zum Todesritual.

Gerade diese Übergänge von einem mythisch-religiösen Bezirk in einen anderen zeigen nach Cassirers Ansicht, wie eng hier Äußerliches und Innerliches miteinander verbunden und aufeinander bezogen sind. „Selbst dort, wo die Betrachtung sich ganz im Kreise des ‚Äußeren' zu bewegen scheint, ist daher in ihr immer noch der Pulsschlag eines inneren Lebens fühlbar" (128). Daran wird deutlich, „wie jeder neue Markstein, den das mythische Denken und das mythisch-religiöse Gefühl im Raume setzt, zugleich zu einem Markstein der gesamten geistigen und sittlichen Kultur wird" (125).

Wenn wir nach dieser kurzen Skizzierung der Cassirer'schen Interpretation des raummythischen Denkens zu einer kritischen Würdigung seiner Position fortschreiten, so ist zunächst festzustellen, daß Cassirer in seinem Neo-Kantischen Ansatz ganz der Tradition des deutschen Idealismus verpflichtet bleibt; dieser räumt dem Bewußtsein, dem Geist, dem inneren Gehalt, absolute Priorität vor allen konkreten, empirisch faßbaren Gegebenheiten ein. Daß es der Geist sei, der sich den Körper schafft, ja mehr noch die Welt als „konkretes Bewußtseinsgebilde" vor sich aufbaut, daß es „der gesamte innere Glaubensgehalt" ist, der sich „gleichsam nach außen wendet und sich in elementaren und räumlichen Grundverhältnissen objektiviert" (126), das ist bereits die selbstverständliche Voraussetzung des „idealistischen" Ansatzes. Hiernach ist das Grundprinzip eines Lebensganzen, einer Kultur oder Religion, erkannt, sobald die *geistigen* Voraussetzungen durchblickt sind, die intellektuellen und gefühlsmäßigen Grundlinien aufgewiesen werden, von denen her sich alles ordnet. Das Prinzip, das das Ganze prägt, und damit in allen seinen Bestimmungen wirksam wird, wird stets als bewußtseinsmäßiges gefaßt. Hinter dieser Vorrangigkeit des Geistigen steht ein Menschenbild, das den Geist einer fensterlosen Monade gleicht, die die Welt nach universellen eigengesetzlichen Prinzipien vor und für sich aufbaut. Der Mensch schafft sich, entwirft das Weltganze in einem mythisch-religiösen Bewußtseinsraum.

Daß nun aber ein Lebens- und Kulturganzes nicht nur von geistigen Prinzipien geleitet und geprägt ist, sondern auch von objektiven Zwängen und konkreten Vorgegebenheiten bestimmt, von handfesten sozialen, politischen und wirtschaftlichen Notwendigkeiten mitgeprägt ist, kommt im idealistischen Ansatz kaum zu seinem vollen Recht. Die konkrete Lebenserfahrung wird verkürzt und in ihrer Bedeutsamkeit unterbewertet, wenn alles nur als bewußtseinsmäßig bestimmt und gegliedert erscheint. Wir wollen hier keineswegs — der Tendenz unserer Zeit entsprechend — demgegenüber eine antiidealistische, „materialistische" Deutung anstreben. Jener Kritik an diesem idealistischen Ansatz, die das Kind mit dem Bade ausschüttet und die Polarität von Geistigem und Empirischem, von Bewußtsein und Sein, von Intellektuellem und Sozio-Ökonomischem nur auf den Kopf stellt, vermögen wir nicht zu folgen. Der Idee entsprechend, daß der sozio-ökonomischen Basis Vorrangigkeit eingeräumt werden müsse, und daß folglich auch das mythische Denken mit seinen Grenzziehungen zu verstehen sei als Ausdruck fundamentaler gesellschaftlicher Unterschiede, ist in letzter Zeit von Kulturanthropologen der anglo-amerikanischen Schule vorgetragen worden [4]. Diese Interpretationen, die im übrigen der Analyse Cassirers nicht im mindesten Gleichwertiges an die Seite zu stellen haben, bleiben aber einem naiven Basis-Überbauschema verpflichtet.

Ohne hier auf die grundsätzliche philosophische und wissenschaftstheoretische Problematik weiter einzugehen, sei der Überzeugung Ausdruck verliehen, daß ein neu gefaßter, über Dilthey hinausgehender Begriff des Lebens, der Sein und Bewußtsein, apriorische Denkstruktur und aposteriorische Erfahrung umfaßt und damit zugleich die Seins-Bewußtseins-Stufung ebenso überwindet wie die umgekehrte „idealistische" Relation, über das Entweder-Oder von idealistischer und materialistischer Kultur- und Religionsdeutung hinausführt.

Ist der Lebensbegriff in diesem wirklich umfassenden, weder empirisch noch bewußtseinsmäßig verengten Sinne gefaßt, dann bietet er eine tragbare Grundlage für ein Neuverständnis der Cassirer'schen Analyse. Für den kultur- und religionswissenschaftlichen Forscher aber bedeutet das, daß Kultur- bzw. Religionsforschung das Leben interpretiert [5]. Der Mensching'sche Begriff der Lebensmitte [6], im

---

[4] Z.B. M. Douglas, Purity and Danger. An Analysis of Concepts of Pollution and Taboo, London 1966, Kap. 7: „External Boundaries"; V. Turner, The Center out There: Pilgrim's Goal, in: History of Religions, Vol. 12, Nr. 3 (Feb. 1973), 191-230.

[5] Vgl. H. Trimborn, Die Völkerkunde interpretiert das Leben, in: Studium Generale, Bd 7 (1954). Fasc 3.

[6] G. Mensching, Die Religion, Stuttgart 1959, Einl.

angegebenen Sinne gefaßt, ohne idealistische oder materialistische Überschärfung, sondern in voller Offenheit für die jeweils vorwaltenden Bestimmungsgrößen, kommt damit erneut zu seinem Recht. Diese Lebensmitte gilt es zu erfassen, in ihrer konkreten und geistigen Bezogenheit.

Cassirer selbst bedient sich an einigen Stellen unseres Abschnitts über das raummythische Denken des Lebensbegriffes, so wenn er schreibt: „So prägt sich in der *Raumform*, die das mythische Denken entwirft, die gesamte mythische *Lebensform* aus und kann von ihr in gewissem Sinne abgelesen werden" (123).

Nach dieser grundsätzlichen methodologischen Betrachtung wollen wir uns nun einigen ausgewählten Kulturbereichen zuwenden, in denen das Phänomen der Grenze sich etwas anderes darstellt als im Raume der von Cassirer exemplarisch betrachteten römischen Religionsgeschichte. Die Gegenüberstellung ist aufschußreich, wenn man nach der Reichweite der Gültigkeit der Cassirer'schen Interpretation fragt.

Wir blicken zunächst auf das *alte Ägypten*. Schon der Ägyptologe H. Brunner weist im Anschluß an eine Erörterung Cassirers darauf hin, daß die Grenze im ägyptischen Bereich „keineswegs eine so grundlegende Bedeutung gewonnen hat wie bei anderen Völkern, und zwar weder die Grenze des Landes . . . noch auch die Grenze zwischen den einzelnen Lebensabschnitten, an denen die ‚Rites de Passage' stehen" [7]. Dieser Hinweis auf das wenig ausgeprägte Grenzbewußtsein und die mangelnde Akzentuierung deutlicher Zäsuren im Leben des Ägypters ist verbunden mit der aufschlußreichen Beobachtung, daß sich hier alles gleichsam auf den einen großen Übergang der Todesgrenze konzentriere, in der Tat „bei einem so zeremoniefreudigen Volke ein höchst auffallender Vorgang" [8].

Die Vernachlässigung der Geburts-, Pubertäts- und Hochzeitsriten gegenüber dem elaboraten Begräbniskult [9], der bereits nach dem Zusammenbruch des Alten Reiches keineswegs auf den König beschränkt blieb, entspricht in der Tat der mangelnden Ausprägung

---

[7] H. Brunner, Zum Raumbegriff der Ägypter, in: Studium Generale, Bd 10 (1957) (612-620), S. 613. Vgl. auch H. W. Helck, Zur Vorstellung von der Grenze in der ägyptischen Frühgeschichte, Hildesheim 1951.

[8] H. Brunner, a.a.O.

[9] Vgl. auch H. Brunner, Die Grenzen von Zeit und Raum bei den Ägyptern, in: Archiv für Orientforschung 17, S. 145.

von sozialen und physischen Gliederungen *innerhalb* des ägyptischen Lebensraumes. Dieser war aber durch naturhafte Vorgegebenheiten physisch und ethnisch haarscharf von der z.T. als Totenreich betrachteten Wüstenzone getrennt. Der harte Übergang an der Grenze des eigenen Lebensraumes hat sicherlich das ägyptische Lebensgefühl mitbestimmt und zur Ausbildung eines hellwachen Todesbewußtseins beigetragen. Es wäre nun naiv, die Bedeutung der Todesgrenze im Kultus von den landschaftlichen Gegebenheiten abzuleiten. Aber es kann wohl kaum bezweifelt werden, daß das Lebensgefühl mitgeprägt wird von der konkreten Lebenserfahrung im Geographischen und Historischen.

Daß der geschichtliche Faktor ein entscheidendes, das Lebensgefühl prägende Element ist, bedarf kaum der Begründung. Brunner zeigt auf, daß die aus dem Neuen Reich erhaltenen Dokumente über die Grenzen der Welt, die die Sphäre jenseits der Lebensordnung als chaotisch, dunkel, leer und für Menschen und Götter unbewohnbar beschreiben, ihren ursprünglichen geistesgeschichtlichen Ort wahrscheinlich in den Wirren des Zusammenbruches des Alten Reiches hatten, denn hier seien erstmals Fragen nach den Grenzen und Schatten des Lebens mit besonderer Dringlichkeit gestellt worden [10]. Die mythische Sprache von der Gefährdung des Lebens, wie wir sie hier vernehmen, entspricht ganz und gar den z.T. sehr eindrucksvollen mythischen Zeugnissen von der ständigen Bedrohung des Daseins durch ein die Welt umgebendes Chaosmeer oder eine sie umlagernde Schlange, wie das in zahlreichen urzeitmythischen Vorstellungen anderer Völker zu finden ist. Aber das alte Ägypten hat sich dank seiner isolierten Lage und glücklicheren Geschichte dieser Begrenzung nicht in dem Maße bewußt werden müssen wie etwa das Zweistromland. In der babylonischen Kosmologie (z.B. Enuma Elish, Tafel IV, Zeilen 137ff) ist das Chaoswasser, das die Welt umlagert, geradezu ein „örtliches Symbol" für die „Permanenz der Existenzbedrohung" (V. Maag) [11]. Dieselbe Permanenz kann sich noch in der biblischen Kosmologie ausdrücken (Gen 1:9ff; Hi 38:8ff). L. Köhler betont daher zu Recht: „Gegeben aber ist dies, daß die vorhandene Welt in ihrem Bestande unausgesetzt durch das Meer, die Urflut, bedroht ist . . . Es bedarf der ausdrücklichen Zusage

[10] Ebd., S. 144.

[11] V. Maag, Eschatologie als Funktion des Geschichtserlebnisses, in: Saeculum XII,2 (1960), S. 126.

Gottes, daß niemals wieder eine Sintflut hereinbrechen wird, weil die durch Gottes Schelten Ps. 104,7 verscheuchten Wasser fortdauernd die Erde in ihrem äußersten Rande (ps. 138,9) umlagern und umlauern . . ." [12].

In Ägypten wird diese das Leben bedrohende Chaosflut dem Bewohner des Niltals immer wieder gegenwärtig, aber mehr als entfernte Möglichkeit als im Sinne einer ihm auf den Nägeln brennenden, aktuellen Potentialität. In Pap. Carlsberg I, 20ff, einem Dokument des Neuen Reiches, wird z,B. davon gesprochen, daß „die ferne Gegend des Himmels in der Urfinsternis ist; nicht kennt man ihre Grenzen gegen Süd, Nord, West und Ost. Diese (die Himmelsrichtungen) sind im Urwasser befestigt wie ‚Träge' . . . Nicht ist ihr Land . . . Göttern und Geistern bekannt. Dort sind keine Lichtstrahlen, und es erstreckt sich unter jeden Ort . . . "

Damit wird die bedrohliche Grenze als weit draußen liegend gedacht. „Jenseits der Bahn des Sonnengottes", expliziert der Ägyptologe E. Hornung, „liegt demnach das finster-wäßrige Reich vor der Schöpfung, durch Urozean und Urfinsternis gekennzeichnet, in dem die Himmelsrichtungen aufgehoben ('träge') sind, das keine Grenzen kennt, das den Strahlen der Sonne und allen Göttern unerreichbar ist. Diese Grenze . . . umschließt auch die Unterwelt . . . So erscheint die Finsternis — zumeist als 'Urfinsternis' vor und um die Schöpfung verstanden — ganz allgemein als Grenze der geordneten Welt, an der auch die Herrschaft des Königs endet". [13]

Auch das Bild der die Welt bedrohenden Schlange erscheint entschärft. Sicherlich muß die Apophis-Schlange immer wieder abgewehrt werden, aber das geschieht „zu ihrer Zeit", mit fast naturhafter und damit verläßlicher Regelmäßigkeit. Dem entspricht auch das schwach ausgebildete eschatologische Bewußtsein, das den israelitischen Propheten zu scharfen Aussagen veranlassen konnte.

Eine der wenigen eschatologischen Texte Ägyptens ist jene berühmte Passage im 175. Kap. des Totenbuches, wo es heißt: „Die Welt wird zum Urozean werden, zur Urflut bei ihrem Anbeginn. Ich (Atum) bin es, der übrigbleiben wird, zusammen mit Osiris, nachdem ich mich in eine andere Schlange verwandelt habe, welche die Menschen nicht kennen und die Götter nicht sehen". Irgendwann am

---

[12] L. Köhler, Theologie des AT, 3. Aufl., Tübingen 1953, S. 73.

[13] E. Hornung, Der Eine und die Vielen. Ägyptische Gottesvorstellungen. Darmstadt (Wiss. Buchgesellsch.) 1971, S. 163.

Ende bleibt die Schlange, und die geordnete Welt, die sie umgibt, sinkt dann mit allen ihren Einwohnern, einschließlich der Götter, in die Urgewässer zurück.

Dieser Unbestimmtheit des zeitlichen Endes entspricht die merkwürdige Einstellung zu den mythischen Landesgrenzen, die als sicherlich vorhanden betrachtet werden, aber häufig ebenfalls befriedet erscheinen. In mythischer Redeweise konnte der Ägypter von den Grenzen des Landes sprechen und sie dabei nicht nur — wie bei den Königsriten — als weit draußen liegend beschreiben, sondern innerhalb seines Lebensraumes angeben. Dabei konnte er empirische und mythische Raumkategorien nebeneinander verwenden, ohne einen Widerspruch zu empfinden. So redete er z.B. von den Enden der Erde bei der Insel Elephantine, obwohl er den Lauf des Niles oberhalb dieses Punktes genau kannte und sogar Militär Expeditionen bis tief nach Nubien hinein sandte. [14]

Die Abgeschlossenheit der Welt im mythischen Sinne findet ihren beachtenswertesten künstlerischen Ausdruck in einer Darstellung des Kosmos auf einem in New York aufbewahrten Sarkophag des 4/3. Jh. v. Chr., wo der Kosmos als Scheibe veranschaulicht wird, in dessen Mitte, wie in einem Ring, die Provinzen Ägyptens ruhen [15]. Auch hier setzt sich das mythische Bild über die Wirklichkeit der geographischen Verhältnisse hinweg, denn auch dem Ägypter war bekannt, daß die Gaue wie Perlen auf einer Schnur nebeneinander lagen und keineswegs einen in sich abgeschlossenen Kreis bildeten.

Damit ist das Lebensgefühl des Ägypters, wie es sich zeitlich und räumlich ausdrückt, angedeutet. Hier fehlt die peinlich-exakte Abgrenzung zwischen heilig und profan, wie sie für die römische Religion so konstitutiv ist. Die grundsätzlichste Unterscheidung ist die zwischen Lebensraum und Totenreich, zwischen Sein und Nichtsein, wobei die Bedrohung durch das Nichtsein zunächst als entfernte, dann aber ernste Möglichkeit erscheint. Aber auch diese Grenze kann sich als befriedete darstellen; die Apophisschlange, die ihr Haupt erhebt, wird wiederholt in ihre Schranken gewiesen. Innerhalb des begrenzten Lebensraumes aber spielen Limitationen und Demarkationen keine so große Rolle wie im römischen Bereich. Sicherlich ist die geschaffene Welt eine Welt der „räumlichen, zeitlichen und gestalt-

[14] H. Brunner, Zum Raumbegriff..., S. 619.
[15] S. Morenz, Ägyptische Religion, Stuttgart 1960 (RM 8), S. 47.

lichen Differenzierung", wie Hornung hervorhebt [16]. Die „Differenziertheit des Seienden" wird für das Nichtseiende verneint und geradezu als konstitutives Merkmal der Lebenswelt betrachtet [17]. Aber diese Differenziertheit zeigt nicht die scharfen Konturen, die der Römer in seinen Unterscheidungen kennt. Hier ist ein Lebensraum, der den Menschen gewähren läßt, und der sich scharf abhebt von den genauen Unterteilungen, die der Römer im Rechtlichen und Religiösen beachtet. Im Niltal spielen entsprechend auch im Sozialen die grundsätzlichen Unterschiede zu den Nichtägyptern, den Barbaren des Westens, Südens und Nordostens, die nicht als *rmṯ.w*, als Menschen im Vollsinn des Wortes, betrachtet werden, eine wesentlich grundlegendere Rolle als Differenzierungen innerhalb der ägyptischen Gesellschaft [18], wenn man von den Rängen der Beamten- und Priesterschaft absieht.

Wie weit sich dieses grundlegende Lebensgefühl auswirkt, möge schließlich am ägyptischen Bild der Götter veranschaulicht werden. S. Morenz weist darauf hin, daß die übermenschlichen Mächte Ägyptens — „sei es statisch im Bilde, sei es dynamisch in der Handlung" [19]. — sich zwar als Gestalten darstellen, aber keineswegs so scharf profilierte Formen aufweisen wie etwa die griechischen und römischen Götter [20]. Der Römer kennt keinen Schöpfergott, „der sich zu Millionen machte", wie der ägyptische Amun; die Fülle der Götter ist für ihn prinzipiell scharf geschieden. Die ägyptischen Götter dagegen nehmen verschiedene Formen an auf Grund der fließenden Unbestimmtheit ihrer Formen; sie können sich mannigfach mit anderen göttlichen Wesen verbinden, mit Pflanzen in Symbiose erscheinen und sogar mit Tiergestalten verschmelzen. Solche Mischgestalten — der Römer sprach abfällig von den hundsköpfigen Göttern des Nils —werden geradezu als charakteristisch für das ägyptische Pantheon empfunden. In der Ikonographie fällt folglich die Unbestimmtheit der Form als ein hervorstechendes Merkmal auf; „von einer kanonisch festgelegten Götterdarstellung kann in Ägypten nur in sehr beschränktem Sinne gesprochen werden" [21]. Hier

---

[16] E. Hornung, a.a.O., S. 164 ff.
[17] Ebd., S. 170.
[18] Vgl. Morenz, a.a.O., S. 50 ff.
[19] Ebd., S. 20.
[20] Ebd., S. 16 ff.
[21] Hornung, a.a.O., S. 102.

gibt es sogar eine „Austauschbarkeit von Kopf und Attribut" (Hornung) [22]. Diesen Göttern fehlen also die scharfen Konturen der Personalität, die für die griechisch-römischen Götter so bezeichnend sind, und die ihnen ihre einmalige, unverwechselbare Form — und damit auch Individualität verleihen.

Damit aber verweist uns das Problem der Grenze, das somit auch engstens mit der Individualproblematik zusammenhängt, mitten ins Leben und ins Selbstverständnis des Lebenden.

Es gibt bez. des mythischen Grenzbewußtseins wohl kaum einen größeren Gegensatz zu Ägypten als *Indien*. Dem Lebensraum des Ägypters, der zwar durch ein religiöses, soziologisches und politisches Zentrum bestimmt, aber von weit entfernten, wenig scharf konturierten Grenzen und Unterteilungen markiert ist, steht der Lebensraum des Inders gegenüber, der durch zahlreiche scharfe Grenzziehungen und Demarkationen geprägt erscheint. Auch hier ist keine eindeutige, einmalige, grundsätzliche Grenze von heilig und profan erkennbar, wohl aber eine Fülle von konzentrischen Kreisen, die sich um einen Mittelpunkt legen, oder Stufen, die zu einem Höchstziel führen. Ob man die kosmographischen Vorstellungen betrachtet, die baulichen Gliederungen der Tempelanlagen, den Aufbau des Pantheons, die Verschachtelungen der Riten auf dem Lebenswege, die Schichtungen der Bevölkerung, die psychologischen Lehren vom Menschen — überall dokumentiert sich jene durch das Prinzip der konzentrischen Kreise gekennzeichnete Gliederung, deren sozialer Ausdruck u.a. der vielzitierte Kastengeist ist. Die Idee der klar voneinander abgegrenzten Stufen der Wahrheit, oder Wirklichkeit, die in zahlreichen Lehren, ob hinduistischer oder buddhistischer Prägung, wiederkehrt, bestimmt dieses Lebensgefühl durch und durch.

Betrachten wir zunächst den Aufbau des Kosmos. Die Grenzen der Welt bestehen nach klassischen Vorstellungen der Inder, die sich von frühen kosmographischen Purāṇa-Traktaten herleiten [23], aus einer Reihe von konzentrisch angeordneten Ringgebirgen (paribhaṇḍapabbata) und Ringmeeren (paribhaṇḍasāgara), die die Welt (Jambūdvīpa), in dessen Mittelpunkt der Weltberg Meru steht, umgeben [24]. Jambūdvīpa selbst ist durch ost-westlich ausgedehnte Ge-

[22] Ebd., S. 106,

[23] Vgl. J. Gonda, Die Religionen Indiens I: Veda und älterer Hinduismus, Stuttgart 1960 (RM 11), S. 330.

[24] Vgl. W. Kirfel, Die Kosmographie der Inder, Bonn/Leipzig 1920, S. 183 ff. Siehe auch: Ders., Das Purāṇa vom Weltgebäude, Bonn 1954, Einl..

birge, von denen das südlichste das Himālaya ist, in voneinander getrennte, parallele Zonen aufgeteilt. Oberhalb und unterhalb der Erde befinden sich Schichten von Welten, in denen die ober- und unterirdischen Mächte nach streng hierarchischer Gliederung wohnen.

Dieses kosmographische Modell wird zwar in diversen Schulen und zu verschiedenen Zeiten abgewandelt, bleibt aber grundsätzlich — sogar im Buddhismus und Jinismus — bestehen. Es bestimmt u.a. die Bauformen der Tempel und Stupas [25], bei denen die zahlreichen konzentrischen Umfassungsmauern ebenso charakteristisch sind wie die angedeuteten oder tatsächlich vorhandenen Stockwerke des Hauptheiligtums. „In Tempeln mit mehreren übereinanderliegenden Zellae werden das Objekt der Konzentration und die Präsenz der Gottheit auf jedesmal höherem Niveau wiederholt, die Selbstverwirklichung des Gläubigen immer näher zum Ziel geführt, was durch die horizontalen Etagen des Baus — die wie die Meditations stufen *Bhūmis*, ‚Niveaus', heißen — sichtbar gemacht wird" [26].

Damit ist schon hingewiesen auf die Beziehung des kosmographischen Modells zu den Meditationsstufen, die gerade im Buddhismus so vorrangige Bedeutung gewinnen. Es ist zuhöchst bezeichnend, daß Buddha noch jede kosmologische Spekulation als nutzlos ablehnt, sich also ganz auf die Explizierung eines Menschenbildes konzentriert, das den Meditationsstufen des Heilsweges entspricht, also eine soteriologisch bestimmte Anthropologie verkündet [27], später aber dieses Menschenbild zum Abbild der Welt mit ihren Seinsstufen wird, die psychologische Stufung sich also in einer kosmologischen konkretisiert und veranschaulicht und beides — Psychogramm und Kosmogramm — im Maṇḍala ihre äußere Gestalt finden [28]. Das Maṇḍala wird aber mit seinen auf ein Zentrum hinführenden, genauen geometrischen Abgrenzungen zu den verschiedensten Lebensbereichen und -gegebenheiten in Beziehung gesetzt; es markiert den Grundriß des Heiligtums ebenso wie die meditativ zu durchschrei-

---

[25] R. Heine-Geldern, Weltbild und Bauform in Südostasien, in: Wiener Beiträge zur Kunst- und Kulturgeschichte Asiens IV (Wien 1930), S. 28.

[26] Gonda, a.a.O., S. 329.

[27] F. R. Hamm, Buddhismus und Jinismus. Zwei Typen indischer Religiosität und ihre Wege in der Geschichte, in: Saeculum 15 (1964), (41-56), S. 46 ff.

[28] Siehe G. Tucci, Geheimnis des Mandala: Theorie und Praxis, Weilheim 1972.

tenden Stufen zum Heilsziel, die erst auf Grund immer neuer Initiationen erklommen werden können. Die Gegebenheit des durch Initiationen zäsierten Weges stellt sich aber auch in den äußeren Lebensstadien des Inders dar. Im Hinduismus, wo die durch Riten voneinander getrennten äußeren Lebensstadien noch bedeutsamer sein können als die meditativen Stadien des Weges, den ein verinnerlichter Buddhismus predigt, wird bezeichnenderweise diese durch Übergangsriten bestimmte Gliederung des Lebens wiederum mit der sozialen Gliederung der Gesellschaft in Verbindung gebracht, und zwar in dem klassischen „Gesetz von den kastenmäßig bestimmten Lebensstadien" (*varnāśrama dharma*).

Hier wird also in der Tat — wie Cassirer sagt — „jeder neue Markstein, den das mythische Denken und das mythisch-religiöse Gefühl im Raume setzt, zugleich zu einem Markstein der gesamten geistigen und sittlichen Kultur" (125). Die verschiedenen Bereiche des Seins, die vom mythischen Denken her ihre Gliederung erfahren, bilden hier „einen eigenen Ring des Daseins, ein umhegtes und umfriedetes Seinsgebiet, das sich durch feste Schranken von seiner Umgebung abscheidet, und das in dieser Abscheidung erst zu einer eigenen, individuell-religiösen Gestaltung gelangt" (128).

Allerdings ist diese Gliederung, wie gesagt, nicht durch die simple Ausschließlichkeit von heilig und profan bestimmt, sondern eben durch jenes Prinzip der Stufung auf ein höchstes, wenn man so will, „heiliges" Ziel hin. Es ist nicht die „Abgeschnittenheit" des Templum, die hier Differenzierung und Limitation bestimmt, sondern die Gradierung, die sich in konzentrischen Wellenkreisen darstellt. Der indische Zeitbegriff mit seiner fortwährenden Wiederholbarkeit, der sich in der Äonenlehre ebenso ausprägt wie in der Seelenwanderungsvorstellung, entspricht diesem raummythischen Denken genau.

Die Konsequenzen dieser Lebensbestimmung für Religion, Recht, Politik und Gesellschaft liegen auf der Hand. Die religiösen Absolutheitsansprüche und -aussagen haben nicht Ausschließlichkeitscharakter, sondern integrieren und subsumieren unter sich andere theologische Ansprüche und Glaubensansichten. Das Gottesbild kann recht scharfe Konturen annehmen, sowohl im Ikonographischen, wo die Fixiertheit der Form bis in alle Einzelheiten hinein kanonisch vorgeschrieben ist, wie auch in der theologischen Aussage, aber auch hier ist der leitende Gedanke mehr ein inklusiver als ein exklusiver. Das äußere Kultbild spricht schon davon, daß der Mensch in seiner Individualität bejaht, zugleich aber das Tier nicht zurückgewiesen wird, so daß es weiterhin als Symbol der Gottheit fungieren kann. So haben wir auch hier jene charakteristischen Mischformen im Pantheon, wie etwa Gaṇeśa, der in Menschengestalt, aber mit Elephantenkopf dargestellt wird. Aber nicht die relative Unbestimmtheit der Form — wie in Ägypten — ermöglicht hier die Mensch-Tier Verbindung, sondern die Idee der Inklusivität.

Die Kehrseite des Sowohl-als-auch kommt wohl nirgends deutlicher zum Ausdruck als darin, daß indisches Denken die Idee der Menschenwürde kaum ausgeprägt hat. Die Zäsur zwischen Mensch und Tier ist keine ausschließliche, grundsätzliche, sondern eine graduelle, und Unterschiede innerhalb der Menschenwelt gehen kontinuierlich in Unterschiede zur Tierwelt über, wie bereits die Seelenwanderungslehre dokumentiert. Gleichzeitig aber ist auch zum göttlichen Wesen hin keine grundsätzliche Limitation gesetzt.

Wie das Fehlen der exklusiven Abgrenzung die Entwicklung der Idee der Menschenwürde verhindert, verhindert es auch die Ausbildung eines absoluten Rechtes und einer allgemeingültigen Ethik. Der Begriff des *dharma*, der Recht und Ethik, Gesittetheit und Wohlverhalten umfaßt, „ist per definitionem . . .Dharma der Kasten und Lebensstadien", so daß „er nach Kaste und Lebensstand differenziert und qualifiziert ist" [29]. Der Brahmane, der einen Mord begeht, hat ein anderes Strafmaß zu erwarten als der Śudra, der sich desselben Vergehens schuldig macht, ja es ist dem Brahmanen nicht nur anderes erlaubt als dem Śudra, sondern von der Dharmalehre her auch anderes geboten. Eine weitere Konsequenz des nach Gruppen spezialisierten Dharma ist das völlige Fehlen eines für alle Menschen gültigen Naturrechtes. Folglich ist „auch der Begriff der politischen Freiheit im alten Indien nicht entwickelt worden", wie W. E. Mühlmann im Anschluß an Max Weber hervorhebt [30].

Freilich gibt es in Indien Ausnahmen und Nebenentwicklungen. Etwa in der tamilischen Spruchliteratur, wie sie sich im gefeierten Werk „Tirukkural" dokumentiert, kommt in der Tat eine allgemei-

---

[29] P. Hacker, Dharma im Hinduismus, in: Zeitschrift für Missionswiss. und Religionswiss. Bd. 49 (1965), Nr. 2, (93-106), S. 95 f.

[30] W. E. Mühlmann, Mahatma Gandhi. Der Mann, sein Werk und seine Wirkung. Eine Untersuchung zur Religionssoziologie und politischen Ethik, Tübingen 1950, S. 231 f.

ne Ethik und Pflichtenlehre zum Ausdruck, die vom Herrscher ein politisches Handeln verlangt, das in gewisser Weise der Idee der Menschenwürde Rechnung trägt, denn hier werden z.T. bestimmte ethische Grundsätze verkündet, die für alle Gültigkeit beanspruchen, und die für den Herrscher ebenso verbindlich sind wie für den Untertanen. Das aber hängt engstens zusammen mit der alten tamilischen Idee, daß alle Menschen Brüder seien und Kastenunterschiede nur artifizielle Begrenzungen der Brahmanen darstellen. Und auch in zahlreichen buddhistischen Werken des Mahāyāna werden die besonderen Chancen, aber auch die besonderen Verpflichtungen hervorgehoben, die der Mensch als Mensch gegenüber anderen Lebewesen, und sogar gegenüber Göttern, besitzt und wahrzunehmen hat.

Damit aber werden wir wiederum verwiesen auf den elementaren Begriff des menschlichen Lebens in seiner vielfältigen Dimensionierung.

Die Analyse Cassirers zeigt ihre Grenzen, aber auch ihre volle Tragweite auf diesem Hintergrund. Ihm nähert er sich freilich auf seine Weise, wenn er in einer ergänzenden Betrachtung der zeit-mythischen Dimension feststellt: „Erst indem die Welt des Mythischen gewissermaßen in Fluß gerät, indem sie sich als eine Welt nicht des bloßen Seins, sondern des Geschehens erweist, gelingt es, in ihr bestimmte Einzelgestaltungen von selbständiger und individueller Prägung zu unterscheiden. Die Besonderheit des Werdens, des Tuns und Leidens, schafft hier erst die Grundlage der Abgrenzung und Bestimmung" (129).

ERNST BENZ

PSI UND HEILIGER GEIST

Über die Manipulierbarkeit der Geistesgaben und ihre Grenzen

In den letzten Jahren hat die Wissenschaft der Parapsychologie auf der ganzen Welt einen ungeahnten Aufschwung genommen. Dieser hat sich in den verschiedenen Ländern allerdings in verschiedenem Tempo vollzogen. Schon im vergangenen Jahrhundert hat sich nach dem Aufkommen einer weltweiten Spiritistenbewegung in England am 18. Febr. 1882 in London die Society for psychical Research (Gesellschaft für psychische Forschung) gebildet, um die in diesem Zusammenhang hervortretenden parapsychischen Phänomene zu erforschen. Mitglieder der Gesellschaft waren führende Naturforscher: Sir William Barret, Sir Oliver Lodge, Professor der Physik an der Liverpool-Universität, Henry Sidgwick, Professor der Psychologie in Cambridge, dessen Schüler Richard Hodgson, der Altphilologe Frederic William, Henry Myers, Edmund Gurney, Frank Podmore und Sir William Crookes, der bekannte Physiker und Chemiker.

Als Zweck der Gesellschaft wurde statuiert „alle zu vereinigen, die die Absicht haben, die Erforschung gewisser dunkler Phänomene einschließlich derer, die man gemeinhin psychische, mesmerische oder spiritistische nennt, zu fördern". Das Ziel sei, „den verschiedenen Problemen ohne jedes Vorurteil oder jede Voreingenommenheit irgendwelcher Art entgegenzutreten, und sich damit in gleichem Geist einer leidenschaftslosen und exakten Untersuchung und Prüfung zu befassen, dank dessen die Wissenschaft in der Lage war, bereits so viele andere Probleme zu lösen, die einst ebenfalls nicht weniger obskur und nicht weniger heftig umstritten waren".

Eine große Rolle bei der Erforschung spielte die Bemühung, alle erdenklichen Sicherungen einzubauen, um sich vor der Täuschung oder den Mängeln der eigenen Beobachtung wie auch vor bewußtem Betrug von Seiten der Medien zu schützen. Einige Mitglieder ließen sich sogar zu Amateur-Taschenspielern ausbilden, um in der Lage zu sein, okkulte Phänomene wie Materialisationen und Geisterschriften selbst durch Tricks produzieren zu können. Im Rahmen dieser Gesellschaft begann eine systematische Erforschung sämtlicher parapsychischer Phänomene sowohl auf psychischem Gebiet - Telepathie, Hellsehen (Clairvoyance), Präcognition, Retrocognition — wie auf dem physischen Gebiet — Telekinese, Materialisationen, Elevationen u.a.

In den Vereinigten Staaten ist der Begründer der Parapsychologie als Wissenschaft Professor Joseph Banks Rhine, der an der Duke-Universität in Durham, North-Carolina, 1936, ein Institut für parapsychische Forschung errichtete. Rhine ging von der Voraussetzung aus, daß sich parapsychische Fähigkeiten bei einer großen Anzahl von Menschen finden. Er widmete sich der Erforschung dieser Psi-Fähigkeit unter Anwendung von statistischen Methoden in Form von Massenversuchen, die er mit Studentinnen und Studenten der Duke-Universität anstellte. Zu diesem Zweck entwickelte er eine ganze Reihe von technischen Apparaten, die eine jede Beeinflußung der untersuchten Personen untereinander und durch die Untersuchungsleiter ausschließen. So hat er durch lange Serien von Experimenten nicht nur das Phänomen der Telepathie, sondern auch des Hellsehens, der Präcognition und der Telekinese erforscht und die weite Verbreitung dieser Psi-Fähigkeiten statistisch erwiesen.

Erstaunlicherweise hat die Erforschung der parapsychischen Phänomene sich auch an den Forschungsstätten und Universitäten der Sowjetunion und der Ostblockstaaten durchgesetzt. Dies ist um so verwunderlicher, als das Studium der Parapsychologie angesichts der Monopolstellung der Philosophie des dialektischen Materialismus, die das ganze politische und wissenschaftliche Erziehungssystem der Ostblockstaaten beherrscht, keine Lebensberechtigung zu haben scheint. Tatsächlich ist auch die Parapsychologie zunächst auf starken Widerstand von Seiten der strammen Ideologen des dialektischen Materialismus gestoßen und hat auch heute noch ihre erklärten Gegner. Trotzdem wurde schließlich die Parapsychologie als Forschungsgebiet zugelassen, weil die Sowjet-Regierung erkannt hat, daß ihre Ergebnisse sich möglicherweise technisch und politisch verwerten lassen.

Offensichtlich haben Nachrichten über eine manipulierte Anwendung parapsychischer Fähigkeiten in der amerikanischen Marine und Raumfahrt diese Entwicklung in der Sowjetunion beschleunigt. Diese Nachrichten besagten, daß die Telepathie durch Ausbildung geeigneter sensitiver Persönlichkeiten als ein Nachrichtenmittel in Unterseebooten und Weltraumfahrzeugen beim Ausfall der technischen Nachrichteninstrumente verwendet werden kann.

Die Parapsychologie hat sich in den Ostblockstaaten ihre eigene Fachsprache zugelegt, die sich an die Terminologie des dialektischen Materialismus anlehnt. Sie nennt sich in der Sowjetunion nicht mehr Parapsychologie, sondern Psychobiologie oder Psychotronik. Sie untersucht aber methodisch dieselben Phänomene wie die Wissenschaft, die im Westen unter dem Namen Parapsychologie läuft, und experimentiert in ähnlicher Richtung. Ein gewisser Unterschied zur westlichen Parapsychologie besteht höchstens darin, daß einige amerikanische Parapsychologen besonders daran interessiert sind, ein Überleben der menschlichen Persönlichkeit nach dem Tode zu beweisen und daher stärker spiritistische Phänomene in ihren Untersuchungsbereich einbeziehen, während die Sowjet-Forscher an der Untersuchung des Materials über Erscheinungen Verstorbener nach ihrem Tode und an anderen spiritistischen Phänomenen und Praktiken kein Interesse zeigen oder diese, wo sie auftreten, als Produkte der psychischen Kräfte des Empfängers solcher Erscheinungen erklären.

Grundsätzlich ist sowohl die amerikanische wie die sowjet-russische Parapsychologie von der Absicht bestimmt, die parapsychischen Phänomene nicht nur wissenschaftlich zu erklären, sondern auch in den Griff zu bekommen und diesem ganzen bisher dunklen Bereich von Kräften, in der die räumlichen und zeitlichen Grenzen der physikalischen Welt nach ihrem bisherigen Verständnis durchbrochen werden, zu manipulieren und politisch, militärisch oder wirtschaftlich zu verwenden. Kein Wunder, daß sich bereits die Zukunfts-Prognose den Gedanken einer Manipulierbarkeit dieser Kräfte im großen Stil zueigen gemacht hat. Die Erwartung einer zukünftigen Ausdehnung der menschlichen Macht auf dieses Gebiet hat auch sicherlich zu der Verbreitung und Popularisierung der Parapsychologie beigetragen.

Die deutsche Forschung, die ihr Zentrum in dem von Professor Hans Bender geleiteten Institut für Psychische Grenzprobleme hat, das eine Abteilung des Instituts für Psychologie in der Universität Freiburg ist, ist allerdings in diesem Punkt der Zukunftsprognose über die Verfügbarkeit der Psi-Fähigkeiten bis jetzt zurückhaltender.

Bezeichnenderweise tauchen derartige Zukunftsvisionen über die Beherrschung der parapsychologischen Seelenkräfte bereits in der Zeit der deutschen Romantik auf, in der sich die Parapsychologie im Gewande des Mesmerismus sowohl in Berlin wie in den norddeutschen und süddeutschen Hauptstädten ausbreitete. Für den Mesmerismus in Berlin wie auch für den unter französischem Einfluß stehenden Mesmerismus in Straßburg war bezeichnend, daß weniger die medizinische Seite des Heilungsvorgangs und Heilerfolgs im Mittelpunkt stand, sondern daß gerade die parapsychischen Phänomene, die im Trance-Zustand der mesmerisierten Personen hervortraten, besondere Aufmerksamkeit fanden und das wissenschaftliche Studium der „Nachtseite der menschlichen Seele" inspirierten. Ebenso traten in dem Berliner und Straßburger Mesmerismus bereits spiritistische Phänomene hervor, in denen das Auftreten von Erscheinungen von Verstorbenen oder von geheimnisvollen Stimmen als Bekundung des Jenseits verstanden wurden und sich eine regelrechte Praxis der Kommunikation mit der Geisterwelt entwickelte.

Einer der bedeutendsten Ärzte Berlins, Dr. Wilhelm Hufeland, der Leiter der Berliner Charitée, an der Schleiermacher — selbst ein führender Anhänger des Mesmerismus — als Spitalgeistlicher wirkte, war zunächst ein entscheidender Gegner des Mesmerismus gewesen, hatte sich aber unter dem Eindruck der Heilerfolge einiger Kollegen wie Dr. Wolfart und Dr. Koreff in Berlin zur Anerkennung des animalischen Magnetismus als einer praktikabelen Heilmethode bekehrt. Sein praktischer Sinn veranlaßte ihn aber, gerade die von einigen Mesmeristen seiner Umgebung so eifrig gepriesenen parapsychischen Phänomene der Telepathie und der Clairvoyance kritisch zu betrachten; die Möglichkeit einer Steigerung und manipulierten Anwendung dieser Fähigkeiten in der Zukunft erscheint bei ihm noch unter dem Zeichen einer schweren Bedrohung der Menschheit, da sich seiner Meinung nach ihr Mißbrauch durch die Menschen nicht vermeiden läßt.

In ähnlicher Weise wie einst Leonardo da Vinci in der Entwicklung der Pläne einer Flugmaschine, die bereits zur Experimentierreife gediehen waren, plötzlich einhielt, weil ihm der Gedanke Entsetzen einjagte, daß seine Erfindung von Politikern und Verbrechern in einer egoistischen Weise mißbraucht werden könne, äußert Hufeland, der erste Prophet einer Manipulation der Psi-Kräfte, sein Entsetzen über die Möglichkeit einer sich daraus ergebenden mißbräuchlichen Anwendung. In einem Brief an Dr. Koreff, den geistigen Mittelpunkt der Berliner Mesmeristen, der einen großen Einfluß auf den Königlichen Hof und z. B. auch auf den Kultusminister Hardenberg und den Kreis der Berliner Romantiker ausübte, schreibt er (14. Nov. 1816):

„Ist es wahr, was allerdings jetzt durch manche Erfahrungen bestätigt wird, daß der Mensch in dem magnetischen Zustand durch andere Vermittlung als die gewöhnlichen Sinne, und in ungemeßner Ferne, sowohl des Raums als der Zeit nach, sehen, hören, genug Wahrnehmungen haben könne, so hört eigentlich die ganze Art des bisherigen Zusammenlebens und aller darauf sich gründenden Ordnungen und Einrichtungen auf, die bekanntlich auf die fünf Sinne gegründet sind, und das ganze Leben bekommt eine neue Gestalt.— Was helfen Wände, verschloßne Türen und Schränke, versiegelte Briefe, wenn man hindurchsehen kann! — Was die Entfernung von vielen Meilen, von vielen Jahren, wenn man sich dennoch sehen und nahe sein kann! Was für unberechenbare Folgen wird es haben, wenn man wissen kann, daß und wann ein Mensch sterben wird, oder daß das und jenes geschehen wird. — Und brauche ich erst darauf aufmerksam zu machen, zu welchem Mißbrauch diese gänzliche Abhängigkeit von einem anderen Wesen von der Sinnlichkeit benutzt werden kann? Die frühere Geschichte des Magnetismus in Paris hat leider davon Beweise genug geliefert. In der Tat, wenn schon die Erfindung der Aeronautik Sicherheit, Polizei und andre menschliche Einrichtungen in Verlegenheit brachte, was soll erst diese tun?"

Während in dieser frühen Zeit das Zukunftsbild immerhin noch von der Angst vor dem Mißbrauch gesteigerter Psi-Fähigkeiten beherrscht ist, scheint die moderne Parapsychologie, wo sie sich zu Prognosen aufrafft, von diesem Gedanken nicht mehr beeindruckt zu sein. Die Prognosen J. B. Rhines stehen ganz im Zeichen eines Fortschrittsglaubens und Optimismus, der sich von einer gezielten Manipulation der Psi-Fähigkeiten einen planmäßigen Fortschritt der menschlichen Kultur, Staats- und Wirtschaftsordnung verspricht.

Rhine hat weitgehende Folgerungen für die Anwendung von Psi für die Besserung der politischen und gesellschaftlichen Zustände der Menschheit gezogen. So nennt er in seinem Beitrag zu dem von mir herausgegebenen Sammelband „Der Übermensch", Zürich 1968, als erstes die Möglichkeit einer Anwendung der Psi-Fähigkeit als eines Abwehr- oder Verteidigungsmittels, zum Beispiel bei der Lösung krimineller Probleme. Wenn die entsprechende Stufe einer Psi-Kontrolle erreicht ist, ließe sich keine vernünftigere und praktischere Anwendung denken als die, mit Hilfe von Psi nicht nur das Problem der bereits begangenen Verbrechen zu lösen; viel wichtiger wäre noch, das Verbrechen im Zustand seiner Entstehung im menschlichen Geist und Herzen aufzustöbern und es so an seiner Verwirklichung zu verhindern. „Die Aussicht auf eine unbegrenzte Aufdeckung gefährlicher Komplotte und die Entlarvung krimineller Banden auf allen Ebenen staatlichen Lebens würde die verlockende Garantie einer umfassenden Verbesserung des Menschengeschicks und eine bedeutsame Erhöhung seines kulturellen Niveaus bedeuten. Staatliche Institutionen, ausgerüstet mit parapsychischen Kenntnissen, mit denen man die dunklen Winkel menschlicher Intrigen ausleuchten könnte, wären in der Lage, die wichtigsten Bereiche krimineller Betätigung zu bereinigen. Eine derartige ‚Sanierung' würde offensichtlich eine Umgestaltung der gesamten menschlichen Gesellschaft herbeiführen".

„Angewandt auf den größeren Maßstab nationaler und internationaler Geheimpolitik oder kriegerischer Überfälle würde dieselbe Psi-Fähigkeit in einer völlig einzigartigen Weise die totale Ächtung des Krieges ermöglichen . . . Die Ausschaltung des Krieges durch Anwendung der Psi-Fähigkeit bei der Aufhellung eines geplanten Überraschungsangriffs, die zuverlässige, weltweite Bekanntmachung von Kriegsplänen, die mit Hilfe von Psi aufgedeckt würden, würden schließlich dazu führen, daß man sich von dieser primitiven Form einer kriegerischen Lösung internationaler Streitigkeiten endgültig abwendet. Selbstverständlich wäre eine gewisse Dringlichkeitsordnung in der Aufdeckung von geheimen Feindplänen erforderlich. Es wäre erforderlich darauf zu achten, daß keine wirksame Anti-ESP-Abwehr und keine erfolgreiche Abschirmung gegen die durchdringenden Wahrnehmungen der Psi-Fähigkeit aufgebaut werden. Es wäre eine unbestimmte lange Reihe von immer neuen Enthüllungen drohender Geheimkomplotte, Aufdeckungen von geplanten Angriffen aus dem Hinterhalt, von geheimen, versteckten Waffen und Operationsbasen für solche Waffen erforderlich. Schließlich jedoch würde das Sonnenlicht einer solchen Ausleuchtung verborgener Kriegspläne einen günstigen Einfluß auf die Verbesserung der Weltlage haben und dazu beitragen, daß der universale Frieden als eine Notwendigkeit anerkannt und etabliert wird".

Um ein solches Ziel zu erreichen, ist nach der Meinung Rhines kein größeres Maß von ESP-Fähigkeit erforderlich, als sich bereits bisher hat nachweisen lassen. „Bereits diese Stufe der psi-Fähigkeit würde — sachgemäß ausgenutzt, verläßlich praktiziert und verständnisvoll angewandt — all die oben erwähnten Leistungen vollbringen. . . Es gibt aber auch noch viele andere Bereiche von großer Wichtigkeit für die menschliche Rasse, in denen die psi-Fähigkeit ungeheuer wertvolle Dienste leisten könnte, sobald sie zu einer praktisch anwendbaren Erkenntnisform erhoben würde. Stellen wir uns zum Beispiel eine Anwendung im Bereich der Medizin vor . . . Der einigermaßen erfolgreiche psi-Praktiker, falls er imstande wäre, mit einem gewissen Grad von Zuverlässigkeit zu arbeiten, könnte Fragen von lebenswichtigem Belange auf dem Gebiet der medizinischen Diagnose beantworten und theoretische und praktische Hilfe leisten können, indem er statt fragmentischer Informationen nutzbringende Anweisungen gibt. Aber auch andere große Bereiche menschlichen Interesses und Wirkens könnten in gleicher Weise von einer kontrollierten und organisierten Nutzbarmachung der psi-Fähigkeit profitieren. Die Wahrnehmung bis in die verborgenen Schichten der Erdkruste hinein auszudehnen, wäre eine der vordringlichsten Anwendungen des psi-Faktors, die man im Interesse der Erschließung von Mineralschätzen zum Wohle der Menschheit ausprobieren müßte. ."

Ein noch stärkerer Einfluß auf das Wirtschaftsleben der modernen Zivilisation würde sich aus der Anwendung einer regelmäßig funktionierenden psi-Fähigkeit auf die Welt des Handels ergeben. Es ist schwierig sich vorzustellen, wie die wesentlichen Tätigkeitselemente eines kapitalistischen Wirtschaftssystems unter dem alles erhellenden Blick einer wirkungsvoll betätigten ESP sich noch weiter am Leben erhalten könnten. Ein auf Konkurrenz aufgebautes Wirtschaftssystem ist seiner Natur nach auf Geheimhaltung angewiesen und würde zusammenbrechen, wenn es einer kontrollierten außersinnlichen Durchleuchtung ausgesetzt würde. „Die Manipulationen des Aktienmarktes an der Börse, der vertrauliche Charakter der Geschäftsplanung, der Verlaß auf Geheimformeln bei Konkurrenzfirmen — um nur einige Fälle zu nennen — würde unter der durchdringenden Kraft einer Psi-Durchleuchtung zusammenbrechen. Es ließe sich mit Sicherheit voraussagen, daß die bisherigen Formen menschlichen Ehrgeizes nach Beseitigung der Vorteile der Konkurrenzwirtschaft sich schließlich in konstruktive soziale Zielsetzungen umbilden würden, die eine offene Planung und eine allgemeine Billigung ermöglichten . . . So wird endlich als Ergebnis dieser neuartigen Bemühung eine menschliche Kultur entstehen, die eine positivere Struktur als die unsere aufzuweisen hat".

Derselbe J. B. Rhine schreibt noch optimistischer und phantasievoller (in dem Journal of Parapsychology vol. 36 Nr. 2 June 1972 p. 120f.) in einem Artikel mit dem Titel: Parapsychology and Man: „Wenn die Menschheit bisher in ihren verschiedenen Religions-Systemen diese merkwürdigen Psi-Aspekte der menschlichen Persönlichkeit vergöttlicht hat, wie dies tatsächlich der Fall war, so ist es nicht unvorstellbar, daß die Wissenschaft zu gegebener Zeit mehr aus ihnen machen wird als selbst die phantasievollen Gründer der Religionen zu Wege brachten, genau so wie diese ihrerseits mehr aus dem Prinzip launischer unberechenbarer Wirkung gemacht haben, das einst den Blitzstrahl Jupiters nannte. Schließlich wäre es jetzt nach all den anderen Dingen, die Menschen getan und geschaffen haben, durchaus an der Zeit, ein umfassenderes Forschungsprogramm vom Stapel zu lassen, das sich auf den Menschen im eigentlichen Sinn richtet und das von vornherein seinen Schwerpunkt in der Erforschung der Mächte hat, die die Alten in all ihren Kulturen aufs höchste verherrlichten".

Bezeichnenderweises in des gerade derartige Ideen, die in der parapsychologischen Populär-Literatur eine große Rolle spielen und in weitesten Kreisen Anhänger finden. Die Zeitschrift „Esotera", die ein Sammelbecken der Popularisierung parapsychischer Phänomene darstellt, ist voll von solchen fantastischen Prognosen des neuen Menschen, der die Kräfte der Telepathie, der Clairvoyance, der Prophetie, der Vision, der Telekinese frei beherrscht. Auch das Werk von Werner Keller „Was gestern noch als Wunder galt — Die Entwicklung der geheimnisvollen Kräfte des Menschen", ein Werk, das eine popularisierende Übersicht der verschiedenen parapsychischen Kräfte und der Geschichte ihrer Erforschung bringt, glaubt auf eine solche Prognose nicht verzichten zu können und bringt das Aufkommen des neuen Menschen, der die Macht und Möglichkeit der Para-Fähigkeiten beherrscht — um auch noch die Astrologie-Gläubigen der potentiellen Lesergemeinde seines Werkes anzuwerben — in Verbindung mit dem Beginn des Zeitalter des Wassermanns, in dem der neue Para-Tarzan auftreten wird. „Eine Sternstunde der Menschheit steht bevor". Seine Einzelprognosen sollen diese Verheißung verdeutlichen. Er schreibt (Seite 401 f.):

„ 'Wenn erst einmal die Möglichkeit besteht', meint Dr. Raynor C. Johnson, ‚die Psi-Fähigkeit bewußt und gezielt einzusetzen, dann stehen wir am Beginn einer ungeheuren Erweiterung der Kräfte des Menschen'. Das Leben jedes einzelnen würde sich in völlig anderen Bahnen als bisher bewegen können — von Geburt an. Das Erwerben des nötigen Wissens—das heute länger als ein Jahrzehnt beansprucht —könnte, die Beherrschung mehrerer fremder Sprachen eingeschlossen, in wenigen Monaten vollendet sein! Denn der riesige Speicher im Unbewußten vermag es spielend mit jedem Computer aufzunehmen, und das ‚Einflüstern' der heute bereits unübersehbar gewordenen Wissenschätze könnte im Schnellsprechtempo erfolgen. Das Programm eines Schulhalbjahres oder eines ganzen Semesters wäre in wenigen Stunden zu absolvieren. Nicht nur das allein: Was heute nur in seltenen, glücklichen Ausnahmen der Fall zu sein pflegt — daß jemand das in seinem Leben tut, wozu er berufen ist, wofür, von der Natur bereitgestellt, die Begabungen in ihm schlummern — könnte sich für jedermann verwirklichen. Berufe würden wirklich von den dazu ‚Berufenen' ausgeübt werden".

„Das Leben jedes Einzelnen würde — dank einem völlig veränderten, gewaltig erweiterten Bewußtseins und den neuerschlossenen Dimensionen seines Ichs — reicher, erfüllter und somit glücklicher sein. Mehr noch: Der Mensch wird — wissend um die Existenz des Immateriellen, Metaphysischen - auch eine völlig neue Einstellung zu der erhabenen Größe und Schönheit des Universums finden!"

„Natürlich kämen die Para-Fähigkeiten auch dem öffentlichen Leben zugute — in Wissenschaft, Wirtschaft und Technik. Die Raumfahrt könnte davon profitieren, da Clairvoyance in ferne kosmische Räume . . . teure und zeitraubende Expeditionen mit bemannten Satelliten oder mit Sonden zu ersetzen vermöchte. Von Nutzen aber wären sie auch für die Kriminalistik, da jedes Verbrechen bereits im Augenblick, da der Gedanke daran aufkommt, telepathisch entdeckt und registriert werden könnte. Genauso würden geheime Rüstungen und Kriegspläne erkannt und damit illusorisch werden".

„Nicht nur die Hoffnung auf einen solchen Wandel, sondern bereits die Evidenz der neuen wissenschaftlichen Erkenntnis über Tatsachen und Chancen, Macht und Möglichkeiten der Para-Fähigkeiten — und natürlich auch Gefahren, wenn sie in unrechte Hände gelangen — deutet auf etwas Entscheidendes hin: daß eine ungeheure Evolution sich anbahnt — die größte vielleicht, die es je auf Erden gab. Daß wir bereits die Ouvertüre erleben zu einer neuen Etappe in der Geschichte des Menschen. Denn was sich überall abzuzeichnen beginnt, wofür unzählige Anzeichen sprechen, scheint unmißverständlich eines zu bedeuten: Wir stehen an der Schwelle eines neuen Menschentums".

Auch in der sowjetrussischen und ostzonalen parapsychologischen Literatur spielen derartige futurologische Erwägungen eine große Rolle, die alle von der Hoffnung einer Manipulierbarkeit der parapsychischen Fähigkeiten inspiriert sind. Freilich sind dort die Prognosen weniger allgemein-utopischer Art, sondern auf die besonderen Verwendungsgebiete der parapsychischen Fähigkeiten bezogen. Damit ist aber in keiner Weise ausgeschlossen, daß untergründig und unausgesprochen auch solche weitergehenden Zukunftsutopien die Forschung bestimmen und zumindest als geheimer Impuls inspirieren. Immerhin hat Konstantin E. Ziolkowskij, der Vater des russischen Raketenbaus, bereits in den 30er Jahren auf die Bedeutung der Telepathie für die Weltraumfahrt hingewiesen. Er schreibt (Ryzl, Milan: Review of „Biological Radio" in JoP, Vol. 26, Nr. 3, 1962):

„In der kommenden Ära der Raumflüge sind telepathische Fähigkeiten notwendig, und sie werden der gesamten Entwicklung der Menschheit helfen. Während die Weltraumraketen dem Menschen zur Kenntnis der Geheimnisse des Universums verhelfen sollen, kann uns das Studium der psychischen Phänomene zur Erkenntnis der Geheimnisse des menschlichen Geistes führen. Die Lösung dieser beiden Probleme verspricht dem Menschen seine höchste Vollendung".

Denselben Gedanken unterstreicht 3 Jahrzehnte später, 1967, die russische Fachzeitschrift „Marine-Nachrichten". Sie berichtet: „Kosmonauten können sich im Weltraum telepathisch leichter miteinander in Verbindung setzen als mit Menschen auf dem Erdball. In das Ausbildungsprogramm der Kosmonauten wurde ein Psi-Training aufgenommen. Man glaubt, daß sie damit drohende Gefahren im voraus fühlen und vermeiden können".

Ebenso taucht schon früher der Gedanke auf, daß Telepathie auch als Mittel der interplanetarischen Verständigung dienen könnte, wenn Kosmonauten etwa Raumschiffe von Erden anderen Sonnensystemen anrufen. Telepathie könnte das Verständigungsmittel zwischen der Erde und anderen Zivilisationen im Weltall werden.

Nachdem die UFO-Forschung auch in der Sowjetunion offiziell Eingang gefunden hat, finden sich auch sowjetrussische Äußerungen über die Möglichkeit, mit Hilfe der Telepathie mit der Mannschaft der unbekannten Flugobjekte Kontakt aufzunehmen. („Horizonte der Wissenschaft" Vorlesung über Parapsychologie und UFO's, UDSSR 1968). Auch dieser Gedanke ist bereits bei Ziolkowskij ausgesprochen, der überzeugt war, „daß der Mensch seine latenten außersinnlichen Fähigkeiten entwickeln muß, um in der ihm fremden Umgebung des Weltraums zurecht zu kommen".

Auch der Präcognition wird eine solche Zukunftsbedeutung für die Weltraumfahrt zuerkannt. Der inzwischen verstorbene Biologie-Professor Dr. J. Gellerstein vom Popow-Institut hielt 1966 einen Vortrag über Präcognition. Darin legte er dar: Da die Kosmonauten sich mit extremen Geschwindigkeiten im Weltraum bewegten, müßten sie in der Lage sein, die Zukunft Vorauszusehen, um rechtzeitig auf Notsituationen zu reagieren. Sie müßten lernen zu sehen, was geschehen *wird*, ehe es sich tatsächlich ereignet. Gellerstein berichtet dies nicht nur als eine Aufgabe zukünftiger Forschung, sondern deutet an, daß angesichts der Tatsache, daß nur wenige Menschen die Gabe besäßen, die Zukunft vorauszusehen, bereits damals „ein Programm entworfen wurde, das den in Ausbildung befindlichen Kosmonauten zumindest einige Vorkenntnisse auf dem Gebiet der Präcognition vermittelt". (A. Lawrow „Das Unerklärliche — jedenfalls heute noch!" in Smena 2, 1967).

Allein die Sache mit der Manipulierbarkeit ist doch nicht so einfach, wie sich eine optimistische Hoffnung darstellt. Zunächst einmal sind die experimentell beim normalen Menschen nachweisbaren Psi-Kräfte minimal. Selbst bei den besten Testpersonen reichen sie, wie die Serienversuche von J. B. Rhine zeigen, gerade aus, um eine besonders hohe Anzahl von Treffern im Hellsehen von Kartensymbolen oder in Präcognition von den nächsten zu erwartenden Kartensymbolen oder in telekinetischer Beeinflussung von Spielwürfeln hervorzurufen, aber weiter hat es auch bisher noch keine der Versuchungspersonen gebracht. Die experimentell feststellbare Psi-Kraft bleibt in einer Minisphäre und reicht zu Mini-Kunststückchen aus, die geradezu eine Verhöhnung der hohen Erwartung darstellen, die man an eine freie großzügige Handhabung der Psi-Kräfte zur Reform der menschlichen Gesellschaft stellt.

Aber auch die Psi-Kräfte besonders hervorragender, mit Psi-Fähigkeiten überdurchschnittlich ausgestatteter Sensitiver reicht nicht weit. Mit einer gewaltigen willentlichen und physischen Anstrengung von oft mehreren Stunden der Konzentration und mit einem Gewichtsverlust von zwei Pfund je Demonstration erreicht das Sowjetrussische Telekinese-Medium Nelja Michailowa das Kunststück, ein paar Aluminiumröhrchen, ein paar Streichhölzer auf einer Glasplatte in Bewegung zu setzen oder eine Magnetnadel zum Schwingen zu bringen. Bei telepathischen Experimenten von Sensitiven reicht die aufgewandte Psi-Energie nach gewaltiger Konzentration und außerordentlicher Affektsteigerung bei totaler Abschirmung irgendwelcher Außenwelteinflüße gerade aus, unter günstigsten, störungsfreien Experimentbedingungen ein einziges Symbol, einen einzigen Impuls zu übertragen.

Aber selbst dort, wo die Psi-Kräfte in dem genannten Mini-Rahmen tatsächlich funktionieren, ist ihre Aktivität niemals in freier Handhabung genau reproduzierbar, sondern ist irrationalen Schwankungen ausgesetzt, die sowohl durch physische Erkrankungen wie vor allem durch seelische Einflüße hervorgerufen sein können. Gerade die Massenexperimente von Rhine haben zu dem eigentümlichen Ergebnis geführt, daß die experimentell aus der Menge der Durchschnitts-Versuchspersonen hervorragenden Hellseh- oder Telepathie-Stars oft nach kurzer Zeit ihre Fähigkeit wieder verloren. Eine geplatzte Verlobung, und Psi ist weg, manchmal für immer!

Hierfür einige Beispiele:

J. Gaither Pratt, ein Mitarbeiter von Professor Rhine, machte längere Zeit Psi-Versuche mit einer besonders sensitiven Testperson, dem Studenten Hubert Pearce. In seiner Abhandlung „Der Durchbruch zur ASW", die in deutscher Übersetzung in Wege der Forschung Bd. IV, Parapsychologie, Entwicklung, Ergebnisse, Probleme, hgg. von Hans Bender, Darmstadt 1966, veröffentlicht ist, schreibt Pratt abschließend: „Kurz nachdem dieses Experiment abgeschlossen war, verlor Hubert seine Fähigkeit, in den Kartentests überzufällig zu ‚raten'. Dies geschah ziemlich plötzlich, als er eines Tages ins Laboratorium kam und berichtete, daß er von zu Hause sehr beunruhigende Nachrichten erhalten habe". Die Fähigkeit ist auch, wie Pratt hervorhebt, bei ihm später nicht wieder hervorgetreten.

J. B. Rhine erwähnt in seiner Abhandlung: „Einführung in die Parapsychologie" im selben von Bender herausgegebenen Handbuch

S. 333 das Phänomen des Absinkens der Trefferzahlen bei einer Versuchsperson, die eine lange Reihe von Versuchen durchläuft und bemerkt dazu S. 334: „Sogar wenn die Versuchsperson ihre Psi-Fähigkeit in irgendeiner Form ausübt, bleibt sie natürlich eine ganze Persönlichkeit mit allen ihren Funktionen und Vorgängen, die zur gleichen Zeit wirksam sind. Einige von ihnen begünstigen möglicherweise das Auftreten von Psi in einer Testsituation, während andere es verhindern können".

Dasselbe gilt auch für ganze Experimentiergruppen. Es zeigt sich, daß die Gesamttrefferzahlen einer bestimmten Gruppe, die sich gemeinsam parapsychischen Tests unterzieht, in dem Schwung der Anfangsbegeisterung höher ist, daß sie aber nachläßt, wenn Personen der Testgruppe ausgewechselt werden und wenn sich in der langfristigen Durchführung der Tests eine gewisse Routine herausbildet. Ebenso können physische Erkrankungen, schon ein Schnupfen, die Wirkung von Psi reduzieren oder zum Erliegen bringen.

Dasselbe gilt auch für die Experimente in der Sowjetunion. Die von den Sowjets im März 1967 veranstalteten Experimente des Austauschs telepathischer Botschaften von Moskau nach Leningrad fanden unter Mitwerkung zweier Sensitiver, Nikolajew und Kaminski statt. Der telepathische Kontakt zwischen Sender (Kaminski) und Empfänger (Nikolajew) kam dadurch zustande, daß sich Kaminski mit allen Sinnen vorstellte, daß er „aus Nikolajew Schaschlik mache". Er boxte ihn in seiner konzentrierten Vorstellung ins Gesicht, trat ihn vor die Schienbeine und warf ihn zu Boden. Eine „lange Runde" dieses „Schlaschlik-Machens", die 45 Sekunden dauerte, entsprach im Morse-Code einem Strich. Eine „kurze Runde" von 15 Sekunden stand für einen Punkt. In Leningrad wurde von Nikolajew ein Elektro-Encefalogramm aufgenommen. Nikolajew, der sich der Emotion bewußt war, die der ferne Kaminski auf ihn richtete, verzeichnete die Zeitdauer des Empfangs: lang oder kurz. Allein, gerade diese Versuche erwiesen sich als nicht beliebig produzierbar, sondern aufs stärkste von den physischen und psychischen Bedingungen der Testpersonen abhängig. Bei entsprechenden Versuchen, die zwischen einem in Sibirien stationierten Sender und einem Empfänger in Moskau ausgeführt wurden, kam es zu negativen Ergebnissen, als der Sender erkrankte.

Es ist auch durchaus fraglich, wie weit telepathische Kontakte, die unter so gewaltigen emotionalen Anstrengungen ausgeführt werden müssen, dann funktionieren, wenn der Sender z.B. in einem Unterseeboot oder in einem Weltraumschiff ernsthaften äußeren Störungen bei einer vorliegenden Notsituation ausgesetzt ist.

Psychologisch von besonderer Bedeutung ist die Manipulation von Psi durch betrügerische Mittel. In den Anfängen der parapsychologischen Forscher haben naturwissenschaftliche Mitglieder der SPR von einem rationalistischen Wissenschaftsbegriff her die Behauptung aufgestellt, alle parapsychischen Phänomene beruhten auf Tricks und seien Schwindel. Manche haben sich selber, wie bereits erwähnt, von Taschenspielern in der Beherrschung von Zaubertricks ausbilden lassen, um so die Medien demonstrativ zu „entlarven". Der Nachweis der totalen Schwindelhaftigkeit der spiritistischen Phänomene ist aber nicht gelungen, weil es durch eine sehr subtile Methode der Kontrolle spiritistischer Medien gelungen ist, alle Anwendungen von Tricks auszuschließen. Die These, alle parapsychologischen Phänomene beruhten auf Tricks, ist also falsch.

Trotzdem besteht ein Sachzusammenhang zwischen der Produktion parapsychischer Phänomene durch Medien und der Beherrschung schwindelhafter Tricks. Gerade der launische Charakter der parapsychischen Fähigkeiten, die nicht dem Willen unterstehen und auch beim sensitivsten Medium nicht jederzeit aktivierbar sind, sondern leiblichen, seelischen und geistigen Stimmungen und Gemütsschwankungen unterworfen sind, enthalten für Berufsmedien, die von der Produktion ihrer medialen Fähigkeiten leben, die Versuchung, in solchen Fällen, in denen die Parafähigkeit aus den genannten Gründen versagt oder nur schwach wirkt, nachzuhelfen.

Gerade solche Forscher der Parapsychologie, die wie Schrenk-Notzing jahrzehntelang mit denselben Medien zusammengearbeitet haben, haben auf die komplizierte Psychologie der Medien hingewiesen, die sich in einem Zustand ständiger Spannung befinden: Einerseits treten an ihnen besondere parapsychische Fähigkeiten hervor, die von ihnen in einer ganz bestimmten weltanschaulichen Weise interpretiert und praktisch verwandt werden. Das Auftreten dieser Phänomene führt mit einer gewissen Selbstverständlichkeit zu ihrer berufsmäßigen Handhabung. Zahlreiche Medien sind dazu übergegangen, sich ihren Lebensunterhalt durch öffentliche Vorführungen oder Darbietungen in geschlossenen Zirkeln zu verdienen, und haben sich auf diese Weise vom regelmäßigen Funktionieren ihrer parapsychischen Fähigkeiten abhängig gemacht. Eben durch ihre berufsmäßige Ausübung sahen sie sich darauf angewiesen, über diese Fähigkeiten jederzeit frei verfügen und diese programmgemäß und nach dem Terminkalender verführen zu können. Andererseits zeigte sich gerade hier in peinlicher Weise, daß diese parapsychischen Kräfte von der Persönlichkeitsstruktur des betreffenden Mediums, von seinen geistigen, seelischen und leiblichen Lebensbedingungen aufs stärkste abhängig waren. Es waren eben nicht Gaben, die mechanisch funktionierten, so wie beim Explosions-Motor bei einer bestimmten Kraftstoff-Mischung und einer bestimmten Kompression bei Herbeiführung der Zündung eine Explosion im Kolben eintritt, wenn die Zündung im richtigen Augenblick erfolgt.

Hier setzt nun mit einem gewissen Automatismus die Versuchung zum Betrug ein. In Situationen, in denen die parapsychischen Fähigkeiten mit geringer Kraft wirken oder ganz aussetzen, in denen aber ihr Funktionieren durch das angekündigte Programm und den Terminkalender gefordert werden, wird das Medium versucht, mit allerlei Tricks nachzuhelfen. So kommt es zu der paradoxen Situation, daß gerade die hervorragendsten Medien, die einwandfreie parapsychische Glanzleistungen aufgewiesen haben, in solchen schwachen Augenblicken der Fälschung und der Anwendung von Tricks überführt werden konnten, wie dies z.B. bei dem weltberühmten neapolitanischen Medium Eusapia Paladino der Fall war.

Die ungläubigen Positivisten unter den parapsychischen Forschern haben sich natürlich mit Freude auf die entdeckten Schwindelfälle gestürzt, um zu erklären, *alle* parapsychologischen Leistungen von Medien seien erschwindelt. Diese Verallgemeinerung ist nachgewiesenermaßen falsch. In einem gewissen Sinn haben die parapsychologischen Forscher selber gelegentlich die Medien zum Versuch, durch Tricks nachzuhelfen, verleitet. Solche Täuschungsmanöver wurden nämlich gelegentlich auch bei solchen Medien nachgewiesen, die nicht darauf angewiesen waren, ihre parapsychischen Fähigkeiten aus Berufsgründen zur Sicherung ihres Lebensunterhaltes zu produzieren. Bei wirtschaftlich gut gestellten Medien aus höheren Kreisen, die sich freiwillig einer Untersuchung ihrer parapsychischen Fähigkeiten durch prominente Gelehrte zur Verfügung stellten, waren es der wissenschaftliche Ehrgeiz und das Prestige, das ihnen aus dieser Untersuchung durch prominente Forscher und aus der wissenschaftlichen Bestätigung ihrer einzigartigen Sonderstellung erwuchs, der Anlaß, in solchen Situationen nachzuhelfen, in denen aus irgendwelchen seelischen oder leiblichen Gründen die parapsychischen Fähigkeiten zu Termin des anberaumten Experiments versagten.

Ein solcher Fall kam auch z.B. vor wenigen Jahren in der Sowjetunion vor.

In der Sowjetunion erregte die Sensitive Rosa Kuleschowa aus der Bergwerkstadt Nischnij Tagil im mittleren Ural größtes Aufsehen, weil sie die Fähigkiet entwickelte, mit den Händen zu lesen. Unter der Kontrolle vieler wissenschaftlicher Institute bis hin zu dem Biophysikalischen Institut der sowjetischen Akademie der Wissenschaften in Moskau entwickelten Rosas Hände das augenlose Sehen in einem erstaunlichem Maße. Ihre Fähigkeit wurde auch durch Rundfunkstationen und Fernsehstationen der Sowjetunion der breitesten Öffentlichkeit vorgeführt und erregte größtes Aufsehen. In Moskau entwickelte sich dann Rosa unter dem Einfluß ihres wissenschaftlich anerkannten und lautstark propagierten Ruhmes zum Star. Die Labor-Tests arteten zu Schauvorstellungen aus. Rosa nahm Herausforderungen an, die sie, wie sie wohl selber wußte, nicht erfüllen konnte. Bei ihren öffentlichen Vorstellungen nahm sie mit der Routine einer Diva die Huldigungen ihrer Bewunderer entgegen. Schließlich wurde sie auf frischer Tat bei einer Schwindelei ertappt. In ihrem Fall war der Betrug - die Einschmuggelung einer Bildpostkarte - so primitiv, daß ihr Verhalten mehr für einen gestörten Geisteszustand als für planmäßige Scharlatanerie sprach. Rosa fühlte sich krank, sie verlor an Gewicht, hatte lang-anhaltende Weinkrämpfe und verlor die Fähigkeit des augenlosen Sehens. Erst der Bemühung von Dr. Gellerstein und einigen Mitgliedern der Akademie der Wissenschaften in Moskau gelang es, sie wieder zur Produktion der früheren echten Tests zurückzubringen (s. Psi S. 162 ff.).

Psychologisch liegt dieser Fall ganz analog zu der Versuchung, der auch Medien von anderen Gebieten wie der Telekinese und der spiritistischen Phänomene ausgesetzt sind. Auch dies zeigt die Grenzen der Verfügbarkeit der Psi-Fähigkeiten. Diese sind durch die einfache Tatsache gegeben, daß es sich auch bei höchsten Sonderleistungen von Psi-Kräften um Fähigkeiten einer menschlichen Welt handelt, die in dem geschichtlichen Gesamt-Zusammenhang des geistigen, seelischen und leiblichen Lebens dieser Welt hereingehören. Sie sind nicht ständig manipulierbar und treten auch nicht ständig in derselben Stärke auf, sondern sind den spezifischen menschlichen Schwankungen unseres Lebensrhythmus' ausgesetzt.

Noch ein anderes Motiv der Kritik drängt sich hier auf: Erstaunlicherweise herrschen in den Prognosen einer freien Verfügbarkeit der Psi-Fähigkeit in der kommenden Menschheit die optimistischen Züge vor, eine unausgesprochene Bestätigung der Tatsache, daß alle diese Futurologen mit einer naturhaften Güte des Menschen rechnen und von seiner Anfälligkeit für das Böse und die Sünde nichts wissen wollen. Daß die Psi-Fähigkeiten auch in einem bösen Sinn mißbräuchlich verwendet werden können, klingt nur ausnahmsweise an. Sowjetische Forscher wie Naumow haben dies angedeutet in der Beteuerung: „Ich hoffe nur, daß das Geheimnis der Psychokinese nicht in die Hände derer fällt, die sie als Waffe verwenden würden". Auch die Verfasserinnen des Buches „PSI" deuten eine solche Möglichkeit an, indem sie ihr Kapitel über Psychokinese mit den Worten beschließen:

„Man brauchte diese Energie „X" nur wenige Augenblicke gegen irgendeine komplizierte Anlage — eine Raketenbasis, ein Atomkraftwerk oder das Elektrizitätswerk einer modernen Stadt — einzusetzen, um ein totales Chaos, eine unvorstellbare Katastrophe herbeizuführen. Ein amerikanischer Parapsychologe hat es so ausgedrückt: ‚Die PK könnte die letzte Waffe sein' ". Aber gerade die Verwendung von Psi als Waffe macht ja das Studium der parapsychischen Fähigkeiten für die Supermächte so attraktiv!

Gerade dieses Problem einer Verwendung der Psi-Fähigkeiten im Dienst des Bösen zur Ausübung einer selbstsüchtigen Beherrschung der Menschen durch den Menschen ist bereits den Gläubigen der ältesten christlichen Gemeinden bekannt. Es erscheint dort in der Gegenüberstellung des charismatischen Apostels, dem die Gabe des Heiligen Geistes als göttliches Gnadengeschenk verliehen wurde, und des Magiers Simon, der glaubt, von sich aus aufgrund seiner esoterischen Künste über übermenschliche Geistesgaben verfügen zu können. Für die urchristliche Gemeinde war die Betonung der Nicht-Manipulierbarkeit der Gaben des Heiligen Geistes deswegen besonders wichtig, weil sie in einer religiösen Umwelt lebte, in der im Rahmen der verschiedenartigen öffentlichen und Mysterien-Kulte zahlreiche Magier, Goëten, Wahrsager, Totenbeschwörer und Heiler auftraten.

Der grundsätzliche Unterschied zwischen den Gaben des Heiligen Geistes und der manipulierten Verwendung von Psi ist in der Apostelgeschichte, c. 8, 9-24, in der Erzählung dargestellt, in der die Tätigkeit des Magiers Simon der Tätigkeit der Apostel Petrus und Johannes in Samarien gegenübergestellt wird. Dort heißt es von der Tätigkeit der Apostel in Samarien: „Da legten sie die Hände auf sie, und sie empfingen den heiligen Geist. Da aber Simon sah, daß der heilige Geist gegeben ward, wenn die Apostel die Hände auflegten, bo- er ihnen Geld an und sprach: ‚Gebt mir auch die Macht, daß, so ich jemand die Hände auflege, derselbe den heiligen Geist empfange'. Petrus aber sprach zu ihm: ‚Daß du verdammt werdest mit deinem Gelde, darum daß du meinst, Gottes Gabe werde durch Geld erlangt! Du wirst weder Teil noch Anfall haben an diesem Wort, denn dein Herz ist nicht rechtschaffen vor Gott. Darum tue Buße für diese deine Bosheit und bitte Gott, ob dir vergeben werden möchte die Tücke deines Herzens. Denn ich sehe, daß du bist voll bitterer Galle und verknüpft mit Ungerechtigkeit!' " Simon der Magier ist das biblische Urbild des Menschen, der versucht, den Heiligen Geist zu manipulieren und für selbstsüchtige Zwecke der persönlichen Macht, des Einflusses, des Ansehens zu mißbrauchen.

In den apokryphen Petrusakten ist dieser Gegensatz zwischen dem Magier Simon und dem Apostel Petrus noch anschaulicher dargestellt: dort tritt Simon Magus auf als der Mann, der über Psi in vollem Umfang verfügt und nach Belieben Wunder hervorrufen kann, wobei bezeichnenderweise zu diesen Wundern auch verblüffende technische Tricks fliegerischer Art gehören. Es kommt dann in den Petrus-Akten zu einem regelrechten Konkurrenzkampf zwischen Psi und Heiligem Geist, in dem der Magier Simon schließlich durch die Wunderkraft des Heiligen Geistes, die in den Aposteln wirkt, übertrumpft und überwunden wird.

Dieses Thema kehrt im übrigen gerade in moderner Form in christlicher Endzeiterwartung wieder. Besonders auffällig ist hier die im Blick auf die eigene Zeitgeschichte dramatisierte Naherwartung, wie sie Wladimir Soloview in seinen „Drei Gesprächen" 1889-90 ausgesprochen hat. In ihnen zeichnet Soloview in prophetischer Weise das unmittelbar bevorstehende Ende der menschlichen Geschichte, in der sich die Weissagungen der letzten Kapitel der Johannes-Apokalypse erfüllen werden. Die endzeitlichen Hauptfiguren der kommenden Epoche der Weltgeschichte sind die Gestalten des Anti-Christ und des falschen Propheten, wie sie in der Johannes-Apokalypse beschrieben werden. Der Anti-Christ ist bei Soloview als Herr der Vereinigten Staaten von Europa gezeichnet, die sich nach der Verwüstung Europas durch die Mongolen und nach einer gemeinsamen Besiegung dieses Feindes zu einer politischen Einheit zusammenschließen. Er ist die anziehendste, strahlendste und imposanteste Figur seiner Zeit, die von einem dämonischen Selbstbewußtsein erfüllt ist.

Der Anti-Christ tritt auf als der Herr der Welt, der den irdischen Frieden, das irdische Glück, die Vollendung einer innenpolitischen Sozialordnung in einem Endreich der befriedeten Kultur heraufführt. Zu dem Herrn der Welt tritt ein großer Prophet, ein genialer Magier namens Apollonius, der in sich auf wundersame Weise die Beherrschung der letzten Ergebnisse der westlichen wissenschaftlichen Technik mit der Kenntnis alles dessen vereinigt, was die Mystik und Magie des Ostens an Bedeutendem enthält. Er ist es, der die göttliche Verehrung des Weltkaisers durch seine magischen Aktionen durchzusetzen beginnt und der diesem hilft, die letzte und größte Forderung des Herrn der Welt — die Herrschaft über die Geister und Herzen der Menschen — zu verwirklichen.

Das charakteristische Neue an dem Bild des Anti-Christ und seines Propheten ist bei Solowjew die Entdeckung der Manipulation der Psi-Kräfte durch den Anti-Christ und seinen Propheten. Apollonius beherrscht nicht nur die technischen Erfindungen seiner Zeit, sondern auch die Künste einer parapsychischen Beeinflußung des menschlichen Geistes durch die Macht der Verführung des Einzelnen und der Massen, um die Herrschaft des Anti-Christ auf Erden auszuweiten. Er beherrscht die Kräfte der Elektrizität, kann mit seinem Willen die atmosphärische Elektrizität anziehen und lenken, kann telepathisch die Geisteshaltung der Massen beeinflussen. Letzthin benutzt er alle diese Künste dazu, die Kirche Christi und ihre Häupter zu zerschmettern, wie dies bei der Enthüllung des Anti-Christ-Charakters des Weltkaisers bei dem großen Weltkonzil in Jerusalem der Fall ist.

Apollonius vernichtet die drei Führer des Widerstandes gegen den Weltkaiser, Papst Petrus II., den Presbyter Johannes, den Theologie-Professor Ernst Pauli, — die geistlichen Führer der gläubigen, nicht verführten Rest-Gruppen der Katholiken, der Orthodoxen und der Protestanten — durch seine magischen Künste in der Sekunde, in der er den Kaiser öffentlich als Anti-Christ proklamiert. Im Kronsaal von Jerusalem wird Apollonius, der Magier, zum Nachfolger des getöteten Petrus II. ernannt. So wird der Magier zum Papst der vereinigten Kirchen! Schon regt sich die Unterwelt; die Dämonen in der Höhle unter dem Tempel, dem Eingang zur Unterwelt, drängen zur Befreiung, aber der Zauberer versteht sie noch durch geheimnisvolle Formeln zu bannen. Unerhörte Festlichkeiten und Kundgebungen beschließen das Werk der letzten Einigung der Welt.

Die Wiedererweckung von Petrus und Johannes aus dem magischen Tod durch den Geist Gottes vollzieht sich in der Wüste, wo die endzeitliche Einigung der wahren, kleinen Gemeinde der Erwählten stattfindet. Aus dem Dunkel der Nacht tritt eine himmlische Erscheinung, das Weib mit der Sonne bekleidet, mit dem Mond unter ihren Füßen hervor, das Bild der himmlischen Kirche.

Das Geschehen in Jerusalem treibt inzwischen seiner letzten Hybris zu. Der Erfolg des Kaisers und seines Magiers ist überwältigend. Der neue Papst verführt vollends alle oberflächlichen Christen, die den Kaiser bisher noch nicht als Anti-Christ erkannt haben, und eröffnet einen satanischen spiritistischen Kult: „Er erklärt, daß er durch die Macht seiner Schlüssel die Tür, die das Erdenleben von der transzendenten Welt trennt, geöffnet habe. In Wahrheit wurde die Gemeinschaft der Lebenden mit den Toten und auch der Menschen mit den Dämonen eine allgemeine Erscheinung und es entstanden neue unerhörte Arten mystischer Unzucht, Dämonolatrie". So verkehrt sich die Weltreligion, die sich als Erfüllung der Geschichte ausgibt, in den wahren Satanismus.

Hier ist also das Verhältnis zwischen den zu selbstsüchtigen Zwekken der menschlichen Beherrschung manipulierten Psi-Kräfte und den christlichen Geistesgaben in einer endzeitlich geschauten Form polarisiert.

Es wäre nun allerdings verfehlt, diese radikale Konfrontation auf das heutige Verhältnis von Parapsychologie und christlicher Theologie zu übertragen. Die Parapsychologie versucht ja ihrerseits, die verschiedenen parapsychischen Phänomene wissenschaftlich zu erforschen und bezieht auch die dämonologische Auslegung dieser Phänomene in den Bereich ihrer kritischen Untersuchungen ein. Aber wir sollten aus dieser kritischen Auseinandersetzung der Urchristenheit mit einer an parapsychischen Erfahrungen, medialen Persönlichkeiten und magischen Praktiken ungewöhnlich reichen Umwelt doch wenigstens lernen, scheinbar gleichartige parapsychische Phänomene nicht vorschnell zu identifizieren, auf die unverwechselbaren Eigentümlichkeiten spezifisch christlicher Charismata zu achten, und vor allem den fundamentalen Unterschied im Auge zu behalten, der darin besteht, daß die christlichen Geistesgaben nicht manipulierbar sind. Ein Christ sollte darum jeden Versuch ihrer Manipulation, ihrer gezielten Einsetzung und ihrer finanziellen Auswertung ablehnen. Von hier aus sollte man auch alle Versuche der militärischen, politischen und wirtschaftlichen Manipulation der parapsychischen Kräfte, wie sie bereits von sowjetrussischer und amerikanischer Seite unternommen wurden und werden, mit kritischen Augen betrachten.

WALTHER MATTHES

ZUR ENTSTEHUNG DES KREUZABNAHME-RELIEFS AN DEN EXTERNSTEINEN

Das Problem der Datierung und ein Ansatz für die Lösung

Die Externsteine liegen im Teutoburger Walde und zwar dort, wo dessen langgestreckten Höhen das Stadtgebiet von Horn—Bad Meinberg unmittelbar berühren. Mit ihren schroffen Formen fällt die Felsengruppe in der freundlichen Mittelgebirgslandschaft als eine besondere Erscheinung auf und dient seit vielen Jahrzehnten als eine beliebte Ausflugsstätte, die ihre Besucher immer wieder zu fesseln vermag. Dabei ist zweifellos nicht ohne Einfluß, daß an dem natürlich entstandenen Gebilde auch einige Werke von Menschenhand zu sehen sind, die aus früheren Zeiten stammen und ebenfalls eine besondere Eigenart aufweisen. Es hat von jeher Schwierigkeiten bereitet, die seltsamen Anlagen im Rahmen des Bekannten unterzubringen. Je mehr man sich damit beschäftigt, um so stärker macht sich der Eindruck geltend, daß in dem Ganzen noch ein Geheimnis verborgen ist, dessen endgültige Aufklärung immer noch aussteht. So ist es nicht zu verwundern, daß die bisherigen Deutungsversuche zu recht verschiedenen Ergebnissen geführt haben, was sowohl für die Gesamtheit der Anlagen wie für die einzelnen Teile gilt [1].

Unter den Einzelgebilden ist vor allem eine Monumentalplastik zu nennen, die sich an der steilaufsteigenden Nordostwand des ersten Felsens befindet und dem Besucher der Stätte schon durch die un-

---

[1] Eine vollständige Übersicht über die Externsteine-Schriften, die bis zum Jahre 1956 erschienen sind, enthält die „Lippische Bibliographie", herausgegeben vom Landesverband Lippe, bearbeitet von Wilhelm Hansen (1957), auf S. 1493-1515. — Auch in den neueren Veröffentlichungen, die seit 1956 erschienen sind, werden Ansichten vertreten, die stark von einander abweichen. Es seien nur einige Beispiele genannt: Ferdinand Seitz, „Steinerne Urkunden" an den Externsteinen. 1959. — Hans Gsänger, Die Externsteine. 1964. — Franz Flaskamp, Externsteiner Urkundenbuch. 1966. — Freerk Haye Hamkens, Der Externstein. 1971.— Erich Kittel, Die Externsteine. 5. Auflage 1973.— Johannes Mundhenk, Externsteine. In: Lippische Sehenswürdigkeiten, Heft 2, 1974.

gewöhnliche Größe ein Rätsel aufgibt. Sie veranschaulicht einen bekannten Vorgang der christlichen Heilsgeschichte und zwar die Kreuzabnahme Jesu Christi, die nach den Berichten der Evangelien am Karfreitag auf die Kreuzigung gefolgt ist. Die Formgebung des stattlichen Reliefs ist großzügig und feierlich und der Bedeutung des Geschehens auf Golgatha angemessen. Doch ist etwas ganz Unübliches darin zu sehen, daß die auffallend große Wiedergabe einer religiösen Szene nicht im Innern eines geschlossenen Sakralraumes, sondern einfach unter freiem Himmel in einem unbewohnten Felsengelände ihren Platz gefunden hat.

Ein recht schwieriges Problem wird angesprochen, wenn nach dem Alter der Skulptur gefragt wird. Zwar ist an der Art der Gestaltung ohne weiteres zu erkennen, daß sie nicht aus den letzten Jahrhunderten stammen kann. Ihr Ursprung ist in einer weiter zurückliegenden Vergangenheit zu suchen, und ohne viel Mühe wird man zu dem Ergebnis kommen, daß es sich um ein Werk aus dem Mittelalter handelt.

Aber welchem besonderen Abschnitt dieser langen Zeitspanne wird man das kunstvolle Gebilde zuweisen dürfen? Welche Menschen haben es geschaffen, und was hat sie dazu veranlaßt? Warum ist gerade dieser Teil des Passionsgeschehens ausgewählt worden, um an der zerklüfteten Felsenwand für sich alleine und in solcher Größe gezeigt zu werden? Von welcher Art war die historische Situation, in deren Rahmen das Zustandekommen einer so großartigen künstlerischen Schöpfung überhaupt erst möglich geworden ist?

All diese Fragen müssen sich einem aufmerksamen Beobachter bei längerem Nachsinnen aufdrängen und werden als offene Fragen vor ihm stehen bleiben und zwar nicht nur dann, wenn ihm die einschlägigen Untersuchungen noch unbekannt sind. Auch wer die Erörterung des chronologischen Problems vollständig überblickt, wird sich in der gleichen Lage befinden. Gerade derjenige, der sich mit den bisherigen Erklärungsversuchen von Grund auf und bis in alle Einzelheiten hinein vertraut gemacht hat, wird sich der Einsicht nicht verschließen können, daß über die Entstehung der schwer bestimmbaren Skulptur noch nicht das letzte Wort gesprochen worden ist und daß die aufsteigenden Fragen bisher keine wirklich befriedigende Antwort erhalten haben.

Beginn der Forschung und Schwierigkeit der Aufgabe

Die wissenschaftliche Beschäftigung mit den Externsteinen ist fast genau 150 Jahre alt. Dabei hat man auch die Frage nach der Datierung des auffallenden Bildwerks von Anfang an gestellt und zu beantworten versucht. Das läßt der Inhalt von vier Schriften erkennen, die vor 150 Jahren erschienen sind und als der erste Niederschlag einer beginnenden Externsteine-Forschung gelten können. Sie sind fast gleichzeitig nebeneinander entstanden und kurz nacheinander in den Jahren 1823 und 1824 der Öffentlichkeit vorgelegt worden.

Die erste ist von dem Hofrat Dr. Dorow verfaßt worden [2], einem vielseitig interessierten Mann, der unter anderem auch ein Liebhaber von Ausgrabungen und Altertümern war und kurz vorher in Bonn das Amt eines staatlichen Denkmalpflegers für die rheinisch-westfälischen Provinzen erhalten hatte. Die zweite Schrift ist ebenfalls das Werk eines sogenannten „Dilettanten" gewesen, der geschichtliche Forschungen betrieb, und zwar des Pyrmonter Badearztes und Hofmedikus Dr. Karl Theodor Menke [3]. Die dritte Veröffentlichung wird einem speziellen Fachmann der Historie verdankt, dem Archivrat Christian Gottlieb Clostermeier in Detmold, der mit der Geschichte jener Landschaft gut vertraut war [4], während die vierte Stellungnahme aus der Feder eines erfahrenen und weitblickenden Kunstfreundes gekommen ist, der in Weimar lebte. Es war Johann Wolfgang von Goethe [5]. So verschieden die vier Persönlichkeiten nach Lebensstellung, Gesichtskreis und Wirksamkeit waren, so verschieden sind auch ihre Externsteine-Schriften ausgefallen. Das hat den Vorteil mit sich gebracht, daß schon zu Beginn der Forschung eine beachtliche Vielfalt der Aspekte in Erscheinung getreten ist und daß sowohl die entscheidenden Angelpunkte wie auch die großen Schwierigkeiten der hier vorliegenden chronologischen Problematik von Anfang an sichtbar wurden.

---

[2] Wilhelm Dorow, Die Externsteine (eostrae rupes) in Westfalen. In: Dorow, Die Denkmale germanischer und römischer Zeit in den Rheinisch-Westfälischen Provinzen. Band 1 (1823), S. 71-81.

[3] Karl Theodor Menke, Lage, Ursprung, Namen, Beschreibung, Alterthum, Mythus und Geschichte der Externsteine. 1823.

[4] Christian Gottlieb Clostermeier, Der Eggesterstein im Fürstenthum Lippe. 1824.

[5] Johann Wolfgang von Goethe, Die Externsteine, Kunst und Altertum 5 (1824). S. 130-139. — Goethes Werke (Sophien-Ausgabe), Abth. 1, Bd. 49 (2), S. 46-52.

Zunächst hat die Einmaligkeit dieser künstlerischen Schöpfung allen Datierungsversuchen als ein Hindernis im Wege gestanden. Der singuläre Charakter des ungewöhnlichen Werkes hat zur Folge gehabt, daß keine entsprechende Großplastik nachgewiesen werden konnte, die geeignet gewesen wäre, in einer stilvergleichenden Untersuchung als ein sicher datierendes Gegenstück zu dienen. Dazu kommt, daß die Skulptur keine Inschrift trägt, die über den Künstler oder die Entstehungszeit eine zuverlässige Auskunft geben könnte. Ebensowenig ist in der schriftlichen Überlieferung des Mittelalters irgend eine Mitteilung über den Bildhauer oder den Stifter, auch nicht über die Zeit oder den Anlaß der Herstellung zu finden. So steht für eine unmittelbare Unterrichtung keine zeitgenössische Geschichtsquelle zur Verfügung. Damit befindet sich die Forschung in einer mißlichen Lage. Sie ist auf einen Umweg angewiesen. Zuerst muß die Geschichte des Ortes ganz allgemein ins Auge gefaßt werden, damit unter Einsatz von verbindenden Hypothesen der Versuch möglich wird, das zu datierende Kunstwerk an einer geeignet erscheinenden Stelle der erschlossenen oder auch nur vermuteten Gesamtentwicklung einzuordnen. Das ist in verschiedenen Anläufen auch immer wieder unternommen worden und zwar von Anfang an. Auch die vier erwähnten Verfasser haben schon einen solchen Umweg eingeschlagen, um zu einer Altersbestimmung zu gelangen.

Dabei ist zu beachten, daß bereits in diesen ersten wissenschaftlichen Veröffentlichungen der wesentliche Kern der chronologischen Problematik deutlich zutage getreten ist und zwar dadurch, daß dort zwei Datierungen des Reliefs angeboten wurden, die auffallend stark voneinander abweichen. Denn auf der einen Seite wurde für die Entstehung des Kunstwerkes die Zeit der Karolinger in Anspruch genommen und auf der anderen das 12. Jahrhundert genannt. Der erste Vorschlag stammte von Dorow und Goethe, der zweite von Menke und Clostermeier. Die Differenz zwischen den beiden Zeitangaben beträgt also 300 Jahre. Die Frage liegt nahe, wie es zu einem so großen Unterschied hat kommen können, und welche Gründe für die einzelnen Ansätze geltend gemacht worden sind.

Datierungsvorschläge von Dorow und Goethe

Dorow und Goethe sind von der Auffassung ausgegangen, daß an der ehrfurchtgebietenden Stätte der Externsteine ursprünglich ein heidnisches Heiligtum gestanden habe. Daraufhin haben sie vermutet, daß ein Ort von derartiger Bedeutung in der Umbruchszeit des frühen Mittelalters ein besonderes Schicksal habe erfahren müssen, und daß es bei Einführung des Christentums gerade dort zu der Anlage der Skulptur gekommen sei. Freilich konnte man diese These nicht durch zeitgenössische Nachrichten belegen. Es wurde auch nicht versucht, die konkreten Einzelheiten einer solchen Situation zu ermitteln. So kann hier von einem richtigen Beweis nicht die Rede sein. Die Aussagen der beiden Verfasser waren lediglich darauf abgestellt, den Blick auf die Möglichkeit dieser Datierung zu lenken und sie so einleuchtend wie möglich erscheinen zu lassen, damit sie beim Leser einen Anklang finden könnte.

Dorow [2] hat unter dem Eindruck einer Mitteilung des geschichtskundigen Pfarrers Hamelmann aus dem Jahre 1564 gestanden, der folgendes geäußert hatte. Er habe einmal in älteren Schriften gelesen, daß Karl der Große an den Externsteinen ein heidnisches Stammesheiligtum zerstört und an dessen Stelle einen „gottgeweihten Altar" errichtet habe, der mit Apostelfiguren geschmückt worden sei. Ferner hat sich Dorow auf die Aussagen der örtlichen Volksüberlieferung berufen, die in seiner Zeit noch allerlei Erinnerungen an die vorchristliche Bedeutung der Stätte bewahrt habe. Auch das bekannte Schreiben des Papstes Gregors des Großen hat er herangezogen, das den missionierenden Geistlichen den Ratschlag gegeben hat, die christlichen Kirchen möglichst an heidnischen Kultstätten anzulegen. All diese Hinweise hat Dorow recht unsystematisch und sprunghaft in den Gang seiner sonstigen Ausführungen eingeflochten, die zum guten Teil aus kurz gefaßten Erläuterungen der zahlreichen Abbildungen seines Werkes bestehen. In diesem Zusammenhang erscheint dann auch unvermittelt und ohne daß eine chronologische Untersuchung vorangegangen wäre, seine Aussage über das Alter des Kunstwerks. Sie lautet: „Die Kreuzabnahme dürfte wohl das älteste und gewiß merkwürdigste Bildhauerwerk sein, das wir aus christlicher Zeit in Deutschland aus Stein besitzen. Es hat den Charakter der Zeit zwischen Karl und Otto dem Großen, und ist seiner Komposition und Größe wegen von unschätzbarem Werthe". Als eine Stütze für diese Datierung soll ein Hinweis auf die oben erwähnte Mitteilung des Pfarrers Hamelmann dienen, die in einer Anmerkung wörtlich wiedergegeben, aber nicht weiter besprochen worden ist.

Auch bei Goethe [5] ist es nicht zu einer zwingenden Beweisführung gekommen. Von dem Kunstwerk, das er niemals im Original gesehen hat, konnte er sich nur an Hand von zwei stark verkleinerten Wiedergaben eine Vorstellung bilden, und zwar waren es ein kleiner Eisenguß und eine Lithographie, die beide dem Berliner Bildhauer Rauch zu verdanken sind. Zunächst ist der Eisenguß in Goethes Hand gekommen [6]. Daraufhin hat er in einem Brief vom 9.1.1824 sofort von dem „hohen, vielleicht tausendjährigem Alter" des Originals gesprochen. Ebenso hat er den Ausführungen seines Externsteine-Aufsatzes, der kurz danach entstanden ist, die gleiche frühmittelalterliche Datierung von vornherein zu Grunde gelegt, als er das rätselhafte Bildwerk der norddeutschen Felsenstätte in einem großen Wurf in jene bedeutenden Kulturströme hineinstellte, die in der Zeit der Karolinger eine geistige Verbindung zwischen Orient und Okzident geschaffen hatten. Dabei ist er zunächst ganz allgemein von der Situation ausgegangen, in der sich die bildende Kunst nach der Auflösung des römischen Imperiums befunden habe, um dann des näheren darzulegen, wie die bildnerische Tätigkeit ihren höchsten Entwicklungsstand im byzantinischen Südosten erreicht habe, während im nördlichen Westeuropa alle Fähigkeit zu einer solchen Gestaltung, soweit sie überhaupt vorhanden gewesen war, in den Stürmen der Völkerwanderung untergegangen sei. Anschließend heißt es wörtlich: „Wie man aber, um ein unausweichliches Bedürfnis zu befriedigen, sich überall nach den Mitteln umsieht, auch der Künstler sich immer gern dahin begibt, wo man sein bedarf, so konnte es nicht fehlen, daß nach einiger Beruhigung der Welt, bei Ausbreitung des christlichen Glaubens, zu Bestimmung der Einbildungskraft die Bilder im nördlichen Westen gefordert und östliche Künstler dahin gelockt wurden. Ohne also weitläufiger zu sein, geben wir gerne zu, daß ein mönchischer Künstler unter den Scharen der Geistlichkeit, die der erobernde Hof Carl des Großen nach sich zog, dieses Werk könne verfertigt haben".

Man sollte nicht übersehen, daß schon ein geniales Einfühlungsvermögen dafür notwendig war, bei dem damaligen Stand des Wissens und ohne eine Kenntnis des Originals den erwähnten Gedankengang so schnell als erster zu erfassen und in geistreicher Art vorzutragen. Ebenso hat einige Kühnheit zu dem Versuch gehört, das alleinstehende Kunstwerk von unbekannter Herkunft dadurch ver-

---

[6] Friedrich Focke, Beiträge zur Geschichte der Externsteine (1943), S. 133 f.

ständlich zu machen, daß es in so weitgreifende geistesgeschichtliche Zusammenhänge gestellt wurde. Andererseits ist aber auch zu beachten, welche Behutsamkeit der Verfasser hat walten lassen, als er seine gewagte These endgültig formulierte. Es war im März 1824, daß er den betreffenden Aufsatz zum Abschluß brachte. Wahrscheinlich waren die Schriften von Menke und Clostermeier, die eine ganz andere Datierung vertreten haben, zu dieser Zeit noch nicht erschienen. Jedenfalls hat Goethe damals ihren Inhalt noch nicht gekannt. So hat er dazu auch nicht Stellung nehmen können.

Datierungsvorschläge von Menke und Clostermeier

Welche Gründe sind nun aber dafür maßgeblich gewesen, daß die beiden anderen Verfasser die Entstehung der Skulptur um 300 Jahre später als Dorow und Goethe angesetzt haben? Es haben mehrere Ursachen zusammengewirkt. Zunächst war von Einfluß, daß Menke [3] und Clostermeier [4] schon über die Ausgangsbasis ganz anders als jene gedacht haben. So haben beide die Annahme zugrunde gelegt, daß die fragliche Skulptur auf keinen Fall mit den Ereignissen der Christianisierung in Verbindung gebracht werden dürfe. Zwar haben die beiden nicht die gleiche Vorstellung von der ursprünglichen Rolle der Felsenstätte gehabt. Denn Menke hat noch mit einem früheren heidnischen Heiligtum an dieser Stelle gerechnet, um dann aber zu vermuten, daß dessen Bedeutung bei der Einführung der neuen Religion allmählich erloschen sei, ohne daß dies weitere Spuren hinterlassen hätte. Dagegen hat Clostermeier jeden Gedanken an eine vorchristliche Kultstätte mit starkem Nachdruck abgelehnt. Er hat alle dahingehenden Aussagen und Vermutungen mit scharfen Worten als vorgefaßte Meinungen, als schwärmerische Ansichten und bloße Erdichtungen verworfen. Darüber hinaus hat er der Überzeugung Ausdruck verliehen, daß die Umgebung der Externsteine im Altertum „eine ungeheure, durch ihre schreckhaften Felsen noch schauderhafter gewordene Wildnis" dargeboten habe, die vom Menschen immer gemieden worden sei. Zum ersten Mal habe man, so meinte er, am Ende des 11. Jahrhunderts den Ort aufgesucht. Wie hat er dazu kommen können, dies alles mit solcher Bestimmtheit zu behaupten?

Als Historiker war er mit Recht so eingestellt, daß er bei der Erforschung der Vergangenheit den schriftlichen Quellen den Vorrang gab und sich in erster Linie auf ihre Aussagen zu stützen bemüht war. Doch ist er dabei der Gefahr einer übertriebenen Einseitigkeit nicht entgangen. Denn er hat sich in allzu strenger Ausschließlichkeit allein auf die Schriftquellen verlassen wollen und gar zu wenig Bereitschaft gezeigt, die Berechtigung auch anderer Erwägungen anzuerkennen, die etwa von der mündlichen Überlieferung des betreffenden Ortes, von seinen topographischen Verhältnissen oder von sonstigen Voraussetzungen ausgegangen sind. Alle Versuche dieser Art, die in seiner Zeit vorgelegen haben, hat er als unwissenschaftlich abgelehnt und es für aussichtslos erklärt, auf diesem Weg etwas zu erreichen.

Dazu kommt, daß er den methodischen Fehler begangen hat, bei der Auswertung der Quellen seines speziellen Forschungsgebietes die Grenze ihrer Aussagefähigkeit zu überschreiten, indem er sich auf ein „argumentum ex silentio" verlassen hat, ohne die Fragwürdigkeit seiner Schlußfolgerung zu bemerken. Er glaubte nämlich, in dem Nichtvorhandensein von schriftlichen Zeugnissen schon einen sicheren Beweis für die Bedeutungslosigkeit des betreffenden Ortes in der Hand zu haben. Ebenso hielt er es für statthaft, in dem Einsetzen der ersten schriftlichen Nachrichten den Beginn der wahren Geschichte der Externsteine oder, auch anders gesagt, den Nachweis für das erste Auftreten des Menschen an dieser Stätte zu sehen. Auch Karl Theodor Menke, der bei der Vorbereitung seiner Veröffentlichung mit dem fachkundigen Clostermeier in Gedankenaustausch gestanden hatte, hat sich in seiner Schrift entsprechend geäußert. Auch für ihn hat die „wahre Geschichte" der Externsteine mit dem Jahre 1093 begonnen.

Menke und Clostermeier sind in gleicher Weise von einer Urkunde ausgegangen, deren Text schon 130 Jahre vorher von dem ersten westfälischen Geschichtsschreiber, dem Paderborner Geistlichen Nikolaus Schaten, veröffentlicht worden war [7]. Es ist die sogenannte „Paderborner Kaufurkunde von 1093", die von den beiden nicht nur als das maßgebliche Zeugnis für den Beginn der wirklichen Externsteine-Geschichte, sondern ebenso auch als eine feste Grundlage für die Datierung des Kreuzabnahme-Reliefs in Anspruch genommen wurde. Zwar ist in dem Text der Urkunde das Kunstwerk selber nicht erwähnt worden. Das gleiche gilt auch für die sonstigen Anlagen jenes Ortes. Es liegt lediglich die Aussage vor, daß der Abt des

[7] Nikolaus Schaten, Annales Paderbornenses I (1693).

Paderborner Klosters Abdinghof im Jahre 1093 den „Agisterstein", das heißt die Stätte der Externsteine, von einer adligen Frau Ida gekauft habe.

Diese Mitteilung ist also dem Datierungsvorschlag der zwei genannten Verfasser zugrunde gelegt worden. Dabei ist aber weder von dem gelehrten Arzt noch von dem erfahrenen Fachmann der Historie vorher die Frage nach der Zuverlässigkeit der betreffenden Aussage oder nach dem Quellenwert der Urkunde gestellt und erörtert worden. Der Inhalt derselben, das heißt der angebliche Erwerb der Externsteine durch Abdinghof, ist vielmehr ohne weiteres, also ohne daß eine kritische Prüfung vorangegangen wäre, wie ein gesichertes historisches Faktum behandelt und zum tragenden Pfeiler einer umfangreichen Gedankenkonstruktion gemacht worden.

Denn um zu erklären, wie die Abdinghofer Mönche im Jahre 1093 den ungewöhnlichen Entschluß hatten fassen können, die einsame Felsenstätte des unwirtlichen Waldgebirges durch Zahlung einer beträchtlichen Geldsumme zu erwerben, hat man mehrere Hypothesen ins Gespräch gebracht, um sie dann in bestimmter Weise zu einem Ganzen zu verbinden. So wurde versucht, den besagten Ankauf des Felsens in eine ursächliche Verbindung mit jenen Anlagen zu bringen, die dort heute noch zu sehen sind und im wesentlichen aus dem Felsengrab, der Unteren Grotte, der Höhenkapelle des zweiten Felsens und dem Kreuzabnahme-Relief bestehen. Es wurde vermutet, daß die Mönche den Erwerb der Felsenstätte deshalb betrieben hätten, weil sie die Absicht gehabt haben sollen, dort die genannten Einrichtungen anzulegen. Es sollte damals, so meinte man weiter, an diesem Ort eine Nachbildung des Heiligen Grabes von Jerusalem geschaffen werden, wobei man sich auf das Dasein des merkwürdigen Felsengrabes berief, das sich vor dem ersten Felsen befindet und als ein Abbild des Grabes Christi angesehen wurde. Dem Ganzen habe, so wurde weiter argumentiert, der Plan zugrunde gelegen, die Stätte der Externsteine zu einem zugkräftigen Wallfahrtsort auszubauen. Dabei wurde von vornherein wie eine gesicherte Tatsache in Rechnung gestellt, daß dieser Platz im Mittelalter auch wirklich als eine bedeutende Wallfahrtsstätte gedient habe.

Aus der Kombination der genannten Hypothesen wurde sodann die Folgerung gezogen, daß die Abdinghofer Mönche die erwähnten Anlagen einschließlich des Reliefs der Kreuzabnahme tatsächlich auch geschaffen hätten und zwar in den Jahrzehnten, die auf das in der Kaufurkunde mitgeteilte Jahr 1093 gefolgt sind. So wurde das Kunstwerk dem Anfang des 12. Jahrhunderts zugewiesen, also der Zeit der beginnenden Kreuzzüge. Auf dieser Grundlage ist es zu dem Versuch gekommen, die Entstehung des Reliefs mit Hilfe der religiösen Vorstellungen und Bestrebungen dieses Zeitalters zu erklären. Neben dem Grabe Christi soll damals, so wurde angenommen, auch das große Andachtsbild mit der Darstellung der Kreuzabnahme eine starke Anziehungskraft und Wirkung auf die großen Scharen der herbeiströmenden Pilger ausgeübt haben.

Während Clostermeier dies alles nur verhältnismäßig kurz erörtert hat, hat Menke den ganzen Gedankengang und vor allem auch die These, daß es bei den Externsteinen seit dem 12. Jahrhundert eine wichtige Wallfahrtsstätte gegeben habe, in voller Breite entwickelt. Er ist der erste gewesen, der es in dieser Ausführlichkeit getan hat. Dabei war er bemüht, dem Leser die Grundstimmung des Zeitalters der Kreuzzüge und die Gesinnung jener Menschen möglichst anschaulich nahezubringen, die sich, wie er meinte, damals an den Externsteinen eingefunden haben.

Er sagt zum Beispiel auf S. 111: „Der gläubige Christ zog dahin, in frommem Sinne, mit Andacht im Herzen, wie nach einem andern Jerusalem, um seine Demuth zu erkennen zu geben, Buße zu thun, Vergebung der Sünden zu erlangen und des Reiches Gottes theilhaftig zu werden". Anschließend wird fortgefahren: „Schon diese Idee macht es wahrscheinlich, daß jene Sculpturarbeit in das Zeitalter der Kreuzzüge fällt, bei deren Unternehmung dieselben frommen Absichten jener Wallfahrten zum Grunde lagen".

Auch weitere Äußerungen zu diesem Thema, die Menke außerdem noch gebracht hat, sind ebenso lebendig ausgefallen, doch ist es ihm nicht gelungen, seiner phantasievollen, aber unverbindlichen Schilderung auch zeitgenössische Aussagen der schriftlichen Externsteine-Überlieferung an die Seite zu stellen, die geeignet gewesen wären, die als wahrscheinlich bezeichnete Schlußfolgerung überzeugend zu begründen. Weder für die Behauptung, daß die genannten Externsteine-Anlagen im 12. Jahrhundert entstanden seien, noch für eine entsprechende Tätigkeit der Abdinghofer Mönche, noch für deren angebliche Absicht, dort eine Wallfahrtsstätte einzurichten, noch für die als selbstverständlich bezeichnete These, daß im Mittelalter Wallfahrten von Bedeutung zu den Externsteinen durchgeführt worden seien, ist irgend ein schriftliches Zeugnis aus der genannten Zeit vorgelegt worden. Bei allem, was zur Begründung ausgeführt worden ist, hat es sich immer nur um einfache Vermutungen, allgemeine Betrachtungen oder spätere Nachrichten gehandelt, die alle zusammen keine Beweiskraft besitzen. Auch Clostermeier hat keine Unterlagen geliefert.

Doch hat die Zuweisung des Reliefs an das 12. Jahrhundert schon bald nach der ersten Bekanntgabe, und auch ohne daß eine ausreichende Begründung vorgelegen hat, eine starke suggestive Wirkung ausgeübt, die auch in der folgenden Zeit bis in die Gegenwart hinein lebendig geblieben ist. Daß sich außer dem geschichtskundigen Arzt Menke auch der angesehene Landeshistoriker Clostermeier für diesen Zeitansatz ausgesprochen hatte, ist gerade in den ersten Jahrzehnten für die Anerkennung von erheblicher Bedeutung gewesen. Es konnte nicht ausbleiben, daß von der Autorität des maßgeblichen Fachmannes der Landesgeschichte ein starker Einfluß ausgegangen ist, der auch das Urteil der Kunstwissenschaftler bestimmt hat. Eine weitere Folge war, daß die These von der karolingerzeitlichen Entstehung des Werkes mehr und mehr an Geltung verlor. Seitdem war nur noch wenig von der Datierung die Rede, die Goethe und Dorow vorgeschlagen hatten. Schon in der Mitte des 19. Jahrhunderts stand Clostermeiers Auffassung von der Anlage des Reliefs gewissermaßen als die allein berechtigte im Vordergrund der meisten Darstellungen. Es hatte damals sogar den Anschein, als ob sie durch die Entdeckung der Inschrift der Unteren Grotte, von der Clostermeier noch nichts gewußt hatte, eine hervorragende Bestätigung finden sollte. Doch hat sich das Urteil über die Verwendbarkeit dieser Inschrift in der weiteren Zeit wieder grundlegend gewandelt. Das wird in einem späteren Abschnitt der nachfolgenden Betrachtung noch näher darzulegen sein.

Ebenso wie die genannte Datierung wurde auch die immer noch unbewiesene Hypothese von der bedeutenden Wallfahrtsstätte an den Externsteinen weiterhin wie ein gesichertes Faktum behandelt und ohne wesentlichen Widerspruch aufrecht erhalten. Wenn für die Anlage des rätselhaften Kunstwerks eine Erklärung gegeben werden sollte, wurde immer darauf zurückgegriffen. Es hat auch nicht an Versuchen gefehlt, die alte These in neuem Gewande vorzustellen, wobei in erster Linie an die Schriften von Wilhelm Engelbert Giefers [8] und Alois Fuchs [9] zu denken ist. Aber auch sie haben kein zeitgenössisches Zeugnis beibringen können, das die Existenz einer bedeutenden Wallfahrtsstätte an den Externsteinen unter Beweis gestellt hätte. Auch die von ihnen vorgetragenen Schlußfolgerungen haben immer nur auf allgemeinen Erwägungen, auf subjektiven Meinungen oder unzuverlässigen Nachrichten einer späteren Zeit beruht. Ebensowenig kann der Vergleich überzeugend wirken, den Alois Fuchs zwischen den Externsteiner Anlagen und den heiligen Stätten von Jerusalem gezogen hat, obwohl dieser Vergleich eine besonders wichtige Grundlage für die Wallfahrtshypothese abgeben sollte. Auch wenn im besonderen geltend gemacht worden ist, daß der Sargstein der Externsteine als eine Nachahmung des Grabes Christi zu erklären sei, und wenn daraufhin auf das einstige Vorhandensein einer Wallfahrtsstätte des 12. Jahrhunderts geschlossen wurde, so kann eine so weitgehende Folgerung nicht als statthaft gelten. Denn wenn sich auch die Auffassung, daß es sich bei der vorliegenden Ausgestaltung des Externsteiner Felsengrabes um eine Nachbildung des Heiligen Grabes gehandelt hat, als richtig erweisen sollte, was durchaus möglich ist, so dürfte damit noch keine Entscheidung über das Alter der Anlage gefallen sein. Es ist daran zu denken, daß Nachbildungen des Grabes Christi nicht nur in der Zeit der Kreuzzüge, sondern auch schon früher angelegt worden sind. Im vorliegenden Fall müßte zunächst eine Entscheidung darüber herbeigeführt werden, in welcher mittelalterlichen Periode und in welchem Zusammenhang eine solche Externsteiner Nachbildung des Heiligen Grabes ihre Ausbildung erfahren hätte.

Es können hier nicht alle weiteren Einzelheiten besprochen werden. Zusammenfassend ist ganz allgemein zu sagen, daß ebenso wie Menke und Clostermeier auch die Verfasser der später erschienenen Veröffentlichungen nicht in der Lage gewesen sind, irgendwelche zeitgenössischen Schriftquellen vorzulegen, die all jene Einzelhypothesen hätten beweisen können, mit denen die Zuweisung des Reliefs an das 12. Jahrhundert begründet werden sollte. Man mag die einschlägigen Arbeiten von Giefers [8], Dewitz [26], Kisa [10], Rampen-

[8] Wilhelm Engelbert Giefers, Die Externsteine im Fürstenthum Lippe-Detmold. Eine historisch-archäologische Monographie. 1851.— Derselbe, Die Externsteine im Fürstenthum Lippe. 1867.

[9] Alois Fuchs, Im Streit um die Externsteine. Ihre Bedeutung als christliche Kultstätte. 1934.

[10] Anton Kisa, Die Externsteine. Bonner Jahrbücher 94 (1893), S. 73-142.

dahl [28], Fuchs [9], Focke [6], Schmitt [30], Honselmann [17], Flaskamp [13], Gaul [31], Hamkens [11] und anderen Autoren der älteren oder neueren Zeit aufmerksam durchlesen, man wird dort an keiner Stelle irgendeinen Hinweis auf eine derartige mittelalterliche Quellenschrift finden. Das einzige schriftliche Zeugnis des Mittelalters, das außerdem noch zur Stütze dieser Datierung ins Feld geführt worden ist, besteht aus der bereits genannten Inschrift der Unteren Grotte, über die noch ausführlich zu sprechen sein wird. Doch wenn von dieser problematischen Quelle abgesehen wird, muß die beachtliche Feststellung gemacht werden, daß die besagte Mitteilung vom Erwerb des Agistersteins, die in der „Paderborner Kaufurkunde" steht, bis auf den heutigen Tag die einzige mittelalterliche Nachricht geblieben ist, die zur Begründung der Datierung in das 12. Jahrhundert und auch zur Untermauerung der damit verbundenen Ausführungen geltend gemacht worden ist. Alles andere beruht auf unbewiesenen Annahmen. Das bedeutet aber ein recht mageres Ergebnis, wenn bedacht wird, wieviel Zeit zur Verfügung gestanden hat, um das erforderliche Beweismaterial für die Sicherstellung dieser These zusammenzutragen. Andererseits läßt diese Feststellung aber auch die hervorragende Bedeutung erkennen, die der Aussage der „Paderborner Kaufurkunde" im Rahmen des ganzen Beweisganges zukommt. Ihr Inhalt stellt, wenn von der Grotteninschrift abgesehen wird, sozusagen die tragende Hauptsäule dar, auf der die gesamte Beweislast ruht. Unter diesen Umständen verdient die Frage nach dem Quellenwert der Urkunde und nach der Zuverlässigkeit ihrer Angaben ein besonderes Interesse.

„Paderborner Kaufurkunde von 1093"

Wie gesagt, als Clostermeier und Menke in den Jahren 1823 und 1824 die Herausgabe ihrer Schriften besorgten, haben sie noch nicht daran gedacht, die Frage nach der Zuverlässigkeit der „Paderborner Kaufurkunde" zu stellen. Ebenso hat man sich auch in den anschließenden fünfzig Jahren verhalten. Erst als sich die landesgeschichtliche Forschung soweit entwickelt hatte, daß es bei der Auswertung historischer Quellen üblich geworden war, einen strengen Maßstab der Kritik anzulegen, ließ man auch den Urkunden des Klosters Abdinghof eine quellenkritische Betrachtung zuteil werden.

---

[11] Freerk Haye Hamkens, Der Externstein. 1971.

Die Grundlage wurde durch eine Abhandlung geschaffen, die der Historiker Roger Wilmans unter dem Titel „Die Urkundenfälschungen des Klosters Abdinghof und die Vita Meinwerci" im Jahre 1876 hat erscheinen lassen [12]. In dieser Untersuchung wurde die Frage nach dem Quellenwert der Paderborner Kaufurkunde zum ersten Mal aufgeworfen und zum Gegenstand einer Erörterung gemacht, die sich dann über viele Jahrzehnte hingezogen und zu lebhaften Kontroversen geführt hat.

Ohne auf die vielen Einzelfragen vollständig eingehen zu können, ist zunächst folgendes ganz allgemein zu sagen. Es hat sich ergeben, daß die vielbenutzte Urkunde, die mit ihrer wesentlichen Aussage ganz vereinzelt dasteht, einer Gruppe von recht problematischen Schriftstücken angehört und daß ihre eigene Überlieferung so beschaffen ist, daß sie in das Kreuzfeuer kritischer Bedenken und lebhafter Beanstandungen geraten mußte. So kann auf keinen Fall mehr behauptet werden, daß man es bei diesem wichtigen Dokument mit einer unbestrittenen und allgemein anerkannten Geschichtsquelle zu tun habe. Zwar sind auf der einen Seite die Versuche nicht ausgeblieben, mit Hilfe von bestimmten Hypothesen das Ansehen der zweifelhaft gewordenen Urkunde soweit wieder herzustellen, daß man sich für berechtigt hielt, weiterhin mit ihren Angaben zu arbeiten. Dem stehen aber Urteile gegenüber, die eine scharfe Ablehnung zum Ausdruck gebracht haben. Es wurde gesagt, daß in der „Kaufurkunde von 1093" nichts anderes zu sehen sei als das Produkt eines Fälschers, der in einer späteren Zeit gearbeitet habe. Diese Feststellung sollte vor allem für ihre zentrale Aussage gelten, in der vom Erwerb des Agistersteins durch das Kloster Abdinghof die Rede ist, und so müßten gerade dieser Mitteilung die größten Bedenken entgegengebracht werden.

Eine Überprüfung der Urkunde wird dadurch erschwert, daß die Originalanfertigung nicht mehr erhalten ist. Der heute vorliegende Text ist nur in Abschriften überliefert worden, von denen die beiden ältesten fast drei Jahrhunderte jünger sind als das für die Ausstellung angegebene Jahr 1093, und zwar stammen sie aus den Jahren 1374 und 1380 [13]. Sodann ist noch ein Ereignis in Rechnung zu stellen, auf das schon Wilmans hingewiesen hat. Im Jahre 1163 hatte

---

[12] In: Westfälische Zeitschrift 34 (1876), 3-36.

[13] Klemens Honselmann, Der Externsteinbesitz Abdinghofs. Mitteilungen aus der lippischen Geschichte und Landeskunde 24 (1955), S. 213 f.

im Kloster Abdinghof ein großer Brand gewütet, der auch das Archiv erfaßt und seine Bestände weitgehend vernichtet hat. Deshalb soll man nach Wilmans Ansicht in all den Abdinghofer Urkunden, die laut eigener Angabe älter als 1163 sein sollen, nicht mehr die ursprünglichen Originale, sondern „nichts weiter als Nachbildungen aus dem Ende des 12. Jahrhunderts" sehen dürfen. Dazu soll auch die „Paderborner Kaufurkunde von 1093" gehört haben. Die Abfassung des Textes in der Form, wie sie heute bekannt ist, müsse, so meinte er, ebenfalls später als 1093, genau gesagt, nicht vor dem Jahr 1163 erfolgt sein.

Dieser Auffassung haben alle Sachbearbeiter beigepflichtet, die sich mit der Urkunde weiterhin befaßt haben. Keiner hat mehr die Ansicht vertreten, daß jene erste Ausfertigung des Schriftstückes, die den erhaltenen Kopien als Vorlage gedient hatte, wirklich schon dem Ende des 11. Jahrhunderts entstamme. Soweit liegt also bei allen Sachkennern eine Übereinstimmung der Meinungen vor. Doch haben sie nicht so einheitlich die Frage beantwortet, in welchem Abschnitt der späteren Zeit diese erste Niederschrift angefertigt worden sei. Die dafür vorgeschlagenen Termine weichen erheblich voneinander ab und verteilen sich auf eine Zeitspanne, die sich von dem Jahre 1165 bis zum Beginn des 14. Jahrhunderts erstreckt hat. Ebenso wurde auch die Zuverlässigkeit des Inhalts sehr verschieden beurteilt.

Die These, daß die „Paderborner Kaufurkunde" eine vorsorglich durchgeführte und auf weite Sicht hin angelegte Fälschung darstelle, ist von einem guten Kenner der schriftlichen Externsteine-Überlieferung, von dem Wiedenbrücker Historiker Franz Flaskamp vertreten und ausführlich begründet worden [14]. In seinem „Externsteiner Urkundenbuch" von 1966, das die Quellen zur Geschichte der Felsen zusammengefaßt hat, ist der Angelegenheit einer „Externsteiner Urkundenfälschung" ein umfangreiches Kapitel gewidmet worden. Dabei wurde von einer Betrachtung der Besitzverhältnisse jener Stätte ausgegangen, soweit sich deren Entwicklung in der einwandfreien Schriftüberlieferung abzeichnet, um auf diesem Hintergrund das Zustandekommen der Fälschung verständlich zu machen. Es konnte dargelegt werden, daß ein Abdinghofer Besitz an den

[14] Franz Flaskamp, Die Externsteine. Wissenschaftliche Führung durch ein christliches Heiligtum aus dem deutschen Mittelalter. 1954. - Derselbe, Externsteiner Urkundenbuch. 1966.

Felsen für keinen Abschnitt des Mittelalters durch weitere Quellen bezeugt worden ist. Im Gegenteil, es ließ sich an Hand einer Werdener Urkunde zeigen, daß dort ein ganz anderes Kloster, nämlich die Abtei Werden an der Ruhr, im zweiten Viertel des 12. Jahrhunderts als der verantwortliche Eigentümer aufgetreten ist.

Im späten Mittelalter, als es an den Externsteinen die Einrichtung eines geistlichen Lehens und eine Einsiedelei gegeben hat, waren die Zuständigkeiten an der Felsenstätte auf mehrere Stellen verteilt. So haben der Paderborner Bischof, der Abdinghofer Abt, der Horner Stadtpfarrer, der Landesherr und der Externsteiner Benefiziat jeweils besondere Funktionen ausgeübt. Dem Abt von Abdinghof hat damals zum Beispiel das Patronat über die Felsenkapelle und das Vorschlagsrecht bei der Einsetzung eines neuen Benefiziaten zugestanden. Doch ist in der Überlieferung des 14. und 15. Jahrhunderts nirgends von einem Eigentumsrecht an der Felsenstätte oder an den angrenzenden Ländereien die Rede, über das etwa das Paderborner Kloster hätte verfügen können. Doch macht sich andererseits seit dem 14. Jahrhundert in der zeitgenössischen Überlieferung das Bestreben der Klosterleitung bemerkbar, künftig zu erhebende Besitzansprüche dadurch vorzubereiten, daß schriftliche Dokumente besorgt wurden, die später einmal in diesem Sinne sprechen könnten.

Im 16. Jahrhundert, als in der Grafschaft Lippe die Reformation eingeführt worden war, trat das Abdinghofer Vorhaben immer stärker in Erscheinung, das Vermögen des Externsteiner Lehens dem eigenen Besitz einzuverleiben. Letzteres wurde im Jahre 1512 auch tatsächlich verwirklicht. Doch ist der Erfolg, den man gegen einen hartnäckigen Widerstand der lippischen Kirchenverwaltung nach einigem Hin und Her schließlich erreicht hatte, nicht von Bestand gewesen. Nach dem Westfälischen Frieden mußte das Paderborner Kloster diesen Externsteine-Besitz wieder hergeben, und seit dem Jahre 1655 hat sich derselbe unbestritten in der Hand des Lipper Grafen und des Detmolder Konsistoriums befunden. An diesen Streitigkeiten des 16. und 17. Jahrhunderts ist bemerkenswert, daß sich die Abdinghofer Klosterleitung wiederholt auf die „Kaufurkunde von 1093" berufen hat, wobei diese selbstverständlich als ein echtes Dokument hingestellt wurde. Doch konnte man mit dieser Behauptung auf den lippischen Verhandlungspartner keinen überzeugenden Eindruck machen. So hat der zuständige Detmolder Kanzler in der Zeit um 1617 unmißverständlich zum Ausdruck gebracht, daß er das angebliche Beweisstück für nichts anderes als eine „verlogene Charte", das heißt für eine Fälschung halte.

Ebenso hat Franz Flaskamp im Jahre 1966 geurteilt. Seine Ausführungen über die „Paderborner Kaufurkunde" schließen mit folgender Zusammenfassung ab [15]. Sie sei „eine Fälschung des auslaufenden 13. und beginnenden 14. Jahrhunderts", deren Anfertigung auf den Plan Abdinghofs zurückzuführen sei, das Externsteiner Benefizialvermögen, das aus einem älteren Werdener Klosterbesitz hervorgegangen sei, dem eigenen Klostergut einzuverleiben. Bei der nachträglichen Ausfertigung dieser unechten Urkunde sei es darauf angekommen, im Gegensatz zum wirklichen Sachverhält den Eindruck zu erwecken, als ob Abdinghof das Externsteiner Benefizialgelände schon in einer früheren Zeit „aus privater Hand angekauft und so ein ius onerosum erlangt" habe. Um diese unwahre Behauptung glaubhaft erscheinen zu lassen, sei von den Mönchen „eine Geschichte ausgedacht" worden, welche zum Inhalt hatte, „dieses Externsteine Gelände sei früh vom Abtei-Werdener Eigentum zu Oberholzhausen abgesondert und in weltliche Hand gekommen, habe damit den angeblichen Abdinghofer Ankauf aus weltlicher Hand ermöglicht". Ferner äußerte Flaskamp an einer anderen Stelle [16], die entscheidende Hauptaussage der „Kaufurkunde" sei nichts anderes als „ein nachträglich mit einigen diplomatischen Formeln eingefaßtes Märchen, eine gängige Klosterlegende mit den gewohnten glaubwürdig sein sollenden Namen und Daten."

Als Flaskamp dieses Bild von der Entstehung der „Paderborner Kaufurkunde" im Jahre 1966 zeichnete, lag schon eine andere Beurteilung derselben vor, die in Fachkreisen allerhand Zustimmung gefunden hatte. Sie stammte von einem Spezialkenner der Abdinghofer Urkunden-Überlieferung, dem Paderborner Historiker Klemens Honselmann [17]. Abgesehen von früheren Veröffentlichungen ist er vor allem im Jahre 1955 für den Gedanken eingetreten, daß

---

[15] Flaskamp, Externsteiner Urkundenbuch, S. 37.

[16] Flaskamp, a.a.O.

[17] Klemens Honselmann, Von der Charta zur Siegelurkunde. Beiträge zum Urkundenwesen im Bistum Paderborn 862-1178 (1939), besonders S. 44 ff. und 68 ff. — Derselbe, Die sog. Abdinghofer Fälschungen, echte Traditionsnotizen in der Aufmachung von Siegelurkunden. Westfälische Zeitschrift 100 (1950), S. 292-356.— Derselbe, Der Externsteinbesitz Abdinghofs. Mitteilungen aus der lippischen Geschichte und Landeskunde 24 (1955), S. 212-226.

die Einzelheiten des umstrittenen Dokuments auf jeden Fall als zuverlässige Angaben anzuerkennen seien, mit denen unbedenklich gearbeitet werden könne, wenn auch zuzugeben sei, daß die Abfassung des vorliegenden Textes erheblich später erfolgt ist, als das mitgeteilte Ausstellungsjahr 1093 besagt. Und zwar meinte er, die Urkunde sei unmittelbar nach dem Abdinghofer Brand in der Zeit um 1165 geschrieben worden.

Um die Zuverlässigkeit ihres Inhalts zu begründen, hatte er die These entwickelt, daß dem Verfasser der Urkunde ältere schriftliche Notizen zur Verfügung gestanden hätten, die es damals im Kloster noch gegeben haben soll. Bei seiner Beschäftigung mit der mittelalterlichen Überlieferung war Honselmann auf das Vorhandensein und die Bedeutung solcher kurzen Aufzeichnungen aufmerksam geworden, die heute „Urkundennotizen" genannt werden, und in denen die Mönche seiner Zeit wichtige Ereignisse schriftlich festzuhalten pflegten. So glaubte Honselmann auch in diesem speziellen Fall annehmen zu dürfen, daß es früher einmal in Abdinghof eine Urkundennotiz gegeben habe, die in der Zeit um 1100 aufgezeichnet worden sei und all das enthalten habe, was den Inhalt der Hauptaussage der „Kaufurkunde" ausmacht, also den Bericht über den angeblichen Erwerb des Agistersteins sowie die umständliche Schilderung jener Ereignisse, die diesem Ankauf vorangegangen sein sollen. Es wird weiterhin angenommen, daß der Text dieser älteren Aufzeichnung wörtlich in den der Urkunde übernommen worden sei. Als ein Beweis sollte der Hinweis auf den altertümlichen Charakter der in der Urkunde erwähnten Ortsnamen dienen. Er machte auf Bildungen aufmerksam, die zwar noch im 11. Jahrhundert, aber nicht mehr in der zweiten Hälfte des 12. üblich gewesen seien. Außerdem wurde geltend gemacht, daß für den Wahrheitsgehalt des eigentlichen Kernes der Urkunde, das heißt der besagten Erwerbsbestätigung, die Beobachtung sprechen könne, daß weitere Einzelheiten des Textes dadurch als einwandfreie Aussagen erwiesen werden, daß sie auch in anderen Quellen erscheinen. Aus dem Dasein solcher zuverlässigen Bestandteile sei, so wurde weiter gefolgert, der sichere Schluß auf die historische Treue des gesamten Inhalts einschließlich der Hauptaussage zu ziehen.

Daß die zwei sachverständigen Spezialkenner die Aussagefähigkeit der „Paderborner Kaufurkunde" so verschieden beurteilt haben, ist recht beachtlich. Es mag darin eine Auswirkung der grossen Schwierigkeiten gesehen werden, die mit ihrer Bewertung verbunden sind. Wenn es nun aber darum gehen soll, die Angaben des umstrittenen Dokuments als eine Grundlage für weitere Schlußfolgerungen in Anspruch zu nehmen, wird allein schon die Tatsache, daß es einen solchen Gegensatz der Meinungen gibt, es nahelegen müssen, äußerste Vorsicht und Zurückhaltung zu üben. Solche Bedenken müssen aber noch erheblich an Gewicht gewinnen, wenn die Argumente näher ins Auge gefaßt und gegeneinander abgewogen werden, die für oder gegen die beiden Thesen geltend gemacht worden sind. Zwar wird es an dieser Stelle nicht möglich sein, eine solche Betrachtung auch nur einigermaßen vollständig durchzuführen, da sie allzu viel Platz beanspruchen würde. Eine ausführliche Erörterung der Einzelheiten muß einer anderen Veröffentlichung vorbehalten bleiben[18]. Hier kann nur in aller Kürze und unter Erwähnung ganz weniger Gesichtspunkte das Ergebnis mitgeteilt werden.

Wenn der Bericht vom Abdinghofer Erwerb der Felsenstätte mit den Externsteiner Besitzverhältnissen des Mittelalters verglichen wird, soweit sie aus den einwandfreien Quellen jener Zeit zu erschließen sind, so stellt sich die Unmöglichkeit heraus, beides miteinander in Einklang zu bringen. Das heißt, daß Flaskamps Auffassung von der Urkunde als die zutreffende gelten muß. Wenn andererseits Honselmann versucht hatte, das Dokument dadurch als zuverlässig hinzustellen, daß er eine vermutete Urkundennotiz in Vorschlag brachte, die in seinem Begründungsversuch als ein wichtiges Bindeglied dienen sollte, so hat es sich lediglich darum gehandelt, daß er eine Arbeitshypothese vorgelegt hat, die allenfalls einen unverbindlichen Versuch zur Erklärung seiner Annahme, auf keinen Fall aber schon einen wirklichen Beweis darstellen kann. Bisher ist noch nicht gewährleistet worden, daß es wirklich einmal eine solche Urkundennotiz über den Erwerb des Agistersteins gegeben hat. Die altertümlichen Formen der Ortsnamen können ebensowenig wie sonstige Bestandteile des Textes, die augenscheinlich einwandfrei sind, als Zeugnisse für die einstige Existenz einer derartigen Vorlage oder für die Glaubwürdigkeit des ganzen Inhalts der Urkunde ins Feld geführt werden. Denn das Dasein dieser Bestandteile könnte auch ganz anders erklärt werden. Man wird zum Beispiel daran den-

---

[18] Zur Zeit wird eine Veröffentlichung vorbereitet, in der diese Frage im Rahmen der ganzen mittelalterlichen Überlieferung zur Überprüfung kommt.

ken müssen, daß ein geschickter Fälscher, der eine unwahre Angabe in seinem Text aufnehmen wollte, geradezu bestrebt sein mußte, dieselbe mit einwandfreien und allgemein bekannten Dingen zu verbinden, damit das Ganze einen möglichst guten Eindruck macht. Man wird also nicht ohne weiteres von dem Nachweis einiger unverdächtiger Einzelheiten auf die Glaubwürdigkeit aller anderen Angaben einen Schluß ziehen dürfen.

Im übrigen muß aber entscheidend sein, daß in der gesamten mittelalterlichen Überlieferung im Gegensatz zu dem fraglichen Bericht über den Abdinghofer Ankauf kein einziges Zeugnis für einen solchen Externsteine-Besitz des Paderborner Klosters zu finden ist. Ebenso ist von Bedeutung, daß gerade für das 12. Jahrhundert, auf das es hier vor allem ankommt, das Kloster Werden an der Ruhr als die für die Felsenstätte zuständige Instanz erwiesen worden ist [19], während in demselben Jahrhundert in zwei gut erhaltenen Abdinghofer Güterverzeichnissen [20] von irgendwelchen Anrechten der Paderborner Abtei an dieser Stätte überhaupt nicht gesprochen wird. Daraufhin bleibt nur der Schluß übrig, den eigentlichen Kern der vielzitierten „Kaufurkunde" für eine Aussage zu halten, die den wirklichen Besitzverhältnissen des 11. und 12. Jahrhunderts nicht entspricht. Das heißt, daß in dem Bericht über den Abdinghofer Erwerb des Agistersteins eine falsche Aussage vorliegt.

Dieses Ergebnis ist für ein Urteil über die Entstehung des Kreuzabnahme-Reliefs von grundlegender Bedeutung. Denn nachdem man auf diesem Bericht seit Menke und Clostermeier immer wieder weitgehende Theorien aufgebaut hatte, hat sich nunmehr die Situation herausgestellt, daß diese Folgerungen ihre tragende Grundlage verloren haben und dadurch auch selber hinfällig geworden sind. Alles was man daraufhin zur Erklärung der Externsteine-Anlagen geltend gemacht hatte und was als ein angeblich gut gesichertes Forschungsergebnis in viele wissenschaftliche und populäre Schriften eingegangen ist, bricht in sich zusammen. Zwei Gesichtspunkte verdienen dabei eine besondere Aufmerksamkeit.

---

[19] Es geht aus der sogenannten „Bernhard-Urkunde" des Klosters Werden an der Ruhr hervor, die heute im Staatsarchiv Münster aufbewahrt wird. Vgl. Flaskamp, Externsteiner Urkundenbuch, S. 27 ff.

[20] Privileg des Papstes Eugen III vom 7.5.1146 für Abdinghof und Privileg des Papstes Lucius III vom 27.2.1183 für Abdinghof. Vgl. Flaskamp, a.a.O. S. 22 f.

Abstand von der Skulptur getrennt, an einer Innenwand des daneben ausgehauenen Raumes steht. Ferner ist zu beachten, daß die Inschrift keinen Hinweis auf das Kunstwerk enthält. Sie zu entziffern ist sowieso schwierig, weil sie unvollständig geblieben ist. Die wenigen schwach eingetieften Worte, die in der zweiten und dritten Zeile noch einigermaßen deutlich zu erkennen sind, ergeben für das Ganze keinen rechten Sinn, während die Deutung, die Maßmann für weitere, daneben befindliche Erscheinungen vorgeschlagen hat, alles andere als überzeugend ist. Demgegenüber ist die erste Zeile so kräftig ausgeführt worden, daß sie ohne weiteres gelesen werden kann. Man erkennt die genannte Zeitangabe und davor auch noch ein Kreuzzeichen, das in Analogie zu anderweitigen Darstellungen als ein Weihekreuz gelten kann. Auch sonst entspricht die erste Zeile dem Anfang einer Weihinschrift des 12. Jahrhunderts, die in Freckenhorst vollständig ausgeführt und erhalten geblieben ist. Daraufhin darf in der Inschrift der Externsteine ein Zeugnis für eine Weihe gesehen werden, die im Jahre 1115 stattgefunden und offenbar der Unteren Grotte gegolten hat, eben jenem Raume, in dem sich die Weihinschrift befindet. Doch wäre es voreilig und unzulässig, nun schon zu sagen, daß damit bereits ein Beweis für die ursprüngliche Anlage der rätselhaften Felsengrotte erbracht worden sei. Denn es darf die Möglichkeit nicht außer Acht bleiben, daß der Raum, der diese Weihe erfahren hat, in jener Zeit vielleicht schon von der Vergangenheit her vorhanden gewesen sein und auch schon anderen Zwecken gedient haben könnte. Ja, es kann sogar daran gedacht werden, daß der fragliche Raum vielleicht bereits früher einmal geweiht und eine gewisse Zeit lang schon für kirchliche Zwecke benutzt worden wäre und daß sich später, das heißt im Jahre 1115, nach einer Zwischenzeit der Profanierung und Entfremdung eine neue Weihe als notwendig herausgestellt hätte. Unter Berücksichtigung all dieser Möglichkeiten kann also nur ganz allgemein von einer Weihe der Unteren Grotte gesprochen werden, die unter nicht näher bekannten Umständen im Jahre 1115 erfolgt sein muß. Im übrigen ist aber der Inschrift nicht zu entnehmen, in welchem Verhältnis der Vorgang dieser Weihe zu der Darstellung der Kreuzabnahme gestanden hat. Das heißt, es kann nicht gesagt werden, ob die Anlage des Bildwerks in der gleichen Zeit wie die betreffende Raumweihe oder schon früher oder erst später erfolgt ist.

Nun hat aber Maßmann, wie gesagt, im Jahre 1846 gerade darüber eine ganz bestimmte Meinung geäußert. Er hat die Inschrift und die Anlage des Reliefs für gleichzeitig erklärt. Um das zu begründen, hat er die Annahme vorausgesetzt, daß die Untere Grotte schon vor 1115 vorhanden gewesen und auch für kirchliche Zwecke benutzt worden sei. Daraus glaubte er folgern zu dürfen, daß in dem genannten Jahr eine Weihe der Unteren Grotte nicht mehr hatte stattfinden können. Deshalb bleibe, so meinte er weiter, nur die Möglichkeit übrig, die Aussage der Inschrift auf das Relief zu beziehen.

Daß er sich mit diesem Versuch einer Beweisführung auf einem schwankenden Boden bewegt, wird ohne weiteres einzusehen sein, sobald an die vorausgeschickte Aufzählung all jener Möglichkeiten gedacht wird, die bei einer Erörterung der fraglichen Raumweihe zu berücksichtigen sind. Denn wenn all die denkbaren Umstände in Betracht gezogen werden, die soeben zur Sprache gekommen sind, so kann Maßmanns Begründung nicht als eine gültige hingenommen werden. Daß seine Beweisführung nicht stichhaltig ist, bedeutet aber zugleich, daß der Versuch, die chronologische Aussage der Inschrift für die Datierung des Kreuzabnahme-Reliefs zu verwenden, unbegründet geblieben ist. Es ist nicht zulässig, auf einer solchen Unterlage irgendwelche Schlußfolgerungen aufzubauen.

Für die weitere Entwicklung der Meinungsbildung ist nun aber von Bedeutung gewesen, daß der Fehler, der dem einfallsreichen Berliner Gelehrten in der ersten Freude der Entdeckung unterlaufen war und den er in einer schnell geschriebenen Ausarbeitung sofort zu Papier gebracht hatte, nach der Veröffentlichung zunächst nicht als ein solcher erkannt wurde. Man hat vielmehr seine neue chronologische Begründung übernommen und weiterhin damit gearbeitet, wobei folgendes noch besonders zu beachten ist.

Zwei Jahre später, also 1848, ist Clostermeiers Externsteine-Schrift in zweiter Auflage erschienen. Sie wurde von dem Berliner Universitäts-Professor Helwing besorgt [22]. Dieser ließ dem Text des inzwischen verstorbenen Detmolder Archivrats einen neu-verfaßten Anhang folgen, in dem alle weiteren Externsteine-Veröffentlichungen besprochen worden sind. Dabei ist Helwing auch auf die Entdeckung der Inschrift und ihre Bekanntgabe durch Maßmann

---

[22] Christian Gottlieb Clostermeier, Der Eggesterstein im Fürstenthum Lippe. Eine naturhistorische und geschichtliche Monographie. Zweite, mit Verbesserungen, Nachträgen und Urkunden vermehrte Auflage von Ernst Helwing. 1848.

eingegangen. Es ist gewiß nicht ohne Einfluß auf den nachfolgenden Verlauf des Forschungsganges gewesen, daß der anspruchsvoll auftretende Historiker keine Bedenken hatte, Maßmanns voreilige und unbegründete Annahme eines Zusammenhanges von Inschrift und Relief unbesehen hinzunehmen und sich zu Eigen zu machen. Ohne daß weitere Überlegungen angestellt wurden, hat Helwing diese These als eine wichtige Grundlage für seine Ausführungen benutzt. So hat er Bandels Entdeckung der Inschrift als einen „köstlichen Fund" bezeichnet, ja sogar als „ein unverwerfliches Zeugnis" für die Gültigkeit jener Datierung in Anspruch genommen, die Clostermeier für das Relief vorgeschlagen hatte.

Es schien auch alles so gut miteinander in Einklang zu stehen. Zunächst war der „Paderborner Kaufurkunde", die damals noch unbestritten als eine erstklassige Geschichtsquelle galt, entnommen worden, daß die Stätte der Externsteine im Jahre 1093 in den Besitz des Klosters Abdinghof gelangt sei. Ferner schien die Vermutung, daß dieser Ankauf deshalb getätigt worden sei, weil die Abdinghofer Mönche damals die Absicht gehabt hätten, die heute an den Felsen befindlichen Einrichtungen zu schaffen, so einleuchtend zu sein, daß diese angebliche Absicht, die man zunächst nur vermutet hatte, schon wie ein gesichertes und gut bezeugtes Motiv in Rechnung gestellt wurde, wenn der Erwerb des Felsens durch Abdinghof erklärt werden sollte. Dazu ist nun durch Maßmanns Veröffentlichung die Inschrift mit der Jahreszahl 1115 gekommen. Lag hier nicht ein willkommenes schriftliches Zeugnis vor, das sich unmittelbar an den Felsen befindet? War es nicht verlockend, die Aussage dieser Inschrift mit jenen Arbeiten in Verbindung zu bringen, die, wie man schon immer vermutet hatte, die Abdinghofer Mönche in den auf den angeblichen Erwerb von 1093 folgenden Jahren ausgeführt haben sollten? Lag nicht nunmehr in der Inschrift ein festes Datum für die Beendigung all dieser Arbeiten einschließlich der Anfertigung des großen Bildwerkes vor? War damit nicht eine großartige Bestätigung für die Datierung in das 12. Jahrhundert erbracht worden, die man schon vorher bei der Auswertung der „Kaufurkunde" ausgesprochen hatte?

Man wird nicht sagen können, daß es bereits eine Beweisführung bedeutet, wenn diese Fragen aneinander gereiht werden. Doch wird man verstehen müssen, daß von solchen Erwägungen damals eine starke Faszination ausgehen konnte und auch wirklich ausgegangen ist. Sie ist so stark gewesen, daß die Autoren, die sich weiterhin über das Alter des Kunstwerks ausgesprochen haben, zunächst nicht daran gedacht haben, die Einzelheiten der von Maßmann und Helwing vorgetragenen Begründung zu überprüfen. Das Ergebnis wurde einfach übernommen, ohne daß die Fragwürdigkeit der Grundlage gesehen wurde. Man war eben stark davon beeindruckt, in dieser schwierigen Angelegenheit ein schriftliches Zeugnis mit einer festen Jahreszahl in der Hand zu haben. Die These, daß die Skulptur im Jahre 1115 entstanden sei, galt nunmehr für längere Zeit als ein gesichertes Forschungsergebnis, das unbesehen weitergereicht werden konnte. Auch Kunstwissenschaftler, die vorher eine andere Datierung zu geben versucht hatten, wurden umgestimmt und bekannten sich zu der Auffassung, die sich auf die Inschrift berief. Daß demgegenüber ab und zu auch Bedenken geäußert wurden und gelegentlich sogar die karolingerzeitliche These wieder zur Sprache kam, blieb weithin ohne Wirkung [23].

Die Inschrift bei Preuß, Thorbecke und Dewitz

Andererseits hat es in der zweiten Hälfte des 19. Jahrhunderts einen gewissen Einfluß ausgeübt, daß der angesehene Direktor der Detmolder Landesbibliothek, der Geheimrat Otto Preuß, in seinem gediegenen und seiner Zeit viel gelesenen Übersichtswerk „Die baulichen Alterthümer des Lippischen Landes" die Gleichzeitigkeit von Inschrift und Skulptur als eine Gegebenheit hingestellt hat, die „nicht zu bezweifeln" sei [24]. Eine ähnliche Wirkung ist von der Externsteine-Schrift des Detmolder Gymnasial-Oberlehrers Thorbecke ausgegangen, die sich an weite, heimatkundlich interessierte Kreise der Öffentlichkeit wandte, um sie mit den Ergebnissen der damals vorliegenden Externsteine-Untersuchungen bekannt zu machen. Auch in dieser populären Veröffentlichung [25] von 1882 ist zu lesen, daß Clostermeiers Vermutung, das heißt die Zuweisung

[23] Joh. Wilhelm Joseph Braun, Die Externsteine (1858), S. 10.— Derselbe, Das Bild an den Externsteinen, S. 204. — G. B. A. Schierenberg, Der Externstein zur Zeit des Heidenthums in Westfalen (1879), S. 21 u. 42.— Derselbe, Der Ariadnefaden für das Labyrinth der Edda... (1889), S. XVII.

[24] Otto Preuß, Die baulichen Alterthümer des Lippischen Landes. 1873. — Zweite Auflage 1881, S. 76.

[25] Heinrich Thorbecke, Die Externsteine im Fürstentum Lippe in Natur, Kunst, Geschichte, Sage und Litteratur. 1882.

des Reliefs an das 12. Jahrhundert, durch die Inschrift „in glänzender Weise gerechtfertigt und bekräftigt" worden sei.

Dann wurden aber vier Jahre später, also 1886, in einer weiteren Externsteine-Monographie, deren Verfasser der Lemgoer Gymnasial-Zeichenlehrer Carl Dewitz war [26], an Maßmanns Datierungsverfahren grundsätzliche Bedenken angemeldet. Es heißt dort auf S. 8 f, und zwar mit vollem Recht, daß „man doch nicht ohne Weiteres annehmen darf, wie es allerdings geschehen, daß Diejenigen, welche die Grotten im Jahre 1115, wie die Inschrift am Inneren besagt, zur Kapelle einweihten, auch die Verfertiger der Grotten und Skulpturwerke waren". So hielt Dewitz einen neuen Versuch der Reliefdatierung für notwendig. Er nahm ihn in der Weise in Angriff, daß er von einer Betrachtung aller an den Felsen befindlichen Anlagen ausging, die er durch Beschreibungen und eigene Zeichnungen ausführlich veranschaulichte. Das chronologische Ergebnis, zu dem er schließlich gekommen ist, war dann aber das gleiche wie bei Maßmann und Helwing. Auch Dewitz hat das Relief der Kreuzabnahme in die Zeit um 1115 datiert. Die tragenden Stützen seiner Beweisführung waren wiederum die Paderborner Urkunde und die Grotteninschrift. Und zwar war er davon überzeugt, besser als Maßmann bewiesen zu haben, daß Inschrift und Relief tatsächlich gleichaltrig seien. Was ist nun von seiner Begründung zu halten?

Dewitz hat folgendermaßen argumentiert. Er meinte, eine aufmerksame Betrachtung der Unteren Grotte müsse zu dem Ergebnis führen, daß ihre Anlage nicht in mehreren Bauphasen erfolgt sein könne. Für alle Bestandteile dieses Raumes einschließlich der drei vorhandenen Eingänge müsse eine gleichzeitige Entstehung angenommen werden. Das Ganze sei in einem einzigen Zuge geschaffen worden, und dafür käme weder das vorchristliche Altertum noch die Karolingerzeit in Frage, sondern ganz allein der Anfang des 12. Jahrhunderts, was durch die in der Inschrift enthaltene Jahreszahl 1115 gut bezeugt werde. Ferner lasse die Bearbeitung jenes Teiles der äußeren Felsenwand, der sich zwischen dem Relief, dem benachbarten Grotteneingang und der darüber befindlichen, eingetieften Vogelfigur hinzieht, deutlich erkennen, daß die vier genannten Erscheinungen, also das Relief, die Wandbearbeitung, der einge-

[26] Carl Dewitz, Die Externsteine im Teutoburger Walde. Eine archäologisch-kritische Untersuchung. 1886.

tiefte Vogel und die Eingangstür, sämtlich aus ein und derselben Zeit stammen. Da aber der betreffende Eingang nach der von Dewitz behaupteten Voraussetzung ebenso alt sein soll wie die Anlage des ganzen Grottenraumes, die durch die Inschrift zeitlich bestimmt werde, so müsse das Jahr 1115 auch auf die Fertigstellung des Reliefs bezogen werden.

Dieser Datierungsversuch ist also von der Annahme ausgegangen, daß der heutige Zustand der Unteren Grotte als das Produkt eines einzigen Arbeitsganges aufzufassen sei und daß mit einer mehrstufigen Entwicklung dieses Raumes nicht gerechnet werden dürfe. Was ist aber von dieser Voraussetzung zu halten? Entspricht sie wirklich den Gegebenheiten, die in der Unteren Grotte zu beobachten sind?

Wie das Innere einer Felsenkapelle aussehen muß, die in einem einzigen Zuge entstanden und dann unverändert geblieben ist, kann an der Kapelle der ,,Klus'' von Goslar beispielhaft gezeigt werden. Dort bekunden die gleichmäßig behauenen Wände und der einheitliche Charakter der Meißelspuren unverkennbar, daß alles auf einmal geschaffen worden ist. Wenn aber mit diesem klaren Befund die Externsteiner Grottenwände verglichen werden, so zeigt sich bei ihnen ein ganz anderes Bild. Es muß geradezu als eine besondere Eigenschaft dieses merkwürdigen Raumes gelten, daß seine Wandflächen die Spuren von mehreren und recht verschiedenen Arbeitsverfahren nebeneinander aufweisen. An einigen Stellen ist sogar noch gut zu erkennen, daß gewisse Bestandteile, die einstmals vorhanden gewesen waren, nachträglich entfernt worden sind, wobei man andersartige Werkzeuge verwandt hat als bei der ursprünglichen Anlage. Sodann ist zu beachten, wie verschieden die drei Eingänge ausgefallen sind, sowohl in der Form wie in der Art der Bearbeitung. Wie kann es überhaupt dazu gekommen sein, die verhältnismäßig kleine Grotte mit drei Eingängen auszustatten, wenn es sich wirklich nur um eine einzige Raumgestaltung gehandelt haben sollte? Ferner ist noch der heute vergitterte, hohe und schmale Eingang, der sich in der Mitte der äußeren Längswand befindet, besonders in Rechnung zu stellen, da er sogar in sich selber nicht einheitlich ist. Enthält doch seine Innenseite mit dem Rundbogen und den geglätteten Flächen ganz andere Bildungen als die viel urtümlicher wirkende Außenseite. Und wenn die letzte näher betrachtet wird, sind dort auch wieder zahlreiche und sehr verschiedene Meißelspuren festzustellen, die auf mehrere Arbeitsgänge zurückzuführen sind. So können in der Unteren Grotte viele solche Erscheinungen festgestellt werden, die freilich noch nicht alle endgültig gedeutet und besprochen worden sind. Doch hat Ferdinand Seitz schon eine Auswahl davon in einer Veröffentlichung des Jahres 1959 beschrieben [27]. In Übereinstimmung mit der dort vertretenen Auffassung können die erheblichen Unterschiede zwischen den einzelnen Arbeitsspuren und die einwandfreien Zeugnisse für nachträgliche Umgestaltung nur in dem Sinne gedeutet werden, daß der heutige Zustand der Unteren Grotte nicht auf einen einzigen Arbeitsgang zurückgeführt werden darf. Er kann nur als der Niederschlag einer mehrstufigen Entwicklung angesehen werden. Es ist offenkundig, daß Dewitz die Erscheinungen der Unteren Grotte nicht richtig beurteilt hat und daß die Voraussetzung, von der seine Begründung ausgegangen ist, auf einer falschen Deutung beruht. Mit dieser Feststellung wird aber seine ganze Argumentation hinfällig. Sie erweist sich als ebenso wertlos, wie es Maßmanns Ausführungen sind, die Dewitz mit Recht als unzureichend bezeichnet hatte.

Es hat sich nicht vermeiden lassen, so ausführlich auf die Fehler einzugehen, die in den Begründungsversuchen von Maßmann und Dewitz an entscheidenden Stellen zu finden sind. Davon Kenntnis zu nehmen, ist deshalb wichtig, weil es außer diesen zwei Autoren des 19. Jahrhunderts sonst niemand wieder unternommen hat, einen Beweis für die immer weiter behauptete Gleichzeitigkeit von Grotteninschrift und Kreuzabnahme-Relief vorzulegen. Wenn in der folgenden Zeit weiterhin mit einem solchen Zusammenhang gerechnet wurde, so hat es nur darauf beruht, daß man die von Dewitz gezogene Folgerung einschließlich des zu Grunde liegenden Irrtums ungeprüft in die nunmehr erscheinenden Veröffentlichungen eingehen ließ. Unter anderm hat eine akademische Dissertation, die drei Jahrzehnte später als die Schrift von Dewitz erschienen ist, nicht unwesentlich dazu beigetragen, daß seine Auffassung von der Datierung des Reliefs auch noch im 20. Jahrhundert in Geltung geblieben ist und mehrere Jahrzehnte lang, ohne beanstandet zu werden, von der einen Veröffentlichung in die andere übernommen wurde.

[27] Ferdinand Seitz, „Steinerne Urkunden" an den Externsteinen. Neue entscheidende Feststellungen zur Klärung des Externsteinproblems. 1959.

Die Inschrift bei Erna Rampendahl

Im Jahre 1916 hat die Philosophische Fakultät der Friedrich-Wilhelms-Universität zu Berlin eine Dissertation von Erna Rampendahl angenommen, die sich mit der Ikonographie der Kreuzabnahme beschäftigt [28]. Diese Anfängerarbeit, die von einem hervorragenden Kenner der mittelalterlichen Kunst, von Adolf Goldschmidt, betreut und begutachtet worden war, verdient hier deshalb eine Beachtung, weil sie den ganzen Bestand der damals bekannten Kreuzabnahme-Darstellungen im Zusammenhang besprochen hat. Es handelt sich also um ein Werk von grundlegender Bedeutung, das sich allen weiteren Untersuchungen dieser Thematik als eine unentbehrliche Informationsquelle anbot. Daß darin auch das Relief der Externsteine behandelt wurde, war eine Selbstverständlichkeit. Aber ebenso selbstverständlich war es für die Verfasserin, in der Datierung desselben kein Problem zu sehen. Durch eine Berufung auf die Inschrift der Unteren Grotte war für sie alles erledigt. Denn es heißt auf S. 34: „1115 lesen wir als Einweihungszeit im Innern der in den Felsen eingehauenen Kapelle, und allgemein wird dieses Datum auch für die Entstehung des Reliefs angenommen".

Eine weitere Erörterung oder Begründung wurde nicht für notwendig gehalten. In dem kurzen Literaturnachweis steht an erster Stelle als die maßgebliche Veröffentlichung die Monographie von Dewitz. Ferner sind nur noch eine Arbeit von Giefers und das Buch von Maßmann nebenbei genannt worden. Dagegen ist keine Rede von den anderslautenden Datierungsvorschlägen und den Schriften, die von Dorow und Goethe stammten.

Zweifellos hat die in diesem Übersichtswerk stehende chronologische Aussage die Auffassung der Kunsthistoriker stark beeinflußt, die sich in der ersten Hälfte des 20. Jahrhunderts mit den Externsteinen beschäftigt haben. Es hat sich dabei schon um eine recht stattliche Zahl gehandelt. Denn die inzwischen berühmt gewordene Monumentalplastik wurde nicht nur in Spezialschriften besprochen, in denen die Thematik der Externsteine oder die Probleme der mittelalterlichen Bildhauerkunst im Vordergrund standen. Es konnte nicht ausbleiben, daß die ungewöhnliche Skulptur auch in

---

[28] Erna Rampendahl, Die Ikonographie der Kreuzabnahme vom 9.-16. Jahrhundert. Inaugural-Dissertation Berlin 1916.

allgemeinen Darstellungen der Kunstentwicklung berücksichtigt wurde und daß sich führende Gelehrte immer wieder darüber geäußert haben. Das seltsame Werk des Teutoburger Waldes fand Eingang in Handbücher und Lexika, ebenso in viele Veröffentlichungen, die für eine breite Öffentlichkeit bestimmt waren. In all diesen Schriften wurde nun immer nur das 12. Jahrhundert als die Entstehungszeit genannt, und man hielt diese Datierung für ein endgültiges Forschungsergebnis, um dessen Unterlagen man sich nicht weiter zu kümmern brauchte.

Auf dieser als gesichert geltenden chronologischen Basis wurden alle weiteren Betrachtungen aufgebaut, die nunmehr dem Kunstwerk gewidmet wurden. Von ihr ausgehend hat man stilistische Beziehungen in der einen oder anderen Richtung zu knüpfen versucht oder sich auch um Deutungen bemüht, die mehr oder weniger glücklich ausgefallen sind. Dabei ist zu bemerken, daß in solchen Erörterungen wiederholt auf einen Widerspruch hingewiesen wurde, der etwa von folgender Art war. Es hieß, bei diesem Kunstwerk sei auf der einen Seite der ganz seltene Glücksfall gegeben, daß eine mittelalterliche Skulptur auf das Jahr genau, und zwar in das Jahr 1115, datiert werden kann, während auf der anderen Seite eine stilistische Untersuchung der sonstigen Bildwerke der gleichen Zeit ergebe, daß unser merkwürdiges Felsenrelief seinem ganzen Stilcharakter nach eigentlich in den Kreis derselben nicht hineinpasse. Doch begnügte man sich gewöhnlich damit, den Gegensatz kurz zu erwähnen, ohne daraus weitere Schlüsse für die Chronologie zu ziehen. So meinte zum Beispiel B. Thomas in einer Veröffentlichung von 1934, nachdem er Beziehungen des Reliefs zu Kunstwerken aus der Zeit zwischen 1160 und 1170 ermittelt zu haben glaubte [29]: „Daß auf Grund dieser Verwandtschaft das Externstein-Relief bis zur Mitte des 12. Jahrhunderts heraufzurücken wäre, soll damit nicht gesagt sein". Es wurde also längere Zeit nicht daran gedacht, auf Grund solcher Beobachtungen die Grundlagen für die Verwertung der Inschrift neu zu überprüfen.

Datierungsvorschlag von Otto Schmitt

In diese festgefahrenen und einseitigen Darstellungen hat der Stuttgarter Kunsthistoriker Otto Schmitt dadurch Bewegung und

[29] B. Thomas, Die westfälische Steinplastik des 12. Jahrhunderts. Westfalen 19 (1934), S. 397 ff.

neues Leben gebracht, daß er im Jahre 1951 eine anregende Untersuchung über die Datierung des Externsteine-Reliefs veröffentlichte[30]. In dieser Schrift wurde der besagte Widerspruch zum Anlaß genommen, die Frage nach dem Alter der Skulptur erneut aufzugreifen und vor allem zu erörtern, ob es überhaupt zulässig sei, die Inschrift von 1115 im vorliegenden Fall zu verwenden. Um zum Ziele zu kommen, hat Otto Schmitt nicht jenen Weg gewählt, der soeben gegangen wurde. Das heißt, er hat nicht in einem forschungsgeschichtlichen Rückblick überprüft, wie es dazu gekommen ist, bei der Datierung des Kunstwerks mit der Aussage der Inschrift zu arbeiten, sondern er hat versucht, durch eine stilvergleichende Untersuchung eine Lösung des Problems zu erreichen. Dabei ist er von einigen einwandfrei datierten Skulpturen des beginnenden 12. Jahrhunderts ausgegangen, die im weiteren Umkreis der Externsteine, also im nordwestdeutschen Raum, zu Hause waren. Ihr Stil wurde analysiert, darauf die Eigenart des Felsenreliefs beschrieben, wobei vor allem auf seinen monumentalen Charakter hingewiesen wurde, und schließlich beides miteinander verglichen. Das Ergebnis war, daß sich die Unmöglichkeit herausstellte, „diese in Dimensionen, in formaler und seelischer Hinsicht so einzigartig monumentale Darstellung" der Externsteine mit den völlig andersartigen Skulpturen der genannten Zeit, deren Stilcharakter etwa durch die Szenen des Freckenhorster Taufsteins veranschaulicht wird, auf eine Stufe zu stellen. Auf Grund solcher Vergleiche mußte Schmitt „die stärksten Bedenken gegen das Datum 1115 und überhaupt gegen eine Entstehung in der ersten Hälfte des 12. Jahrhunderts" anmelden. Daß daraufhin die Grotten-Inschrift mit der Jahreszahl 1115 bei allen weiteren Erwägungen über das Alter des Reliefs ausscheiden muß, war für ihn eine Selbstverständlichkeit.

Das Resultat dieser vergleichenden Untersuchung ist deshalb von Bedeutung, weil es zur Klarheit verhelfen und verheißungsvolle Neuansätze ermöglichen kann. Freilich ist Otto Schmitt noch nicht dazu gekommen, aus der richtigen Erkenntnis alle Konsequenzen zu ziehen. Denn nachdem er überzeugend dargelegt hatte, daß sich das eine Hauptargument für eine Zuweisung der Skulptur an das

---

[30] Otto Schmitt, Zur Datierung des Externsteine-Reliefs. Beiträge für Georg Swarzenski zum 11. Januar 1951. (1951), S. 26-35.

12. Jahrhundert als hinfällig erwiesen hat, hätte es eigentlich nahe gelegen, auch die andere große Stütze für diese Datierung einer neuen Prüfung zu unterziehen. Es hätte daran gedacht werden können, daß der Quellenwert der „Paderborner Kaufurkunde" schon längst nicht mehr unbestritten war, nachdem Wilmans bereits acht Jahrzehnte vorher die ersten Bedenken angemeldet hatte. Seitdem war bei der Verwendung von Angaben dieser Urkunde eigentlich schon immer größte Vorsicht geboten. Freilich ist es in jener Zeit, als Otto Schmitt seine Untersuchung veröffentlichte, bei den Historikern weithin nicht üblich gewesen, aus den quellenkritischen Bedenken allzu strenge Folgerungen zu ziehen. Im Gegenteil, gerade damals hatte Honselmann damit begonnen, seine viel beachtete Hypothese zur Rehabilitierung des angezweifelten Dokumentes zu entwickeln, die dafür sorgte, daß man sich weiterhin auf dessen Aussagen unbekümmert verlassen zu können glaubte. Ebenso scheint auch Otto Schmitt diese Urkunde als eine einwandfreie Quelle angesehen zu haben, sodaß er bei der Vorstellung geblieben ist, daß an einer Entstehung des Kreuzabnahme-Reliefs in dem genannten Jahrhundert nicht zu zweifeln sei.

Daraus hat sich folgendes ergeben. Nachdem Schmitt richtig erkannt hatte, daß die große Monumentalplastik in der ersten Hälfte des 12. Jahrhunderts nicht untergebracht werden kann, hat er es unterlassen, die Frage nach ihrem Alter ganz neu und voraussetzungslos zu stellen. An sich hätte es nahe gelegen, nunmehr nicht nur die Zeit nach 1115, sondern auch die früheren Jahrhunderte für die Einordnung des Kunstwerks in Erwägung zu ziehen. Er war aber noch so weit voreingenommen und befangen, daß er nur an das 12. Jahrhundert denken konnte. So hat er sich darauf beschränkt zu fragen, in welchem Jahrzehnt des 12. Jahrhunderts die abendländische Bildhauerkunst Tendenzen erkennen läßt, die ein Zustandekommen dieser monumentalen Schöpfung hätten ermöglichen können.

Man wird verstehen müssen, daß als Antwort auf eine solche Frage sowieso nur eine allgemein gehaltene Aussage erwartet werden kann und daß speziell in diesem Einzelfall der Nachweis von Vertretern eines monumentalen Stiles noch nicht ohne weiteres einen festen Anhalt für eine Zeitbestimmung abzugeben braucht. So darf auch Schmitts Bemerkung, daß es in der Mitte des 12. Jahrhunderts, und zwar zwischen 1250 und 1260, Skulpturen von monumentalem

Charakter gegeben habe, bestenfalls als ein Versuch angesehen werden, der auf gewisse Möglichkeiten hinweisen möchte, die für die Datierung des Reliefs vielleicht in Erwägung gezogen werden könnten. Es ist aber auf keinen Fall zulässig, eine solche Angabe schon als einen strikten Beweis für den anschließend ausgesprochenen Vorschlag gelten zu lassen, die Externsteiner Skulptur der Zeit zwischen 1150 und 1160 zuzuweisen. Vielleicht würde sogar noch von einer gewissen Wahrscheinlichkeit einer solchen Datierung gesprochen werden können, wenn es Schmitt gelungen wäre, aus der Hinterlassenschaft dieses Jahrzehntes Skulpturen nachzuweisen, die unserm Kunstwerk so ähnlich gewesen wären, daß sie als vergleichbare und tragfähige Datierungsstützen hätten dienen können. Aber auch das ist nicht geschehen. Alles, was er herangezogen hat, läßt so wenig an Übereinstimmung mit der Darstellung der Externsteine erkennen, daß es unmöglich ist, in jenen Beispielen ein beweisendes Vergleichsmaterial zu sehen.

So ist dieser Versuch, dem großen Relief in der Mitte des 12. Jahrhunderts einen Platz anzuweisen, ohne ausreichende Begründung geblieben. Die Bedeutung von Schmitts Veröffentlichung ist nicht in seinem Datierungsvorschlag zu sehen, der unbewiesen geblieben ist, sondern darin, daß sie die große Unsicherheit vor Augen geführt hat, in der sich die Bemühungen um die Lösung des chronologischen Problems trotz aller gegenteiligen Behauptungen in Wirklichkeit befinden.

Datierungsvorschlag von Otto Gaul

Diese Unsicherheit hat bald darauf Anlaß gegeben, eine neue Veröffentlichung herauszubringen, in der wiederum ein Kunstwissenschaftler die offen gebliebene Frage zu beantworten versucht hat. Das Ergebnis war freilich nicht eine Beseitigung, sondern nur eine erneute Bestätigung der besagten Unsicherheit, obwohl auch in diesem Fall ein präziser Datierungs-Vorschlag unterbreitet worden ist. Es handelt sich um den Aufsatz des Lemgoer Kunsthistorikers Otto Gaul „Neue Forschungen zum Problem der Externsteine" aus dem Jahre 1955 [31]. Seine Ausführungen über die Zeitstellung des Kreuzabnahme-Reliefs, die innerhalb der genannten

---

[31] Otto Gaul, Neue Forschungen zum Problem der Externsteine. Westfalen 32 (1955), S. 141-164.

Abhandlung einen eigenen Abschnitt bilden, entsprechen insofern dem Beitrag von Otto Schmitt, als sie ebenfalls aus einer stilvergleichenden Untersuchung bestehen.

Die „Paderborner Kaufurkunde" ist in diesem chronologischen Abschnitt nicht weiter genannt worden. Doch ist den sonstigen Ausführungen des Verfassers zu entnehmen, daß er sie für eine brauchbare Geschichtsquelle hielt und den weitgehenden Schlüssen, die man von jeher daraus gezogen hat, seine Zustimmung nicht versagte. So hat er auch den angeblichen Erwerb des Felsens durch Abdinghof als einen gut bezeugten Vorgang angesehen und ebenso die übliche Vorstellung beibehalten, daß die Schöpfer des großen Kunstwerks in Paderborn zu suchen seien.

Doch hat es Gaul in Übereinstimmung mit Schmitt für unzulässig gehalten, die Grotteninschrift von 1115 und das Relief der Kreuzabnahme als gleichaltrig anzusprechen. Zur Begründung berief er sich auf die stilvergleichenden Untersuchungen von H. Beenken [32], B. Thomas [29] und Otto Schmitt [30], die immer wieder die Auffassung zum Ausdruck gebracht haben, daß erst einige Jahrzehnte nach 1115 vergleichbare Erscheinungen nachweisbar seien. Aber damit, daß Schmitt erst die Zeit zwischen 1150 und 1160 vorgeschlagen hatte, mochte Gaul sich nicht einverstanden erklären. Er meinte auf S. 158 f: „O. Schmitt datiert das Relief in die Zeit von 1150 - 60, weil der ‚monumentale Stil', dem Schmitt dieses Werk zuordnet, erst zu dieser Zeit herrschte. Freilich sind die Werke, mit denen O. Schmitt den ‚monumentalen Stil' für die Zeit von 1150-70 belegt, nicht gerade überzeugend. Es sind einerseits die Bronzegüsse, die durch die Art ihrer technischen Herstellung von vornherein monumentaler, blockhaft geschlossen wirken, andererseits die Stuckgrabsteine der Quedlinburger Äbtissinnen, die er erst anläßlich einer angeblichen Umbettung im Jahre 1161 entstanden denkt. Aber eine solche Umbettung der Äbtissinnen hat gar nicht stattgefunden, und damit entfällt auch der Grund für eine so späte Anfertigung der Grabsteine".

Darauf unterbreitet Gaul seinen eigenen Datierungsvorschlag und zwar wird die Zeit um 1130 genannt. Zur Begründung wird jener Gedankengang aufgegriffen und weitergeführt, den Schmitt bereits entwickelt hatte, als er aus der Beobachtung des monumenta-

[32] H. Beenken, Rcmanische Skulptur in Deutschland. 1924, S. 96.

len Charakters seine Schlüsse in einseitiger Weise zog. Ebenso einseitig ist auch Otto Gaul vorgegangen. Er hat den Blick gleichfalls allein auf das 12. Jahrhundert gerichtet und ausschließlich in dessen Hinterlassenschaft nach Beispielen eines „monumentalen" Stiles Umschau gehalten, um im besonderen darzulegen, daß dessen Anfänge nicht erst um 1150, sondern schon zwei Jahrzehnte früher, also etwa um 1130, anzusetzen seien. Demgemäß heißt es bei ihm auf S. 159 f. weiter: „Tatsächlich setzt der ‚monumentale' Stil, dem das Externstein-Relief nahesteht, nicht erst um 1150, sondern bereits um 1130 ein. O. Schmitt selbst führt an, daß A. Boeckler auf Grund seiner Datierung der Augsburger Glasmalereien die Entstehung des ‚monumentalen Stils' um 1130 ansetzt. Aus den 30er Jahren, nämlich aus der Zeit des Mindener Bischofs Sigeward (1124-40) stammen die Wandmalereien in Idensen, eindrucksvolle Werke des strengen, monumentalen Stils. Bereits der Freckenhorster Taufstein von 1129 zeigt in der Kapitellornamentik diese Stilstufe, und die dem Externstein-Relief bildverwandten Kapitellfiguren in der Hildesheimer St. Godehardskirche werden bald nach dem Baubeginn von 1133 entstanden sein. Vom Gesichtspunkte des ‚strengen, monumentalen Stils' aus wäre also eine Entstehung des Externstein-Reliefs von etwa 1130 an durchaus möglich".

Worum es in diesen Ausführungen geht, ist in dem letzten Satz deutlich gesagt worden. Es konnte nur auf eine gewisse Möglichkeit zur Datierung des Reliefs hingewiesen werden. Und zwar ist es eine recht unbestimmte Möglichkeit gewesen, die sich daraus ergeben sollte, daß der Beginn des „monumentalen Stils" um zwei Jahrzehnte früher angenommen wurde. Es ist also nur darum gegangen, Bedenken aus dem Wege zu räumen, die auf Grund der Ausführungen Otto Schmitts einem etwas früheren Ansatz dieses Stiles im Wege gestanden haben. In solchen Bemühungen kann aber noch nicht eine maßgebliche Aussage über das Alter des Reliefs gesehen werden. Denn es dürfte deutlich geworden sein, daß sich auch in diesen Ausführungen kein fester Anhalt für eine Datierung ergeben hat und daß auch hier die Frage unbeantwortet geblieben ist, was eigentlich zwingend dafür sprechen müßte, die Entstehung unseres Kunstwerks in das 12. Jahrhundert zu setzen. Jedenfalls wird es nicht möglich sein, irgend eine der genannten Erscheinungen — mag es sich um die Würzburger Glasfenster oder die Wandbilder von Idensen oder die Kapitellornamentik von Freckenhorst oder die

Hildesheimer Kapitellfiguren handeln — als die gesuchten Stützen in Anspruch zu nehmen, mit denen man das Alter des großen Reliefs überzeugend bestimmen könnte. Mit anderen Worten, es handelt sich auch hier nicht um einen chronologischen Beweis, der einen zwingenden Charakter hätte.

Um nun die Begründung weiter auszubauen, hat Gaul anschliessend auf S. 160 eine Betrachtung angestellt, die einige Erscheinungen der hochmittelalterlichen Stilentwicklung ins Auge faßt, um dann das zu datierende Kunstwerk an einer bestimmten Stelle dieser Entwicklung einzuordnen. Zunächst war von einer Stilstufe die Rede, die durch Skulpturen vertreten wird, die aus den drei ersten Jahrzehnten des 12. Jahrhunderts stammen. „Diese zeigen die der Spätantike und dem Spätottonischen verwandte malerische Bildhaftigkeit, deren Formgebung an die byzantinische Art erinnert". Dann heißt es weiter: „Der Stil des Externstein-Reliefs ist hiervon wesentlich verschieden". Zur Erläuterung wird gesagt: „Hier sind die Figuren schon ganz im Sinne der Hochromanik streng isoliert als plastische Körper hart gegen die Rückfläche gesetzt. Ebenso heben sich die Einzelformen in den Gesichtszügen wie die Falten der Gewänder als selbständige, plastische Körper klar voneinander ab. Somit erscheint die Formgebung des Externstein-Reliefs um 1115 noch nicht möglich". Die Aussage des letzten Satzes und die Beschreibung der einzelnen Stilelemente können als zutreffend angesehen werden. Doch wird man auf keinen Fall sagen dürfen, daß die Zuweisung des Kunstwerks an den „hochromanischen Stil", die als selbstverständlich angenommen wurde, durch die vorgelegten kurzen Hinweise schon überzeugend bewiesen worden wäre.

Von dieser Grundlage ist dann aber jene Überlegung ausgegangen, die in der weiteren Beweisführung eine entscheidende Rolle spielen soll. Es heißt, daß an der Skulptur, die ohne weitere Begründung „dem ab etwa 1130 einsetzenden ‚hochromanischen' Stil" zugewiesen worden war, zu beobachten sei, „daß sich in der Komposition wie in dekorativen Einzelformen die ‚byzantinische' Richtung noch stark bemerkbar macht". Als kennzeichnend für die byzantinische Beeinflussung wird hauptsächlich hervorgehoben, „daß die Bildkomposition durch ein Netz paralleler Schräglinien bestimmt wird, . . . — . . . wodurch eine Verfestigung der Komposition in dekorativem Sinne erreicht wird". In welcher Weise dieses Prinzip „byzantinischer Bildgestaltung" am Externsteiner Relief zum Ausdruck kommt, wird wiederum in einer eingehenden Beschreibung dargelegt und außerdem noch ergänzend hinzugefügt: „Dazu kommt eine Neigung zu abstrakt-linearer Ornamentik wie z.B. in der Häufung von Kreisbögen am oberen Rande des Lendentuches Christi und in den vielsträhnigen parallelen Faltenzügen der Tücher und Gewänder. Hierin spricht sich ebenfalls noch die innere Verwandtschaft mit der ‚byzantinischen' Richtung der Zeit um 1120 aus".

Der entscheidende Gedanke, auf den es dem Verfasser hier vor allem angekommen ist, liegt in der These, daß in dem Auftreten byzantinischer Einflüsse eine Nachwirkung jener Stilstufe zu erkennen sei, die um 1120 voll ausgeprägt gewesen war und ebenfalls gewisse byzantinische Gestaltungstendenzen aufzuweisen hatte. Dem sei zu entnehmen, so wurde weiter gefolgert, daß die Skulptur der Externsteine bald nach dem Ende dieser frühen Stilstufe, das heißt unmittelbar nach dem Beginn der „hochromanischen" Periode, also in der Zeit um 1130, angesetzt werden müsse. Ist dieser Schluß aber auch berechtigt? Können die Gründe der Beweisführung im einzelnen aufrecht erhalten werden und sind sie in dem besagten Sinne auch wirklich verwendbar?

Zunächst ist noch einmal daran zu erinnern, daß die Zuweisung des Reliefs an eine „hochromanische" Stilstufe als eine selbstverständliche Voraussetzung der weiteren Argumentation zu Grunde gelegt worden ist, ohne daß ein Beweis dafür geliefert wurde. Jedenfalls können die kurzen Hinweise auf einige Stilelemente keinen ausreichenden Ersatz für die ausstehende Begründung bilden. Ferner kann es nicht überzeugend wirken, wenn die an sich richtige Beobachtung byzantinischer Stilelemente zum Anlaß genommen wird, dem großartigen und einmaligen Kunstwerk eine „Grenzstellung" zwischen einer „byzantinischen" Vorstufe und der Zeit eines „hochromanischen" Stiles zuzuweisen. Der Verfasser hat schon selber darauf hingewiesen, daß die Gestaltung des Reliefs „entschieden byzantinischer" wirken muß als die der angeblichen Vorgänger.

Entscheidend dürfte aber folgendes sein. Wenn es nicht von vornherein als ein unabänderliches Dogma hingenommen werden soll, daß die Skulptur der Externsteine auf jeden Fall dem 12. Jahrhundert entstammen muß (quod erat demonstrandum!), so wird die Frage nicht zu vermeiden sein, ob das Auftreten der byzantinischen Stilelemente etwa auch noch in einer anderen Weise und mit Hilfe einer ganz anderen Datierung erklärt werden könnte. Es ist daran zu denken, daß sich die byzantinische Kunst schon längst vor dem 12. Jahrhundert entfaltet und die Formgebung abendländischer Werke von jeher beeinflußt hatte, zum Beispiel schon in den Zeiten der Karolinger und Ottonen. So ist mit vielen Möglichkeiten der Aussage zu rechnen, wenn es bei einem mittelalterlichen Kunstwerk um die Datierung byzantinischer Einflüsse geht. Warum sollen bei dem Relief der Externsteine nur die Jahre um 1130 für solche Einwirkungen in Betracht kommen dürfen? Warum nicht auch andere Zeiten? Daß solche Fragen in der stilistischen Untersuchung Otto Gauls überhaupt nicht erwähnt worden sind, stellt in derselben eine empfindliche Lücke dar. Diese ist so groß, daß von einer geschlossenen Beweisführung nicht mehr gesprochen werden kann. Übrigens hat er auf S. 161 auch schon selber auf den problematischen Charakter seiner stilvergleichenden Betrachtung mit folgenden Worten hingewiesen: „Bei der geringen Zahl erhaltener plastischer Werke dieser Zeit und ihrer z.T. unsicheren Datierung ist es freilich immer schwierig, ein Werk auf Grund seiner stilistischen Stellung zu datieren."

Um nun aber doch noch einen exakten Beweis zu liefern, hat der Verfasser seine chronologische Untersuchung damit abgeschlossen, daß er ein einzelnes Motiv aus der Kreuzabnahme-Darstellung herausgegriffen hat, um es mit ähnlichen Gebilden zu vergleichen, die aus dem 12. Jahrhundert stammen. Dafür hat er jenes vielerörterte baumartige Gebilde ausgewählt, dessen umgebogener Stamm dem Nikodemus als Träger dient, um daneben einige Beispiele aus der Bauplastik oder Kapitellornamentik von Gernrode, Neuenheerse, Freckenhorst und Paderborn zu stellen. Freilich hat er bei diesem Vergleich nur einzelne Teile des Motivs ins Auge gefaßt, hauptsächlich die Formen der beiden Äste. Aus dem Hinweis auf Ähnlichkeiten wurden dann Schlüsse auf das Alter des Reliefs gezogen. Bei der Besprechung dieser Einzelheiten war es zwar nicht möglich, völlig gleichartige Bildungen nachzuweisen. Es wurden nur gewisse Entsprechungen aufgezeigt, die als chronologische Beweisstücke dienen sollten, in Wirklichkeit aber keinen überzeugenden Eindruck machen. Und noch größer wird der Abstand der miteinander verglichenen Gegenstände, wenn ihre Gesamterscheinung ins Auge gefaßt wird. So hat der Verfasser bereits zugegeben: „Allerdings ist die Stilisierung ins Abstrakt-Geometrische wohl nirgends so weit getrieben wie am Externstein-Baum".

Dazu kommt aber noch ein weitere Gesichtspunkt, der ausschlaggebend sein dürfte. An dem Verfahren, das von Gaul geübt worden ist, sind aufgrund methodischer Erwägungen ernste Bedenken anzumelden. Bei dem ausgewählten baumartigen Gebilde handelt es sich um ein Motiv, das im Mittelalter gang und gäbe war und in dessen Verlauf immer wieder zur Darstellung gekommen ist. Wenn mit einem so langlebigen Typus gearbeitet werden soll, darf man es nicht dabei bewenden lassen, einige geeignet erscheinende Vergleichsobjekte aus einem begrenzten Zeitabschnitt auszuwählen, um dann mit ihnen alleine zu operieren. Wenn ein solches Motiv für die Zeitbestimmung einwandfrei verwertet werden soll, ist zu verlangen, daß zunächst ein Überblick vorgelegt wird, aus dem nicht nur die Lebensdauer der Grundform, sondern auch die Entwicklung der zur Erörterung kommenden Einzelheiten sowie deren zeitliche Stellung ersichtlich wird. Natürlich wird eine solche umfassende Betrachtung nicht ganz einfach sein und ohne einen größeren Aufwand nicht durchgeführt werden können. So wird es sich auch an dieser Stelle nicht ermöglichen lassen, die notwendige Übersicht in der gebotenen Ausführlichkeit vorzulegen. Doch kann auf jeden Fall schon in aller Kürze gesagt werden, daß es solche baumartigen Gebilde seit dem frühen Mittelalter immer wieder in großer Zahl gegeben hat, und daß auch jene Ausgestaltung der zwei Äste, auf die Otto Gaul besonderen Wert gelegt hat, nicht etwa allein auf das 12. Jahrhundert beschränkt war. Sie kann ohne weiteres auch für andere mittelalterliche Perioden nachgewiesen werden. Unter anderm gibt es schon aus dem Bereich der karolingerzeitlichen Kunst dafür gute Beispiele. Die Form, von der hier die Rede ist, war also in ihrem zeitlichen Vorkommen nicht etwa so beschränkt, daß sie zwingend dafür sprechen müßte, das Relief der Kreuzabnahme in das 12. Jahrhundert und speziell in die Zeit um 1130 zu datieren. So kann auch dieses Einzelmotiv keine brauchbare Unterlage für die besagte Altersbestimmung abgeben, und es stellt sich als abschließendes Ergebnis heraus, daß die von Gaul vorgeschlagene Datierung ohne überzeugende Begründung geblieben ist.

Unzulänglichkeit der bisher üblichen Datierung

Der Gesamtheit der Ausführungen über die Inschrift der Unteren Grotte sind zwei wichtige Einsichten zu entnehmen. Auf der einen Seite ließ die forschungsgeschichtliche Betrachtung erkennen, wann und wie man in der Vergangenheit dazu gekommen ist, das Relief und die Inschrift für gleichaltrig zu erklären. Dabei hat sich aber auch gezeigt, daß es bisher noch nicht gelungen ist, für diese zeitliche Gleichsetzung eine stichhaltige Begründung beizubringen. Es ist also noch niemals die Berechtigung erwiesen worden, bei der Datierung des Kunstwerks mit der in der Inschrift enthaltenen Jahreszahl 1115 zu arbeiten. Das zweite Ergebnis ist sozusagen aus einer Gegenprobe hervorgegangen und zwar aus einer stilvergleichenden Untersuchung. Vor allem ist das Verdienst Otto Schmitts [30] hervorzuheben, der die Unmöglichkeit dargelegt hat, den monumentalen Stil der großen Plastik mit dem völlig andersartigen Charakter der gut datierten Skulpturen aus dem beginnenden 12. Jahrhundert zu vereinbaren. Ebenso hat auch Otto Gaul [31] geltend gemacht, daß eine Zuweisung des Externsteiner Kunstwerks an die Zeit um 1115 angesichts seiner stilistischen Eigenart nicht möglich ist. Es ist als ein beachtlicher Fortschritt anzusehen, daß die beiden Kunstwissenschaftler diese Beobachtung, die mit der forschungsgeschichtlichen Aussage in bestem Einklang steht, so deutlich in den Vordergrund gerückt haben. Wenn all diese Resultate zusammengefaßt werden, so kann sich nur der Schluß ergeben, daß die Inschrift der Unteren Grotte, die, wie man ursprünglich gemeint hatte, für eine Zuweisung des Reliefs an das 12. Jahrhundert mit völliger Sicherheit sprechen müßte, in Wirklichkeit für eine solche Datierung nicht in Anspruch genommen werden darf.

Bei dieser Feststellung muß noch einmal auf den Anfang der soeben abgeschlossenen Betrachtung zurückgeblickt und daran erinnert werden, was im Vorstehenden überhaupt Anlaß gegeben hatte, unsere Aufmerksamkeit der Inschrift zuzuwenden und sie hier so ausführlich zu besprechen. Als wir in einem früheren Abschnitt, der sich mit der „Paderborner Kaufurkunde" beschäftigt hatte, zu dem Ergebnis gelangt waren, daß die vielgenannte Urkunde für die Datierung der Skulptur nicht mehr herangezogen werden darf und daß damit der bisher üblichen Altersbestimmung eine wichtige Grundlage entzogen worden ist, mußte ja darauf hingewiesen werden, daß es noch ein zweites Zeugnis gibt, das, wie man weithin angenommen hat, einer Einordnung in das 12. Jahrhundert als eine gute Stütze dienen könne, eben die Inschrift der Unteren Grotte. Nun hat sich aber bei der Untersuchung derselben ergeben, daß auch dieses zweite Argument in diesem Zusammenhang unbrauchbar ist und aus der chronologischen Erörterung wieder ausscheiden muß. Somit hat die Behauptung, daß die Skulptur der Kreuzabnahme dem 12. Jahrhundert entstamme, ihren letzten Halt verloren. Es sind beide ins Gespräch gebrachten Argumente hinfällig geworden. Daraufhin steht dieser Datierungsvorschlag nicht anders da als eine Hypothese, die unbewiesen geblieben ist.

Es ist an der Zeit, diesen Sachverhalt im vollen Umfang zur Kenntnis zu nehmen und auch wirklich die notwendigen Folgerungen daraus zu ziehen. Wie schon gesagt wurde, ist der Grund für die Schwäche jener Datierungsversuche, um die sich Schmitt und Gaul bemüht haben, gerade darin zu sehen, daß dort noch nicht mit diesem Hinfälligwerden der gesamten bisherigen Argumentation gerechnet worden ist. Es muß aber unbedingt von der Erkenntnis ausgegangen werden, daß keine der Begründungen, die für eine Datierung in das 12. Jahrhundert sprechen sollten, als stichhaltig gelten kann. So darf künftig nicht mehr ohne weiteres mit der Vorstellung gearbeitet werden, daß nur eine Entstehung im 12. Jahrhundert für das Relief in Frage komme, wie man bisher immer angenommen hat.

Es soll nicht übersehen werden, welche Schwierigkeiten es bereiten muß, mit all den Konsequenzen fertig zu werden, die sich aus der geschilderten Forschungssituation ergeben. Auf der einen Seite ist ja immer wieder behauptet worden, daß dieses Kunstwerk dem Zeitalter der Kreuzzüge entstamme und als eine Schöpfung der Abdinghofer Mönche des 12. Jahrhunderts gelten müsse. Diese These ist, wie dargelegt werden konnte, zunächst in einigen Spezialarbeiten entwickelt und dann in bedeutenden Werken von allgemeinem Charakter aufgenommen worden, um von dort in die populären Schriften überzugehen und durch diese in der Öffentlichkeit weit verbreitet zu werden. Oft ist es in der Weise geschehen, daß diese Datierung recht autoritativ und unter Berufung auf Äußerungen von namhaften Fachgelehrten wie ein gut gesichertes Forschungsergebnis dargeboten und auch dafür gehalten wurde. So wird es nicht leicht sein, der Einsicht eine allgemeine Geltung zu verschaffen, daß diese gläubig hingenommene Vorstellung von der Entstehung der Skulptur in Wirklichkeit unbewiesen in der Luft hängt.

Doch wird man es andererseits nicht dabei bewenden lassen dürfen, daß man sich einfach auf Ansichten beruft, die früher einmal von wissenschaftlichen Autoritäten ausgesprochen worden sind.

Sowohl die heutige wie die künftige Aufgabe kann nur darin zu sehen sein, daß die einzelnen Beweise ins Auge gefaßt werden, die für die genannte Datierung geltend gemacht worden sind. Eine solche Besinnung auf die sachlichen Grundlagen wird aber nur zu der Einsicht führen können, daß die chronologische Untersuchung des Reliefs bisher kein gesichertes Ergebnis gezeitigt hat, daß man sich also, im Grunde genommen, immer noch an der gleichen Stelle befindet, an der die Forschung im Jahre 1823 ihren Ausgang genommen hatte. So wird man noch einmal ganz von vorn beginnen und sich um eine neue Grundlage der Untersuchung bemühen müssen. Dies festzuhalten ist ein Ergebnis, das für alle weiteren Überlegungen von entscheidender Bedeutung ist.

Nachdem somit 150 Jahre lang alle Datierungsbemühungen ohne Erfolg geblieben sind, wird von unserer kurzen Betrachtung nicht erwartet werden können, daß sie sofort eine endgültige Lösung mit ausreichender Begründung anbietet. Ein solches Vorhaben würde sich nur im Rahmen einer größeren Veröffentlichung verwirklichen lassen. Die wenigen Ausführungen, zu denen es in den folgenden Abschnitten noch wird kommen können, werden sich auf einige vorbereitende Erwägungen beschränken müssen, bei denen es nur darum gehen soll, auf eine gewisse Möglichkeit des Vorgehens hinzuweisen, die man bisher zu wenig beachtet hat, und einen Gedankengang in den Vordergrund zu rücken, der künftig einmal als eine neue Ausgangsbasis für einen Datierungsversuch wird dienen können. Um das zu erreichen, muß zunächst eine auffällige Eigenschaft des Reliefs ins Auge gefaßt werden.

Frage nach der historischen Situation

Am Anfang dieser Ausführungen wurde bereits ausgesprochen, daß die Externsteiner Monumental-Skulptur schon durch ihre Größe etwas Ungewöhnliches darstellt. Dabei ist nicht nur an den äußerlich meßbaren Umfang zu denken, der eine Höhe von 5 m und eine Breite von 4 m aufweist. Ebenso sind auch die Stärke der künstlerischen Aussage, das Gewicht des inneren Gehaltes und die großartige Geschlossenheit der strengen Komposition in Betracht zu ziehen. Daß es sich bei dieser Darstellung der Kreuzabnahme um ein Meisterwerk von hervorragender Qualität handelt, ist schon so oft in vielen Schriften gesagt worden, daß es sich erübrigt, noch einmal darauf einzugehen. Da es aber andererseits bei der Datierung des Kunstwerks gewöhnlich unterblieben ist, diese allgemein bekannte und anerkannte Eigenschaft mit ihrem ganzen Gewicht in Rechnung zu stellen, muß es verlockend sein, die Aufmerksamkeit auf die Möglichkeit eines solchen Zusammenhanges zu lenken.

Zunächst wird man folgendes sagen dürfen. Es geht ein so großer Zug durch die ganze Darstellung und die zugrundeliegende religiöse Gesinnung, daß starke und überragende Kräfte angenommen werden müssen, die sich bei der Anlage des monumentalen Gebildes betätigt haben. Es kann keinem Zweifel unterliegen, daß seiner Zeit hinter der anspruchsvollen künstlerischen Schöpfung auch Kräfte von außergewöhnlichem Format gestanden haben, die nicht der Enge eines provinziellen Rahmens angehört haben können, sondern auf weiterreichende und überregionale Zusammenhänge schließen lassen.

Bei einem derartigen Range der verursachenden und gestaltenden Kräfte liegt es weiterhin nahe, die Frage nach der historischen Situation zu stellen, in deren Bereich jene Kräfte ihre Wirksamkeit entfalten konnten. Von den an sich unbekannten Verhältnissen, die der Entstehung des bedeutenden Werkes zu Grunde gelegen haben, wird man fraglos ebenso sagen dürfen, daß sie nicht bloß durch lokal bedingte Gegebenheiten, sondern darüber hinaus durch weitergreifende Zusammenhänge und außergewöhnliche Zustände bedingt und geprägt worden sind. Eine solche Einsicht zu beachten, wird wichtig sein, wenn die Lösung des chronologischen Problems in Angriff genommen werden soll. Sie dürfte geeignet sein, allen weiteren Überlegungen als eine Grundlage und Ausgangstellung zu dienen.

Um den Zusammenhang dieser Erwägungen mit der Datierung der Skulptur noch deutlicher hervortreten zu lassen, mag die soeben berührte Frage nach dem historischen Hintergrund noch einmal und in einer anderen Fassung ausgesprochen werden, wobei diese nur ein wenig abgewandelt zu werden braucht. Denn um an die Entstehungszeit des Reliefs heranzuführen, könnte auch folgendermassen gefragt werden. Wann sind nach Ausweis der mittelalterlichen Überlieferung in der Landschaft des Teutoburger Waldes überhaupt einmal große geschichtliche Kräfte wirksam gewesen, die nicht auf einen kleinen Bezirk beschränkt waren, sondern sich nach Ursprung und Reichweite auf einer größeren Ebene bewegt haben? In welchen Perioden des Mittelalters hat der Raum zwischen Paderborn und Detmold gewissermaßen im Brennpunkt eines großen und überre-

Photo B. Zoply

Das Relief des Externsteine

gionalen Geschehens gestanden? Für welche Zeiten sind in diesem Gebiet außergewöhnliche Vorgänge nachweisbar, die ein derartiges Format und eine so hervorragende Bedeutung erkennen lassen, daß sie der berühmten Großplastik als gleichrangig an die Seite gestellt werden können?

Wenn man die einzelnen Phasen der mittelalterlichen Entwicklung ins Auge faßt, soweit sie sich auf dem Boden des umschriebenen Gebietes verfolgen läßt, und die jeweilige Stellung dieses Raumes in Hinblick auf die gestellten Fragen überprüft, so wird nur ein Zeitalter genannt werden können, in dem dort Verhältnisse und Vorgänge von der besagten Art zu bemerken sind. Als eine Periode, in der es dort die geforderten Voraussetzungen tatsächlich gegeben hat, kommt in erster Linie das Zeitalter der Karolinger in Frage. Innerhalb desselben sind es vor allem jene Jahrzehnte, die unmittelbar vor und nach der Wende vom 8. zum 9. Jahrhundert gelegen haben.

Demgegenüber sind in der Zeit der salischen und staufischen Kaiser und auch in den anschließenden Perioden des späten Mittelalters, im ganzen also vom 11. bis zum 15. Jahrhundert, dort gleichartige Verhältnisse nicht zu beobachten. Mit dieser Aussage soll nicht die Bedeutung herabgesetzt werden, die dem Geschehen jener Zeiten in der fraglichen Landschaft zukommt. Es sollen nicht die Leistungen geschmälert werden, die das führende Geschlecht der lippischen Edelherren, sowie die Persönlichkeiten und Gemeinschaften des kirchlichen Lebens oder die Bürger der aufblühenden Städte vollbracht haben. Doch wird sich auf der anderen Seite nicht bestreiten lassen, daß dieses Gebiet in den genannten Jahrhunderten nicht den Schauplatz abgegeben hat, auf dem die Entscheidungen eines ganz großen Geschehens gefallen sind. Die eigentlichen Schwerpunkte des politischen Handelns und die in erster Linie führenden Stätten der kulturellen Entfaltung hat es damals in anderen Landschaften Mitteleuropas gegeben. Entsprechendes gilt auch für das 10. Jahrhundert. Zwar hat in dieser Zeit die Leitung des Reiches sogar in der Hand einer sächsischen Dynastie gelegen. Doch haben die maßgeblichen Zentren der Entwicklung damals zum guten Teil weiter östlich in den anderen Teilen des sächsisch-thüringischen Raumes gelegen. In der weiteren Umgebung der Externsteine sind zwar in dem Geschehen dieser Zeit Paderborn und Corvey als Orte von wesentlicher Bedeutung hervorgetreten, doch liegen keine Nachrichten dafür vor, daß der nähere Umkreis der Felsengruppe eine wichtige Rolle gespielt hätte.

Die Verhältnisse der Karolingerzeit

Doch verändert sich das Bild von Grund auf, sobald der Blick auf die Karolingerzeit gerichtet wird. Zunächst ist an die Vorgänge der siebziger und achtziger Jahre des achten Jahrhunderts zu denken, also an den ersten Hauptabschnitt der gewaltsamen Auseinandersetzung der christlichen Franken mit den heidnischen, anfangs noch selbständigen Sachsen, deren Ergebnis für den weiteren Gang der abendländischen Entwicklung bekanntlich tiefgreifende Folgen nach sich gezogen hat. Diese Auseinandersetzung hatte im Jahre 772 mit dem überraschenden Überfall auf ein größeres sächsisches Heiligtum begonnen, das einer Zerstörung anheim fiel, deren Durchführung drei Tage in Anspruch genommen hat. Den Standort dieses Heiligtums hat die fränkische Überlieferung nicht mitgeteilt. Doch spricht manches dafür, daß er vor allem in jener Landschaft zu suchen ist, von der hier gesprochen wird. Sogar an die Stätte der Externsteine selber ist schon gedacht worden. Aber wie dem auch sei, auf jeden Fall steht fest, daß die zeitgenössische Überlieferung an denjenigen Stellen, wo sie über die Ereignisse der unmittelbar anschließenden Jahre berichtet, immer wieder von hochbedeutsamen Vorgängen Kunde gibt, die sich in der näheren und weiteren Umgebung unserer Felsengruppe abgespielt haben.

So sind ein „Ort, wo die Lippe entspringt" und das bald zum Bischofssitz erhobene Paderborn in den fränkischen Annalen laufend erwähnt worden [33]. Beide Orte waren mit dem Gelände der Externsteine durch eine wichtige Fernstraße unmittelbar verbunden. Der eine war von den Felsen 21, der andere nur 7 Kilometer entfernt. Sie erscheinen in den knappen Berichten der Annalen als die eigentlichen Brennpunkte des damaligen Geschehens und als bevorzugte Stätten, an denen sich der Herrscher des großen Frankenreiches immer wieder mit seiner Heeresmacht eingefunden hat. Dort wurden wichtige Verträge abgeschlossen, Massentaufen durchgeführt, große Reichsversammlungen und Synoden abgehalten, grundlegende Maßnahmen zur politischen und kirchlichen Neuorganisation in die Wege geleitet und Gesandtschaften aus fernen Ländern empfangen. Solche großen Versammlungen haben dort in den Jahren 777, 780 und 782 stattgefunden.

[33] Siehe die betreffenden Angaben der fränkischen „Reichsanalen" in: Reinhold Rau, Quellen zur karolingischen Reichsgeschichte. 1. Teil (1968), S. 30 ff.

Im Jahre 783 ist es im näheren Bereich und im weiteren Umkreis jenes strategisch wichtigen Raumes, dem sowohl die Stätte der Externsteine wie die soeben genannten Orte angehört haben, zu zwei entscheidenden Kampfhandlungen gekommen und zwar das eine Mal am Ostrand des betreffenden Gebietes bei Theotmalle und kurz danach etwas nördlich davon, am Haase-Fluß. Nach Einhards Zeugnis hat es sich hier um die einzigen offenen Feldschlachten gehandelt, die König Karl während des ganzen dreiunddreißigjährigen Krieges mit den Sachsen auszufechten hatte. Der Ausgang dieser Kämpfe hat in Verein mit weiteren Maßnahmen, die hauptsächlich die Landschaft zwischen Teutoburger Wald und Weser betroffen hatten, eine so nachhaltige Wirkung ausgelöst, daß Widukind, der Hauptträger des sächsischen Widerstandes, bald darauf den Kampf aufgab und sich taufen ließ. Dem folgenschweren Schritt des sächsischen Freiheitskämpfers war außer den zwei erwähnten Feldschlachten noch vorausgegangen, daß Karl an der Jahreswende von 784 zu 785 seine Truppen zum ersten Mal im Innern des Sachsenlandes überwintern ließ. Dabei hat er selber die Weihnachtszeit auf dem Landgut Liudi (Lügde) bei der Skidroburg verbracht. Er hat also für diesen Aufenthalt ein Gebiet gewählt, in dem heute die Ortschaften Lügde und Schieder liegen. Sie waren damals durch die wichtige Emmertalstraße unmittelbar mit den Externsteinen verbunden. Die Abstände haben nur 25 und 18 Kilometer betragen.

Nachdem die Franken auf diese Weise jene wichtige Schlüsselstellung, die sich in der nächsten Umgebung der Externsteine befindet, in die Hand bekommen und als einen unbestrittenen Bestandteil ihrem Machtbereich eingegliedert hatten, wurde Paderborn zu einem wichtigen Schwerpunkt der fränkischen Herrschaft ausgebaut. Man hat dort schon in einer Zeit, als noch an Unterweser und Niederelbe um die Unterwerfung der östlichen Landesteile gekämpft wurde, stattliche Gebäude für den König und die Kirche errichtet, von deren großzügigen Ausmaßen die durch neuere Ausgrabungen erschlossenen Überreste ein anschauliches Zeugnis ablegen [34]. Einen Höhepunkt fränkischer Machtentfaltung hat die große Paderborner Versammlung des Jahres 799 dargestellt, bei der es

[34] Es sei auf die Ergebnisse der Untersuchungen verwiesen, die Winkelmann im Verlauf mehrerer Jahre im Bereich des Paderborner Domes durchgeführt hat.

sich um eine Zusammenkunft von europäischer Bedeutung gehandelt hat, von deren Vereinbarungen weitreichende Wirkungen ausgegangen sind. Auch das Oberhaupt der abendländischen Kirche, Papst Leo III., hat sich damals längere Zeit in Paderborn aufgehalten. Sein Anliegen war, den Gebieter des Frankenreiches zu bewegen, zur Festigung der päpstlichen Stellung in die verwirrten römischen Verhältnisse persönlich einzugreifen. Es ist bekannt, daß der König seiner Bitte entsprochen hat und daß es im Anschluß daran im Jahre 800 zu Karls Kaiserkrönung in Rom gekommen ist.

Offensichtlich hat der Frankenkönig den hohen römischen Gast während seines Paderborner Aufenthaltes auch über das Gebirge in den Gau Theotmalle kommen lassen, um ihm die Stätte der siegreichen Schlacht von 783 zu zeigen. Wie der Aussage einer mittelalterlichen Quelle aus dem Anfang des 11. Jahrhunderts zu entnehmen ist, hat Papst Leo in einer Kirche dieses Gaues die Weihe vollzogen. Man wird vor allem an jenes Gotteshaus denken können, das Karl zum Dank für den günstigen Ausgang der Schlacht von 783 gestiftet haben soll. Es kann als gewiß angesehen werden, daß der oberste Würdenträger der abendländischen Christenheit bei einer solchen Gelegenheit auch die eindrucksvolle Stätte der Externsteine kennen lernen mußte. Lag sie doch unübersehbar an der großen Straße, die von Paderborn kommend das Gebirge im Paß der Großen Egge überquerte und von dort hart an den Felsen vorbei in den Gau Theotmalle hinunterführte.

Bald danach, im Jahre 804, hat in der erwähnten Landschaft schon wieder ein allgemeiner Reichskonvent getagt und zwar noch einmal an dem „Ort, wo die Lippe entspringt". Es wurde dort über wichtige Maßnahmen beraten und entschieden, die sich nach der Beendigung der Kämpfe als erforderlich herausgestellt hatten. Einen weiteren Reichstag hat Ludwig der Fromme im Jahre 815 nach Paderborn einberufen. Von den dort gefaßten Beschlüssen soll hier nur einer genannt werden. Er ist deshalb erwähnenswert, weil er ein Unternehmen in die Wege geleitet hat, das von grundlegender Bedeutung für eine feste Verbindung der neubekehrten Sachsen mit dem Christentum war. Es ging um die Anlage eines großen Missionsklosters, das in der Entfaltung eines eigenständigen religiösen, künstlerischen und wissenschaftlichen Lebens eine führende Rolle übernehmen und als ein Ausstrahlungsherd christlicher Kultur in dem bisher heidnischen Lande wirken sollte. Wie aus der zeitgenössischen Überlieferung zu ersehen ist, hat man das neue religiöse Zentrum schließlich an einem Ort des Wesertales, der in der Nähe von Höxter lag und den Namen Corvey erhielt, Wirklichkeit werden lassen, nachdem ein erster Gründungsversuch, der an einer anderen Stelle im Jahre 816 unternommen worden war, nicht zu der gewünschten Entwicklung geführt hatte. Im August 822 wurde die endgültige Stätte an der Weser geweiht und dort sofort mit der Errichtung der notwendigen Bauten begonnen [35].

Das junge Weserkloster, das nur 38 Kilometer von den Externsteinen entfernt war, hat sich sehr schnell zu einer blühenden Kulturstätte der neuen Provinz entwickelt. Es kann hier nicht im einzelnen dargelegt werden, welch großen Einfluß es gerade im 9. und 10. Jahrhundert auf die Entfaltung des geistigen Lebens ausgeübt hat, welche Beziehungen dort gepflegt wurden und wie weit seine Ausstrahlungen reichten. Ebenso kann nicht besprochen werden, wie man schon im Mittelalter seine besondere Stellung angesehen hat, etwa wenn es mit überschwenglichen Worten als der „Mittelpunkt des Reiches" oder als ein „Wunder des Erdkreises" bezeichnet wurde. Doch soll im vorliegenden Zusammenhang nicht unerwähnt bleiben, daß diese erfolgreiche Gründung von dem weit entfernten Kloster Corbie an der Somme ausgegangen ist. Daß sich damals die Corbier Mönche an der Weser niedergelassen haben, hat zur Folge gehabt, daß für das neugewonnene Land ein weites Tor nach dem Westen geöffnet wurde, durch das starke geistige Kräfte und auch künstlerische Anregungen in das dem Christentum zu erschließende Gebiet einströmen konnten.

Dadurch, daß die führende Klosterstätte des Sachsenlandes von der großen und berühmten westfränkischen Reichs-Abtei begründet worden ist, wurde ein festes Band zu einem erstrangigen Vorort des christlich-abendländischen Geisteslebens geknüpft, der gewissermaßen in der Herzgegend des großen Frankenreiches gelegen hat [36]. Dort haben sich die Nachwirkungen gallorömischer Kultur, die von der Antike her während der Merowingerzeit an Ort und Stelle lebendig geblieben sind, mit Einflüssen aus verschiedenen Richtungen getroffen und vermischt. Es ist daran zu denken, daß Corbie im

---

[35] Wilhelm Stüwer, Die Geschichte der Abtei Corvey. In: Kunst und Kultur im Weserraum 800-1600 (1966), Band 1, S. 5 ff.

[36] Näheres in der Festschrift „Corbie abbaye royale. Volume du XIIIe centenaire". Lille 1936.

7. Jahrhundert von dem in Burgund gelegenen Columban-Kloster Luxeuil auf Veranlassung einer Merowingerkönigin, die in England beheimatet war, begründet worden ist. So haben dort von Anfang an irische und angelsächsische Einflüsse gewirkt, die auch weiterhin lebendig geblieben sind. Dazu kamen enge Verbindungen nach Italien und zwar zum langobardischen Norden, nach Rom und natürlich zu dem Stammkloster der Benediktiner auf dem Monte Cassino. Darüber hinaus sind überraschende Beziehungen zum östlichen Mittelmeerraum und der griechisch-byzantinischen Geisteswelt deutlich zu spüren. Führende Geistliche des Klosters Corbie waren mit der griechischen Sprache vertraut.

Die in Corbie sich treffenden Einflüsse wurden nicht nur aufgenommen. Sie wurden auch schöpferisch weiterverarbeitet. Ein sichtbarer Niederschlag der sich reich entwickelnden Klosterkultur ist in einer Fülle von Handschriften und in einem reichen Bestand von Erzeugnissen der Buchmacherei zu sehen. Als ein Zeichen von Corbies Führungsrolle auf diesem Gebiet mag gelten, daß die älteste erhaltene Handschrift, die in karolingischer Minuskel geschrieben wurde, aus diesem Kloster stammt. Das heißt, daß man dort an der großen Karolingischen Schriftform maßgeblich mitgearbeitet hat, die dadurch von Bedeutung ist, daß sie zu der notwendigen Vereinheitlichung der damals übermäßig differenzierten Schreibweisen geführt und den Grund für die Entwicklung der heutigen Schriftsysteme gelegt hat.

Die Errichtung des sächsischen Filialklosters Corvey hat nun zur Folge gehabt, daß die großartigen Errungenschaften des westfränkischen Mutterklosters seitdem auch in dem östlichen Neuland des Frankenreiches schnelle Aufnahme finden und daß sich Corbies „weltweite" Beziehungen auch im Weserland anregend auswirken konnten. Ein Niederschlag ist in jenen vielen Resten zu finden, die sich von den Werken der Corveyer Mönche des 9. und 10. Jahrhunderts erhalten haben. Soweit sie die bildende Kunst betreffen, gehören sie den Bereichen der Architektur, der Bauplastik, der Wandmalerei und der Buchkunst an.

Wenn auf diese Vorgänge der geistesgeschichtlichen Entwicklung des Sachsenlandes, die bald nach dem Zusammenbruch der alten Ordnungen und Vorstellungen eingesetzt hat, und wenn ebenso auf den Ablauf des sonstigen Geschehens gesehen wird, das eine tiefgreifende Verschiebung der Machtverhältnisse nach sich ziehen sollte, so tritt die dominierende Stellung deutlich in Erscheinung, die gerade in der erwähnten schicksalsschweren Zeit jenes Land eingenommen hat, das sich von der oberen Lippe bis zum Gebiet der Externsteine und von dort auch noch bis zum Wesertal erstreckte. Damals hat dieser Raum tatsächlich im Mittelpunkt eines ganz großen, überregionalen Geschehens gestanden. Die Kräfte, die sich dort in der Karolingerzeit betätigt haben, sind von ungewöhnlichen Ausmaßen und weitreichenden Wirkungen gewesen, ganz gleich, ob sie dem politisch-militärischen Felde oder der Welt des geistigen Geschehens angehört haben. Es steht außer Frage, daß in der Geschichte der genannten Landschaft gerade dieser frühen Umbruchszeit eine ungewöhnliche Bedeutung zukommt. Keine andere Phase der mittelalterlichen Entwicklung kann sich mit ihr in dieser Beziehung messen.

Einwände gegen karolingische Datierung

Damit sind die Fragen, die angesichts der auffallenden Größe des Kreuzabnahme-Reliefs zu stellen waren, einer Beantwortung näher gebracht worden. Folgendes hat sich ergeben. Wenn die historische Situation ermittelt werden soll, in der ein Zustandekommen eines solchen monumentalen Werkes überhaupt möglich gewesen ist, so wird die Aufmerksamkeit in erster Linie auf Verhältnisse gelenkt, die durch die geschilderten Vorgänge der karolingischen Epoche bedingt waren. Es tritt also jener Abschnitt des frühen Mittelalters erneut in das Blickfeld, der bei den Versuchen zur Datierung des Reliefs schon einmal vorgeschlagen worden war und zwar gleich zu Beginn der Forschung. Freilich ist man damals bald wieder von diesem Gedanken abgerückt. Bereits in der Mitte des 19. Jahrhunderts wurde die von Dorow und Goethe vorgeschlagene Datierung fast allgemein als widerlegt angesehen und beiseite gestellt. Einigen wenigen Versuchen, die später noch unternommen worden sind, um die unbeliebte These erneut ins Gespräch zu bringen, wurde gewöhnlich keine Bedeutung beigemessen.

Unter diesen Umständen ist die Frage zu erwarten, ob es überhaupt noch zulässig sei, den Gedanken an die Möglichkeit einer solchen Lösung noch einmal zu erwägen. Müßte es nicht viel näher liegen, sich an jene Überlegungen zu halten, die schon seit längerer Zeit wiederholt angestellt worden sind, um die Unmöglichkeit einer solchen Datierung deutlich zu machen? Hat doch schon Karl

Theodor Menke im Jahre 1824 einen solchen Beweis zu führen versucht [37]. Die von ihm erhobenen Einwände sind dann später auch von anderen Autoren aufgegriffen und vertreten worden, wobei freilich nichts Neues von Belang hinzugekommen ist. Im Wesentlichen hat es sich immer um zwei Gesichtspunkte gehandelt.

Auf der einen Seite hat man darauf hingewiesen, daß in der schriftlichen Überlieferung der Karolingerzeit nirgends eine Mitteilung über die Anlage dieser Skulptur zu finden sei. Dem sei, so meinte man weiter, mit Sicherheit zu entnehmen, daß sie damals auch nicht entstanden sein könne. Dieser Hinweis auf das Schweigen der frühmittelalterlichen Quellen ist zweifellos richtig. Doch darf daraus nicht ohne weiteres auf die Unmöglichkeit einer karolingerzeitlichen Zuordnung geschlossen werden. Es ist daran zu erinnern, daß sich auch die andere Auffassung, die für eine Entstehung im 12. Jahrhundert eintritt, auf schriftliche Nachrichten nicht berufen kann, und daß auch für alle anderen Zeiten derartige Belege fehlen. Wenn also das Schweigen der Quellen immer in der gleichen Weise ausgelegt würde, wie es Menke bei der karolingerzeitlichen Datierung getan hat, so müßte man zwangsläufig zu dem Schluß kommen, daß eine Anlage des großen Reliefs überhaupt nicht stattgefunden habe. Der Widersinn, der in einem solchen Ergebnis liegt, läßt offenbar werden, daß der Hinweis auf den Quellenmangel nicht als ein Argument gegen eine bestimmte Datierung, also auch nicht gegen die frühmittelalterliche, ins Feld geführt werden darf.

Weiterhin hat Menke geltend gemacht, daß die Skulptur schon deshalb nicht aus der Zeit Karls des Großen stammen könne, weil in dem damals hart umkämpften Sachsenland die Verhältnisse noch zu unsicher gewesen seien. In jener Zeit hätte man noch nicht daran denken können, dort ein so großes Kunstwerk anzulegen. Wenn es aber trotzdem geschehen wäre, so wäre man bei dem Hin und Her der Auseinandersetzungen und bei den immer wieder aufflackernden Empörungen der widerspenstigen Sachsen nicht in der Lage gewesen, eine Sicherheit des freistehenden Gebildes zu gewährleisten und es vor Zerstörung durch die Rebellen zu schützen. Das heißt, dann hätte das Bildwerk nicht in dem verhältnismäßig guten Erhaltungszustand verbleiben können, in dem es sich heute befindet.

Auch von diesem Einwand kann gesagt werden, daß er auf einer

---

[37] Menke, a.a.O. S. 82-88. (Vgl. Anm. 3).

richtigen Beobachtung beruht, die dann aber unzutreffend verallgemeinert worden ist. Denn was Menke dargelegt hat, trifft zwar auf einen bestimmten Abschnitt der Karolingerzeit zu, darf aber nicht auf die ganze Zeitspanne bezogen werden, die hier zur Erörterung steht. Menke hat ja in seinen Ausführungen immer nur von der Regierungszeit Karls des Großen und den Verhältnissen dieser begrenzten Zeit gesprochen, während jene Autoren, die für eine Zuweisung der Skulptur an die Karolingerzeit eingetreten sind, einen größeren Zeitablauf im Sinne gehabt haben. Für die gesamte Dauer desselben, zu der auch noch das ganze 9. Jahrhundert gehört hat, kann aber die Aussage über die unruhigen Verhältnisse auf keinen Fall mehr zutreffen. Schon im letzten Jahrzehnt der Regierungszeit Karls des Großen, also von 804 bis 814, war das Sachsenland so weit befriedet, daß man sich mit großzügigen Plänen befassen konnte, die darauf gerichtet waren, das soeben eroberte Land von Grund auf mit christlicher Gesinnung und Kultur zu durchdringen. Man hat damals auch schon entsprechende Vorbereitungen in die Wege geleitet. Bald nach Karls Tod, also unmittelbar nach dem Regierungsantritt Ludwigs des Frommen, war die Entwicklung bereits so weit gediehen, daß die Verwirklichung solcher Vorhaben in Angriff genommen wurde, ohne gestört zu werden. Es sei nur an die Anlage und den schnellen Aufstieg von Corvey erinnert, unter anderm auch daran, daß diese Neugründung schon im 3. Jahrzehnt des 9. Jahrhunderts mit der Entsendung Ansgars und der Unterstützung seiner Arbeit eine wichtige Rolle in der weitgreifenden nordischen Mission hat spielen können.

Zusammenfassend ist also zu sagen, daß die von Menke und seinen Nachfolgern erhobenen Einwände gegen eine frühmittelalterliche Datierung nicht stichhaltig sind. Es muß als eine wichtige Grundlage für künftige Betrachtungen angesehen werden, daß für die Behauptung, ein karolingisches Alter sei unmöglich, bisher noch kein überzeugender Beweis erbracht worden ist. Doch haben Menkes Einwände gegen diese Datierung in der Vergangenheit von Anfang an trotz ihrer unzureichenden Begründung eine starke Wirkung ausgeübt, wobei nicht ohne Bedeutung war, daß sie mit dem besprochenen hochmittelalterlichen Datierungsvorschlag gekoppelt waren. Zwar haben sich die für diesen Vorschlag angeführten Argumente auf die Dauer nicht als haltbar erwiesen. Doch hatten sie, wie gesagt, zunächst lange Zeit recht bestechend gewirkt und von sich aus dazu beigetragen, daß der karolingerzeitliche Ansatz viele Jahrzehnte hindurch nicht mehr beachtet wurde.

Karolingische Renaissance

Zu Menkes Einwand, der auf die unruhigen Verhältnisse des Sachsenlandes Bezug genommen hat, ist noch folgendes zu sagen. Seine Darlegung hat zwar nicht zu einem richtigen Endresultat geführt. Doch hat sie der Erkenntnis dadurch einen beachtlichen Fortschritt gebracht, daß sie die Möglichkeit an die Hand gibt, innerhalb der Karolingerzeit eine Abgrenzung jenes besonderen Zeitabschnitts vorzunehmen, der für die Anlage des Kunstwerks nunmehr allein noch in Frage kommt. Denn wenn von dem richtigen Kern seiner Ausführungen ausgegangen wird, kann unbedenklich gesagt werden, daß es tatsächlich keine Wahrscheinlichkeit für sich haben würde anzunehmen, das Kunstwerk sei schon während der Unruhen des 8. Jahrhunderts entstanden. So bleibt von der Karolingerzeit nur noch der Abschnitt, der auf die Beendigung der Sachsenkämpfe folgt, als derjenige Teil übrig, der für die Anlage des Reliefs in Betracht kommen könnte. Das ist das 9. Jahrhundert.

Damit steht in gutem Einklang, daß sich seit dem Beginn dieses Jahrhunderts eine neue Situation herausgebildet hatte. In dem besiegten Sachsenland herrschten nunmehr friedliche Zustände. Außerdem hat es sich im Karolingerreich damals und zwar vor allem, wenn an die ersten Jahrzehnte des 9. Jahrhunderts gedacht wird, ganz allgemein um ein Zeitalter gehandelt, in dem die bildende Kunst unter der Einwirkung jener Bestrebungen, die man insgesamt als „Karolingische Renaissance" zu bezeichnen pflegt, eine auffallend reiche und vielgestaltige Entwicklung erfahren hat. Für diese künstlerische Blüte hat den äußeren Rahmen das große abendländische Universalreich abgegeben, das von Karl dem Großen gerade auf den Höhepunkt seiner Entfaltung geführt worden war und einstweilen trotz aller auseinanderstrebenden Tendenzen die Einheit noch bewahrt hatte. Damit war den geistigen Strömungen jener bewegten Zeit, zu denen auch die Weitergabe bedeutender künstlerischer Anregungen gehört hat, die Möglichkeit gegeben, ohne nennenswerte Hindernisse große Entfernungen zu überwinden und über weite Räume hinweg auch auf die neu gewonnene Provinz im heutigen Nordwestdeutschland einzuwirken, so daß es dort schon zu beachtlichen Kulturschöpfungen kommen konnte. Damals haben, nicht weit von den Externsteinen entfernt, in dem Bischofsort Paderborn bereits ansehnliche kaiserliche Bauten und große Kirchen gestanden. Auf der anderen Seite der Felsengruppe, also nach Südosten hin, hat gerade in jener Zeit das neuangelegte Weserkloster Corvey eine schnelle Entwicklung erfahren. Es wurde zu einem hervorragenden religiösen Zentrum des Sachsenlandes ausgebaut und hat zugleich einen Brennpunkt des künstlerischen und wissenschaftlichen Strebens dargestellt. Ferner dürfte es kein Zufall sein, daß gerade in dieser Zeit der „Heliand" entstanden ist, also jene berühmte Dichtung in alstächsischer Sprache, die insofern als eine einzigartige Besonderheit gelten kann, als sie den Erdenwandel des Jesus Christus in der Weise dargestellt hat, daß der aus himmlischen Höhen herabgestiegene Gottessohn in der Gestalt eines germanischen Volksfürsten auftritt, der in der vertrauten Umwelt des damaligen Sachsenlandes seine Wirksamkeit entfaltet hat.

Sollte es in Hinblick darauf, daß schon für die erste Hälfte des 9. Jahrhunderts so hervorragende kulturelle Leistungen in der neuen Provinz nachweisbar sind, nicht statthaft sein, einmal versuchsweise zu erwägen, ob etwa auch das rätselhafte Kunstwerk der Externsteine der vielgestaltigen und großartigen Hinterlassenschaft dieser Blütezeit des Karolingerreiches angehören könnte? Muß es von vornherein zu einer ablehnenden Antwort kommen, wenn die Frage zur Erörterung gestellt wird, ob sich nicht doch noch eine Möglichkeit wird finden lassen, der monumentalen Skulptur in der stattlichen Reihe der außergewöhnlichen Werke jenes schöpferischen Zeitalters einen Platz anzuweisen?

Die erste Antwort auf diese Fragen wird voraussichtlich der Einwand sein, daß ein Versuch, das Relief der Externsteine dem Bereich der karolingischen Kunst des 9. Jahrhunderts einzuordnen, schon deshalb wenig Aussicht auf Erfolg haben würde, weil das ungewöhnliche Gebilde auch in dieser Umgebung als ein Fremdling dastehen müßte. Es würde auch dort eine einzigartige Erscheinung bilden, der keine der bekannten karolingischen Skulpturen als ein voll entsprechendes Vergleichsstück an die Seite gestellt werden könnte. Diesem Einwand kann mit der Antwort begegnet werden, daß es für die Zeit der karolingischen Renaissance geradezu charakteristisch ist, daß sie eine große Zahl von ungewöhnlichen Werken hervorgebracht hat, von denen jedes für sich einmalig geblieben ist und eine so ausgeprägte Sonderleistung darstellt, daß es keine

Parallelen dazu gibt. Man könnte viele Beispiele anführen, doch mag der Hinweis auf einige allgemein bekannte genügen. Es wäre etwa an Karls Pfalzkapelle in Aachen zu erinnern oder an die Torhalle von Lorsch oder an das Oratorium Theodulfs in Germigny-des-Prés mit seinem mächtigen Kuppelmosaik oder an Angilberts großartige Klosterkirche St. Riquiers in Centula mit dem stattlichen Westwerk, den vielen Altären und den vier großen Skulpturen im Innern des Kirchenraumes.

Dem genannten Einwand kann auch noch folgendes entgegengehalten werden. Der heutige Mangel an karolingischen Großskulpturen, die als Vergleichsstücke zur Begründung der erwähnten Datierung erforderlich wären, darf nicht etwa in der Weise erklärt werden, daß man sagt, plastische Werke von solchem Format seien damals überhaupt nicht angefertigt worden. Der Grund für ihr Fehlen ist allein darin zu sehen, daß die einstmals reichlich vorhandenen größeren Skulpturen nahezu sämtlich das Schicksal erfahren haben, zerstört worden zu sein. Daß es in der Karolingerzeit tatsächlich eine beträchtliche Zahl von monumentalen Bildwerken gegeben hat, bezeugt ihre häufige Erwähnung in der gleichzeitigen Überlieferung [38].

So ist es bei der Beschäftigung mit der frühmittelalterlichen Kunstentwicklung neuerdings auch ein besonderes Anliegen der Forschung geworden, sich mit der Eigenart, mit der Bedeutung und mit etwaigen Überresten karolingischer Bildhauerkunst eingehend zu befassen [39]. Im Zusammenhang mit solchen Untersuchungen müßte es von besonderer Aktualität sein, wenn die soeben gestellte Frage einmal endgültig geklärt werden könnte, die dahin geht, ob in dem großen und trotz aller Schäden doch ungewöhnlich gut erhaltenen Monumentalwerk des Teutoburger Waldes tatsächlich eine Schöpfung der Karolingerzeit gesehen werden darf oder nicht. Freilich handelt es sich dabei um eine Frage, die an dieser Stelle noch nicht beantwortet werden kann. Sie kann nur als eine dringliche Forschungsaufgabe hingestellt werden.

---

[38] Zur Erwähnung karolingischer Bildwerke in der zeitgenössischen Überlieferung vergleiche: Christian Beutler, Bildwerke zwischen Antike und Mittelalter. Unbekannte Skulpturen aus der Zeit Karls des Großen. 1964. S. 23-42.

[39] Christian Beutler, a.a.O. 1964. - Kolloquium über frühmittelalterliche Skulptur 1968 (1969) und Kolloquium über spätantike und frühmittelalterliche Skulptur 1970 (1971), herausgegeben von V. Milojcic.

Schluß

Die vorliegende Betrachtung kann also nicht so weit geführt werden, daß es bereits an dieser Stelle zu einer endgültigen und ausreichend begründeten Aussage über das Alter des Kreuzabnahme-Reliefs kommt. Denn wenn alle Unterlagen und ungenutzten Erkenntnismöglichkeiten, die für eine solche Aufgabe tatsächlich noch zur Verfügung stehen, voll und ganz ausgeschöpft werden sollen, müßte viel weiter ausgeholt werden, als es im Rahmen dieser Abhandlung möglich wäre. Ein so weitgehendes Vorhaben wird nur in einer besonderen Buchveröffentlichung den erforderlichen Platz finden können. So muß der bisher verfolgte Gedankengang hier abgebrochen werden, ohne daß schon das gewünschte Endziel erreicht worden ist.

Immerhin ist in den vorstehenden Ausführungen eine notwendige Voruntersuchung zu einem gewissen Abschluß gebracht worden, der einer künftigen Wiederaufnahme der chronologischen Erörterung als eine Grundlage wird dienen können. Denn der erste Schritt, mit dem jede neue Behandlung des Problems beginnen sollte, muß ja darin bestehen, daß eine kritische Besinnung auf den derzeitigen Forschungsstand erfolgt und Klarheit über die Unterlagen geschaffen wird, auf denen all die Auffassungen beruhen, die bisher als die gängigen im Umlauf waren und sich einer weitgehenden Beliebtheit erfreuten.

Diese Besinnung ist soeben in geraffter Form durchgeführt worden. Das Ergebnis ist in der Erkenntnis zu sehen, daß jene weitverbreitete These, die das Relief in das 12. Jahrhundert setzen möchte, keine tragfähigen Grundlagen hat. Damit hat dieser Datierungsvorschlag seine Glaubwürdigkeit verloren und wird künftig nicht mehr jene bevorzugte Stellung einnehmen dürfen, die man ihm in der Vergangenheit und auch noch in neuerer Zeit so oft hat zukommen lassen. So werden alle weiteren chronologischen Untersuchungen ganz anders als bisher in Angriff genommen und durchgeführt werden müssen.

Seit der Mitte des 19. Jahrhunderts ist es allgemein üblich gewesen, mit einer stark eingeengten Blickrichtung zu arbeiten, wenn an die Altersbestimmung des Felsenreliefs gegangen wurde. Man hatte sich auf unzureichende Geschichtsquellen verlassen und war daraufhin in der an sich unbegründeten Zwangsvorstellung befangen gewesen, daß als die Entstehungszeit des Kunstwerks allein das 12.

Jahrhundert in Frage kommen könne. Nur an diese eine Möglichkeit hat man gedacht und die verbleibende Aufgabe lediglich darin gesehen, den Termin der Anlage innerhalb dieses Jahrhunderts noch näher festzulegen. Demgegenüber konnte vorstehend dargelegt werden, daß mit dem Hinfälligwerden dieses Datierungsvorschlags wieder eine größere Zeitspanne in den Kreis der Betrachtung gezogen werden muß.

Bei der Besprechung des Forschungsganges ist ersichtlich geworden, wie sich die irrtümlichen Vorstellungen haben bilden können und wie sie, sobald sie einmal zur Geltung gekommen waren, einer vorurteilsfreien Bearbeitung des Problems als ein Hindernis im Wege stehen mußten. Wie ein verhüllender Schleier haben sie sich über das Ganze gelegt, so daß die eigentliche Fragestellung nicht mehr deutlich zu erkennen war. Dieser Schleier muß wieder beseitigt werden. Die Aufgabe wird zunächst darin zu sehen sein, aus der Enge der bisherigen Betrachtungsweise herauszukommen, den Blick unbefangen auszuweiten und von den vielen Erkenntnismöglichkeiten Gebrauch zu machen, die noch an verschiedenen Stellen zu finden sind, wenn man nur unvoreingenommen und aufmerksam Umschau hält.

Wenn gegen Ende unserer Ausführungen ein Gedankengang entwickelt wurde, der künftigen Lösungsversuchen als eine neue Ausgangsstellung wird dienen können, so sollte damit eine Anregung für weitere Untersuchungen gegeben werden. Im besonderen war damit die Absicht verbunden, an einem konkreten Beispiel ein wenig von demjenigen zu zeigen, was bei einer erneuten Behandlung dieser Fragen noch alles zu bedenken sein wird. Es sollte dem Leser die Möglichkeit an die Hand gegeben werden, die chronologische Problematik unter Berücksichtigung von bisher weniger beachteten Erwägungen von Grund auf neu zu durchdenken, wenn auch diese Erwägungen noch nicht eine abgeschlossene Beweisführung enthalten, die schon ans Ziel gelangt wäre. Ob ein Weiterschreiten auf dem eingeschlagenen Wege einmal zu dem erstrebten Endresultat wird führen können, mögen künftige Untersuchungen lehren.

FRANZ-A. SCHWARZ

ÜBERLEGUNGEN ZU GRUNDSÄTZEN EINER THEORIE DER BILDUNG

In undurchsichtiger Weise ist die Geschichte der Menschenbildung, schließlich der Schulen selbst in den allgemeinen Gang der menschlichen Dinge verflochten. In einer bemerkenswerten Schulrede, die den Titel trägt „Vom Fortschreiten einer Schule mit der Zeit" hat Herder diesen Sachverhalt aufgegriffen. Er sagt darin: „Die Weltkarten verändern sich in den Grenzen, Staatsverfassungen, Religionen, in politischen Grundsätzen, Sitten und Gebräuchen; sie werden neu illuminiert — offenbar muß der Schulunterricht nicht nur hiervon Kunde nehmen, sondern auch in die Ursachen dieser Weltveränderung eingehen" [1].

Soll die „Weltveränderung" heute überhaupt in den Schulen gelernt werden, dann muß sie zuvor auf jenen Schulen gelehrt worden sein, die sich mit der Ausbildung der Lehrer befassen. „Die Neugestaltung des Schulwesens erfordert eine Neuorientierung der Lehrerbildung" [2]. Wie soll aber diese Neuorientierung geleistet werden können? Hat sie nur die veränderten Perspektiven und Ansichten einer neuen gesellschaftlichen Epoche aufzunehmen, um andere Überlieferungen dafür zu vergessen? Woran soll sich der Wandel überhaupt orientieren? Leben wir so in unserer Zeit, daß wir „mit ihr und für sie leben und leben lernen" [3]? Sind wir so Kinder einer Zeit, daß wir von ihren Bewegungen und Schätzungen hervorgebracht und auch schon von ihnen wieder verschlungen werden? Besitzen wir überhaupt einen Spielraum der Orientierung oder ist dieser illusionär? Können wir uns tatsächlich unserer Lage und Situation vergewissern? Wenn überhaupt, auf welche Weise? Haben wir eine Möglichkeit, die *Mächte* unserer Zeit kennenzulernen, sodaß wir nicht einfachhin deren Spielball sind? Überblicken wir nur die vergangen hundertfünfzig Jahre deutscher Schulge-

---

[1] Johann Gottfried Herder, Humanität und Erziehung, besorgt von Clemens Menze, Paderborn 1968, 153.

[2] Bildungsgesamtplan, Band I, Stuttgart 1973, 36.

[3] Johann Gottfried Herder, a.a.O., 151.

schichte, dann wird deutlich genug, wie sehr gerade die Lehrerbildung von der jeweils gerade maßgeblichen politischen Konstellation abhing und wie sie in deren leitende Vorstellungen einging. Welche Vorstellungen bewegen unsere Zeit? Von welchen Hoffnungen und Erwartungen sind die Reformbestrebungen erfüllt? Von welchen politischen Vorstellungen lassen sie sich leiten?

Die Geschichte der Menschen ist nicht zuletzt die Geschichte ihrer Meinungen, Ansichten, Vorurteile, ihrer Befangenheit und Verhaftung im Geiste ihrer Zeit. Soll eine Orientierung möglich sein, dann nur unter der Voraussetzung, daß es uns gelingt, in eine gewisse Distanz zu uns selbst und zu den Dingen überhaupt zu treten. Bleiben wir für immer in den Bestimmungen einer Zeit befangen, verhaftet und gefangen, dann gibt es keine Möglichkeit der Besserung menschlicher Verhältnisse. Nun ist die Schule selbst immer Schule einer bestimmten Zeit, sie ist aber vor allem Schule einer nachwachsenden Generation. Es kommt deshalb darauf an, ob diese nachwachsende Generation in die Kräfte ihrer Zeit Einblick zu nehmen vermag und so gerade Mittel und Wege aufgezeigt bekommt, diese Zeit an sich selbst in ihren wesentlichen Momenten zu bestimmen, um so einen neuen Boden und rechten Ort des Lebens für sich selbst zu schaffen.

Die *Vorurteile*, welche uns gefangen halten sind vielfacher Natur. Sie hängen mit der Meinungswelt des Alltags zusammen, in der sich die Menschen vor allem bewegen. Sie hängen damit zusammen, daß eine bestimmte Zeit auch eine bestimmte Richtung des Erkennens und Fragens für die wichtigste und vortrefflichste anerkennt und andere Möglichkeiten verurteilt und vergisst. Es sind die Neigungen und Vorlieben, welche unseren Gesichtskreis bestimmen und unseren Standpunkt ausmachen, wie die Dinge und die menschlichen Verhältnisse überhaupt erscheinen. Die Vorurteile des Stammes, der Interessen, die uns ‚eingefleischt' sind und ‚uniformieren', die gesellschaftliche Taxation auf den Leib geschnittener Weltanschauungen, Ideologien oder wissenschaftlicher Theorien bezeichnen die hauptsächlichsten Formen der Gefangenschaft, die uns festhalten, welche wir nicht einmal kennen, weil wir glauben, immer schon in der Wahrheit zu leben, wobei wir höchstens unterstellen, daß die anderen Menschen irren und verblendet sind.

Der Glaube, in den Besitz einer Selbst- und Weltkenntnis zu gelangen, wie sie Platon dem Philosophenherrscher und Aristoteles dem Gotte zuschrieb, ist uns abhanden gekommen. Aber wenn es eine Tradition der Erörterung menschenmöglicher Erziehung gibt, dann mag sie sich an jenen Erzieher erinnern, der in maßgeblicher Weise einen geschichtlichen Weg aufriß, der auch uns noch bindet, die wir durch die Epochen der theologischen, philosophischen, ökonomischen, wissenschaftlichen, technischen Aufklärung hindurchgegangen sind und in einer weltgeschichtlichen *Krise* stehen wie kaum zuvor. Cicero schreibt in seinen Gesprächen in Tuskulum [4] über ihn: „Von der alten Philosophie aber bis zu Sokrates, der Archelaos, den Schüler des Anaxagoras, gehört hatte, wurden die Zahlen und Bewegungen behandelt und woraus alles entstünde und wohin es zurücksänke, und mit Eifer wurden von ihnen die Größe der Gestirne, ihre Zwischenräume und Bahnen erforscht und überhaupt alle Dinge am Himmel. Sokrates aber hat zuerst die Philosophie vom Himmel heruntergeholt, in den Städten angesiedelt, sie sogar in die Häuser eingeführt und sie gezwungen, nach dem Leben, den Sitten und dem Guten und Bösen zu fragen".

Die Konsequenzen unseres Welt- und Selbstverhältnisses im Zeitalter der Wissenschaften und der ‚Produktion' stehen zur Diskussion. Es ist der Lebensboden der Bewegung dieser unserer Gesellschaft, welcher vom Lehrer und Erzieher gekannt sein muß, wenn er überhaupt zu einer neuen Bestimmung des Lehrens und Lebens will finden können.

Unsere Generation zeichnet sich vor allem dadurch aus, daß der Zusammenhang des Lebens, dessen Tradition und unbezweifelte Richtigkeit, verloren gegangen ist. Die wissenschaftlich-technische Revolution, der ökonomische und politische Prozess, haben die gewohnte Einheit des Lebens zerrissen, die Menschen in mehrfacher Weise enteignet, in bestimmte fixierte Bahnen und Funktionen eingegliedert, die sie auszufüllen haben, ohne die Kenntnis der Szene noch zu besitzen, auf welcher sie handelnd stehen. Sie sind Spezialisten einer spezialistischen Tätigkeit, im Modus des Handelns schon programmiert und kalkuliert durch das ‚design' des Apparates und der Produktion — und wenn es schließlich nur noch eine einfache Handbewegung an einem technischen Gerät ist. Als Arbeiter, Angestellte und Beamte sind sie ‚unternommen', ‚angestellt', ‚bediensteť', durch Position, Rolle und Funktion bestimmt, deren Höhe

[4] Tusc. V, 4.

sich im Einkommen ausdrückt und in der öffentlichen Schätzung sich niederschlägt. Sie kennen selbst aber nicht mehr den Handlungszusammenhang ihrer eigenen Bewegungen und kommen sich deshalb verloren vor im Apparat einer undurchschaubaren planenden und verplanten, rechnenden und berechneten Welt, deren Ziele und deren Sinn sie nicht mehr einsehen und beurteilen können. Sie sind freigelassen in ihre ‚Privatheit' und Eingeschränktheit für Feiertag und Freizeit, im wissenschaftlichen, politischen und ökonomischen Alltag sind sie aber in Dienst genommen durch die fixierte und erwartete Rationalität, Funktion und Leistung. Der Spielplan der ‚formierten Gesellschaft', der ‚konzertierten Aktion' ist festgelegt, die Spieler haben zu tanzen. Öffentlicher und privater Raum der Existenz haben sich längst verschränkt und ineinander aufgelöst zum alles durchmachtenden öffentlichen Schein. Die tradierte individuelle, ‚private' bürgerliche Moralität wurde zur eingeschliffenen und angepassten „Charaktermaske", deren Züge vom ‚Gesellschaftsbild' der rasch wechselnden Szenerie der gesellschaftlichen Bewegung bestimmt ist. Die Außenseite der Innenseite der Existenz zeigt die vom ‚System' produzierten und geforderten Eigenschaften ohne Mann, welche den Mann ohne Eigenschaften heraufgeführt haben [5]. Die Auflösung der individual-psychischen Strukturen wird signalisiert durch ein rapides Anwachsen psychischer Erkrankungen, welche über die Kontaktlosigkeit und Heimatlosigkeit der Individuen bis zu Phobien, Neurosen, Psychosen, Hysterien und Wahnvorstellungen mannigfachster Art reichen, die zur alltäglichen und gewöhnlichen Erscheinung und Erfahrung gehören.

Als hauptsächliche Aufgabe einer Reform der Erziehung steht deshalb an, der nachwachsenden Generation den Zusammenhang des Lebens durchschaubar und erfahrbar zu machen, damit sie nicht blind den vom Menschen selbst heraufgeführten heutigen maßgeblichen Gewalten und Gemächten erliegen, sondern schließlich lernen, den undurchschauten und verschlüsselten Kontext, in welchem sie selbst stehen, der ihr Leben beschreibt, wie einen unbekannten

---

[5] Der Süddeutsche Rundfunk berichtete über einen Diplomtechniker aus Augsburg, der an jedem Werktag morgens um halb acht seine Wohnung verließ und abends wiederkam, so daß die Nachbarn glaubten, er gehe wie immer zur Arbeit. Tatsächlich aber ging er spazieren, denn er war seit Monaten arbeitslos.

Text zu entschlüsseln, worin ihr entfallener und vergessener Name genannt ist oder wie eine unbekannte oder versunkene Landschaft zu entdecken und bewohnbar zu machen. Dieses Problem betrifft vor allem die künftige Ausbildung der Lehrer. Gefordert ist eine allgemeine elementare Bildung, die den namenlosen Schein des verlorenen Lebens der Gesellschaft dechiffriert und buchstabiert, damit die Mehrzahl der Menschen wieder anfängt, in einer gekonnten Weltorientierung zu leben und sich allmählich aus der apparativen Fixierung der Wissenschaft, der Technik, der Ökonomie und der Politik löst, um in ein freies Verhältnis zu den eigenen Produktionen zu gelangen. Diese elementare Bildung, welche die Grundlagen des Lebenskontextes unserer Gesellschaft erst thematisieren und problematisieren muß, stellt die künftige Ausbildung der Erzieher vor Aufgaben, welche in diesem Umfange noch nie aufgetreten sind. Es gilt, die neuzeitlichen Gemächte des Lebens, die unser aller Leben in steigendem Maße bestimmen, im Charakter ihrer Erzeugung zu begreifen, um sie schließlich wieder in eine künftige, mögliche gemeinschaftliche Lebenspraxis zurückzuholen. Ein wenn auch nur episodischer Rückblick in die Zivilisationsgeschichte ist deshalb hier erforderlich, damit wir aus der Kenntnisnahme dieser Bewegung zugleich erste Momente und Mittel der Begriffsbildung zu unserem Problem gewinnen.

Die Geschichte der menschlichen ‚Zivilisation' ist in steigendem Maße die *Entfernung* des Menschen aus einem Lebenszusammenhang, in welchem die Natur selbst den Menschen einschloss. Diese Geschichte wird in ihren Epochen vor allem dadurch bestimmt, daß wir lernten, in bestimmten Formen und Folgen von Handlungen uns aus der „Gefangenschaft" der Natur herauszusetzen. Jene Operationen einzusehen, welche einen kulturellen geschichtlichen Zusammenhang einer Epoche konstituieren und ihre hauptsächlichen Momente mit ausmachen, gehört unseres Erachtens zu den entscheidenden Voraussetzungen einer Exposition allgemeiner Lernzielbestimmungen, gesetzt den Fall, daß diese darin bestehen, daß sie den elementaren und allgemeinen Lebenszusammenhang einer Epoche erzeugen und den möglichen Lebensspielraum einer Gesellschaft bestimmen. Das größte und höchste Vermögen des Menschen besteht darin, lernen zu können. Es kommt deshalb darauf an, die Voraussetzungen des ‚lernenden Lebens' zugleich als Ort der Möglichkeit lebendigen Lernens und Handelns zu entdecken und einzusehen, um so das Lernen des Lernens zu betreiben.

Das Lernen des Lernens zielt nicht auf eine bestimmte Problemstellung der modernen Lernpsychologie ab. Sie erörtert vielmehr die geschichtliche Dimension der Eröffnung von ‚Kulturen', welche deren Lebensraum und deren Lebensmöglichkeit vor allem bestimmte, für uns durchschaubar und begreifbar macht. Es ist der Spielraum möglicher Handlung und deren Grundlegung, welcher eine Phase der menschlichen Geschichte vor allem bestimmt.

Die Welt des Menschen grenzt sich von den anderen Lebewesen dadurch ab, daß er zur Sprache kam und so zur möglichen gemeinsamen Existenz, daß er vermochte, Handwerkszeug herzustellen, daß er mit dem Feuer umzugehen lernte, daß er sich im Kult mit den numinosen Gewalten der Natur, der Liebe und des Todes verband. Die Natur bewegt sich in der menschlichen Geschichte in den Ort der zur Sprache, zur Praxis gekommenen und kommenden Welt. So fern und versunken jene frühen Zeiten auch sind, sie sind die Anfänge jener Kultur, in deren gewandelter Form wir leben. Der Jäger und Sammler, buchstäblich von der Hand in den Mund lebend, war auf Gunst und Gabe der Natur angewiesen, bedingt freigelassen, von ihr ‚besessen' in Angst, Schrecken und Verwunderung. Es war ein Schritt, als die Menschen über das Stadium des Nomadisierens sich schließlich seßhaft machten und anfingen, das Land zu bebauen und Tiere zu zähmen. Denn damit beginnt jene Kulturform, die schließlich zu den Hochkulturen führte, deren frühe Ausprägungen wir noch überblicken können. Es ist die agrarische Kultur, welche aufgrund eines gewandelten Verhältnisses zur Natur und zu den Menschen beide „behaust", auf handwerkliche Erfahrung gebaut und verwiesen, diese hervorbringt und Rechtsverhältnisse schafft, welche über die familiale Organisation des Stammes hinausreichen. Es entstehen Städte und hierarchische Formen der Herrschaft, welche sich gegenüber ihrer Herkunft behaupten müssen. Die griechische Polis ist jener Ort, worin diese Form des Lebens am entschiedensten ausgebildet ist. Sie stiftete eine Einheit zwischen Göttern und Menschen, brachte Natur und Mensch in einen Zusammenhang und in eine Ordnung und grenzte sich gegenüber dem barbarisch Fremden ab. Die Unterscheidung des Menschen von der Natur und deren fortgeschrittene kultivierende Beherrschung durch die Möglichkeiten der Techne erzeugten eine solche Einheit, machten die Erde in einem bestimmten Umkreis zur terra cognita, zur Oekumene: gemeinsame Sprache und Einheit der Lebensform, ihre Überlieferung und Weiterbildung und die Einwurzelung der Menschen in diesen Handlungs- und Lebenszusammenhang bestimmten die Erziehung. Die griechische Polis ist jener überschaubare Bezirk menschlichen Handelns und Lebens, worin die agrarisch-handwerkliche Welt ihr Genüge und Schwergewicht finden konnte.

Daß die technischen Vermögen, in mannigfacher handwerklicher Erfahrung ausgebildet und tradiert, die entscheidenden Wege der Kultur und die Reichweite der politischen Handlungsmöglichkeiten bestimmten, läßt sich leicht einsehen. Auch die eigene Geschichte unserer europäischen Völker mußte sich auf diese Möglichkeiten stellen. Deshalb ist das frühe und hohe Mittelalter ein agrarisch-feudales Herrschaftsgefüge, das in kaum veränderten Möglichkeiten der Naturbearbeitung im Vergleich zu den handwerklichen Möglichkeiten des Altertums lebte. Die bessere Nutzung der tierischen Kraft, die bessere Konstruktion des Pfluges, bestimmte mechanische Konstruktionen, die Nutzung der Kraft des Wassers und des Windes kommen hinzu. Es blieb aber bei der auf Erfahrung gegründeten handwerklichen Kunst der Bearbeitung und Überlistung der Natur. Die mittelalterliche Stadt als der Ort der Entwicklung des Handwerks und der Künste, des Handels und der Behauptung ihrer Rechte setzte sich gegenüber den territorialen Herrschaften ab und konnte in einem eigenen Raum von städtischen Freiheiten sich bestimmen. Stadtluft machte frei. Das Christentum allerdings setzte eine entschiedene Differenz zwischen irdischer und göttlicher Herrschaft. Sie führte zu den Auseinandersetzungen zwischen Kaiser- und Papsttum. Der einheitliche religiös-politische Zusammenhang der antiken politischen Existenz wurde dadurch aufgehoben. Die Gottheit der Polis und ihre Verfassung bilden nun keine Einheit mehr. Weltliche und kirchliche Macht kämpfen in einer wechselvollen Geschichte um die Vorherrschaft. Diese wird dadurch entschieden, daß mit dem Anbruch der abendländischen Reformation die Einheit der Kirche in Konfessionen zerbricht. Die hierarchische Verfassung wird durch die Behauptung eines allgemeinen Priestertums der Gläubigen bestritten. Das ‚gläubige Volk' begann selber die heiligen Texte zu lesen und setzte sich ab gegen die tradierte Form klerikaler Bildung; es wurde mündig. In der Bestimmung seiner Autorität sagte es: vox populi vox Dei, die

Hierarchen dagegen: vox populi vox Rindvieh! Das Feld unabsehbarer Kämpfe eröffnete sich. Als unmittelbare Folge der Verwicklung der europäischen Staaten in die Religionskriege ergab sich deren erklärte Indifferenz gegenüber den ,Konfessionen'. Die Ausbildung der ,ratio status' des frühneuzeitlichen Staates und der Aufbau seiner Verwaltung, die Herausbildung einer ,absoluten' Sphäre der Politik im monarchischen Hoheitsstaat nahm zwar ihre Legitimation aus der sakralen Tradition des Herrschertums. „Andererseits aber lebte dieser Staat unbeschadet seiner Berufung auf sakrale Traditionen in den militärisch-administrativen Formen des veralltäglichten Notstandes, weshalb die konfessionelle Befriedung im Innern von Anfang an mit der ständigen Kriegsbereitschaft nach außen und dem diese Bereitschaft ermöglichenden Wettrüsten bezahlt werden mußte. Der innere Friede beruhte auf einem latenten Kriegszustand, so wie die religiöse Neutralität auf einem stillschweigenden Vorbehalt zugunsten der jeweiligen Staatsreligion" [6]. Die Möglichkeit der Steigerung der staatlichen Macht und deren Funktionalisierung in der Administration wurde ermöglicht durch den Übergang der Macht aus der religiösen Sphäre und deren Transformation in einen ungekannten und sich stetig steigernden Machtapparat, hervorgerufen durch die technisch-wissenschaftliche Revolution der Neuzeit, der die agrarisch-ständische Arbeitswelt in die verblassende Erinnerung der Geschichte zurücksinken ließ. Dieser Vorgang ist in seinen Konsequenzen weltgeschichtlich. Er stürzte in den vergangenen zweihundertfünfzig Jahren fast alle Überlieferungen und stellte das Leben auf einen neuen Boden, der bis heute kaum eingesehen und begriffen ist.

Wenn es an der Zeit ist, diese Bewegung in allen ihren Auswirkungen zu vergegenwärtigen, um die neue gesellschaftliche, politische und wirtschaftliche Wirklichkeit zu begreifen, in die wir hineingestossen wurden, dann müßte eine allgemeine Theorie der ,Bildung' gerade diesen Zusammenhang einsichtig machen, damit wir nicht blind in einem Lebenskontext weiterhin leben, der uns verborgen und verstellt ist. Die neuzeitliche Wissenschaft und ihre technische Anwendung führten zu einer Revolutionierung der europäischen Welt, führten in den Kontext der Weltgeschichte, in der wir heute stehen. Diese wurde ermöglicht durch eine neue Sicht der Natur,

---

[6] Albert Mirgeler, Europa in der Weltgeschichte, Freiburg 1973, 234.

die ihre ungeahnte Beherrschung und Nutzung erwirkte. Während die handwerkliche Erfahrung zugleich den gekonnten Umgang mit der Natur begründete, welcher durch mannigfache Motive des Lebens überhöht wurde, bringt die gewandelte Grundstellung der Menschen zur Welt eine neue Möglichkeit: die Natur erscheint aufgrund eines anderen theoretischen Vorblickes und wird dadurch verwandelt. Eine praktische Philosophie zu finden, welche aufgrund des gewandelten ,mathematischen' Blickes auf die Natur ihre Kräfte aufschließt und sie beherrschbar macht, ist nun das unbedingte Ziel wissenschaftlicher Anstrengungen, eine Erkenntnis, die uns die Kraft und die Wirkung des Feuers, des Wassers, der Luft, der Gestirne, des Himmelsgewölbes und aller übrigen Körper, „die uns umgeben, so genau kennen lehrt, wie wir die verschiedenen Tätigkeiten unserer Handwerker kennen, so daß wir sie in derselben Weise zu allen Zwecken, wozu sie geeignet sind, verwenden und uns auf diese Weise gleichsam zu Meistern und Besitzern der Natur machen können" [7]. Der Handwerker kennt seine Handlungen durch eine geregelte Abfolge der Herstellung und Fertigung der Kunstgebilde. Indem die Naturdinge am Leitfaden der Kunstdinge gesehen werden, hergestellt und geschaffen durch den Willen Gottes, gewinnt die Entdeckung und das Studium der Natur einen Rang wie das Studium der ,heiligen Texte'. Es galt, die Gedanken Gottes, die im Buche der Natur verborgen gedacht waren, zu entziffern. Ihr Alphabet ist mathematisch. Da der menschliche Geist als ausgezeichnetstes Werk Gottes dessen geschaffenes Bild ist, kann er die mathematischen Wahrheiten der Natur einsehen. „Freilich erkennt der göttliche Geist unendlich viel mehr mathematische Wahrheiten, denn er erkennt sie alle. Die Erkenntnis der wenigen aber, welche der menschliche Geist begriffen, kommt meiner Meinung an objektiver Gewißheit der göttlichen Erkenntnis gleich; denn sie gelangt bis zur Einsicht ihrer Notwendigkeit, und eine höhere Stufe der Gewissheit kann es wohl nicht geben" [8]. Die Erscheinungen der Natur werden auf dem Grunde mathematischer Gesetze gesehen, welche im Wechsel der Erscheinungen an sich selbst gleich bleiben. Sie folgen diesen Gesetzen, ob es die Bewegungen der himmlischen oder die Bewegungen der irdischen Körper sind. Die Kenntnis der

[7] R. Descartes, Abhandlung über die Methode, Teil IV.

[8] G. Galilei, Dialog über die beiden hauptsächlichsten Weltsysteme, in: W. Heisenberg, Das Naturbild der heutigen Physik, Hamburg 1965, 64.

mechanischen Bewegungen in der Natur lassen aber deren Konstruktion in technischen Apparaten zu. Denn „das wahre und rechte Ziel der Wissenschaften ist es, das menschliche Leben mit neuen Mitteln und Erfindungen zu bereichern" [9].

Die Geburt der naturwissenschaftlichen Methode, die in der erstaunlich kurzen Zeit kaum eines Jahrhunderts (1630-1720) geschaffen wurde, hat die gesamte neuzeitliche Welt von Grund auf revolutioniert. Nachdem einmal die Bewegungsgesetze der sichtbaren Welt entdeckt waren, konnte der Gedanke an die Schöpfung der Welt durch den Gott des Christentums schließlich übergehen in die Vorstellung eines Weltmechanikers, der das Universum nach seiner Schaffung sich selbst überließ. Schließlich konnte auch diese Vorstellung fallen gelassen und vergessen werden. Während Newton Gott dort die Herrschaft beließ, wo der Mensch keine bessere Erklärung wußte, konnten Newtons Nachfolger kein Bedürfnis mehr darin sehen, für sich die gleichen Beschränkungen anzuerkennen. Die rasche Entwicklung der Wissenschaft und Technik, in deren Gefolge die Wirtschaft und überhaupt die ganze politische Welt umgewandelt wurde, lassen diesen Vorgang als absolute Kulturschwelle erscheinen. Der Mensch ist jetzt das ‚*Subjekt der Weltgeschichte*', welche sich nach den Grundsätzen des Denkens bewegt. Die Geschichte als der Ort der ideellen Produktion in der Gesamtheit der naturwissenschaftlichen, technischen, wirtschaftlichen und politischen Form der Bewegung wird zunehmend planetarisch. Die Geschichte des 19. und 20. Jahrhunderts zeigt uns diesen Vorgang. Die bürgerliche Gesellschaft als Erbin der französischen Revolution — sie vollzog die kopernikanische Wende auf dem Felde der Politik — und als Nutznießer und Verwalter der durch die neue wissenschaftlich-technische Revolution geschaffenen Möglichkeiten der Produktion steht im übergänglichen Charakter vom feudalen Staat des Mittelalters zum modernen nationalen Machtstaat, der nach der Weltmachtstellung ausgreift. Hegel sieht und denkt diese Bewegung als den gewandelten inneren Zusammenhang der modernen Gesellschaft, denn er schreibt: „Wenn die bürgerliche Gesellschaft sich in ungehinderter Wirksamkeit befindet, so ist sie innerhalb ihrer selbst in *fortschreitender Bevölkerung* und *Industrie* begriffen. Durch die

---

[9] F. Bacon, Novum Organum partis Secundae Summa, Aphorismus LXXXI, übersetzt v. J. H. v. Kirchmann.

Verallgemeinerung des Zusammenhangs der Menschen durch die Bedürfnisse und der Weisen, die Mittel für diese zu bereiten und herbeizubringen, vermehrt sich die *Anhäufung der Reichtümer*, — denn aus dieser gedoppelten Allgemeinheit wird der größte Gewinn gezogen, — auf der einen Seite, wie auf der anderen Seite die *Vereinzelung* und *Beschränktheit* der besonderen Arbeit und damit die *Abhängigkeit* und *Not* der an diese Arbeit gebundenen Klasse, womit die Unfähigkeit der Empfindung und des Genusses der weitern Fähigkeiten und besonders der geistigen Vorteile der bürgerlichen Gesellschaft zusammenhängt" [10]. Indem Marx denselben Vorgang vor Augen hat, sagt er: „Die Natur baut keine Maschinen, keine Lokomotiven, Eisenbahnen, electric telegraphs, selfacting mules etc. Sie sind Produkte der menschlichen Industrie; natürliches Material, verwandelt in Organe des menschlichen Willens über die Natur oder seiner Betätigung in der Natur. Sie sind von der menschlichen Hand geschaffene Organe des menschlichen Hirns; vergegenständlichte Wissenskraft. Die Entwicklung des capital fixe zeigt an, bis zu welchem Grade das allgemeine gesellschaftliche Wissen, knowledge, zur unmittelbaren Produktivkraft geworden ist, und daher die Bedingungen des gesellschaftlichen Lebensprozesses selbst unter die Kontrolle des general intellect gekommen, und ihm gemäß umgeschaffen sind" [11]. Statt einer Erörterung dieser beiden Texte, die den neuen wissenschaftlichen, technischen, industriellen, ökonomischen und politischen Boden, den Lebenskontext des ‚modernen' Staates bestimmen, sei auf weniges verwiesen. Der aufgrund dieser Bewegung entstehende neuzeitliche nationale Machtstaat ruht auf der Auflösung der familiären und ‚natürlichen' menschlichen Verbindungen der feudalen-agrarischen Gesellschaft. Die zunehmende Verstädterung des Lebens durch die rapide Abwanderung der Menschen in die großen Zentren der maschinellen Fabrikation schaffen damit einhergehende Uniformierungen, überhaupt die abstrakten Verhältnisse der Großstädte und Großstaaten. Auf der einen Seite den Zusammenhang von Industrie, wissenschaftlicher und technischer großindustrieller Entwicklung, deren Agent, Motor und Nutznießer der industrielle Kapitalist, als Groß-

[10] G.W.F. Hegel, Grundlinien der Philosophie des Rechts (Hoffmeister) Hamburg 1955, § 243.

[11] K. Marx Grundrisse der Kritik der politischen Ökonomie, Berlin (Dietz) 1953, 594.

kapitalist der moderne Staat ist, der als Nationalstaat nach Weltherrschaft strebt, auf der anderen Seite die Liquidation von Geschichte und Tradition, die Herausbildung der abstrakten spezialisierten Tätigkeiten, welche den wissenschaftlichen Spezialisten, den auf eine uniforme Tätigkeit hin ausgerichteten und zugeschnittenen Industriearbeiter und den in striktem administrativem, bürokratischen Reglement arbeitenden Angestellten und Beamten entstehen lassen. Der Einblick in die Gesamtbewegung der Gesellschaft geht der größten Zahl der Menschen verloren. Sie werden dem Gemeinwesen entfremdet. Je mehr die staatlichen Machtmittel wachsen, umso ohnmächtiger bewegen sich die meisten Menschen um das Gravitationszentrum dieses Mechanismus, von dem sie alle abhängen, von dem sie auch in einer „künstlichen Einhelligkeit" [12] gehalten und gesteuert werden.

Schon die Erinnerung an wesentliche Etappen der physikalischen Forschung mag beweisen, wie rasch die Nutzung ungeahnter verborgener Energien der Natur uns zuwuchs. Die Entdeckung des neuartigen elektrischen Phänomens durch Galvani, die Entdeckung des Einflusses strömender Elektrizität auf die Magnetnadel, die von Faraday entdeckte elektromagnetische Induktion, der von Hertz beobachtete lichtelektrische Effekt, Becquerels Entdeckung der Radioaktivität, der Nachweis der Elektronenladung durch Thomson, die Entdeckung der kosmischen Strahlen durch Hess und die Entdeckung der Uranspaltung durch Hahn ermöglichten uns einen Einblick in die äußersten Bezirke der Konstitution der Materie und des Universums, ließen uns Energiequellen zuwachsen, welche in ihren Auswirkungen die gesamte Gesellschaft transformierten. Die großen theoretischen Umbrüche der wissenschaftlichen Entwicklung der Physik über Kopernikus, Kepler, Galilei, Newton, Lavoisier, Maxwell, Einstein, Heisenberg verliefen über die Ausbildung der Begriffssysteme der ‚klassischen' Gebiete der Mechanik (Verallgemeinerung von Fall, Wurf, Pendel und die Himmelsmechanik) der Wärmelehre (Mechanik der Gase, Flüssigkeiten und festen

---

[12] „Nun ist zu manchen Geschäften, die in das Interesse des gemeinen Wesens laufen, ein gewisser Mechanism notwendig, vermittelst dessen einige Glieder des gemeinen Wesens sich bloß passiv verhalten müssen, um durch eine künstliche Einhelligkeit von der Regierung zu öffentlichen Zwecken gerichtet, oder wenigstens von der Zerstörung dieser Zwecke abgehalten zu werden". I. Kant, Beantwortung der Frage: Was ist Aufklärung? in: Kant-Studienausgabe (Weischedel) Bd. 9, 55, Darmstadt 1964.

Körper), der Elektrodynamik (Mechanik des physikalischen Feldes) zur Quantentheorie und Theorie der Materie, die als Begriffssysteme der ‚klassischen Mechanik', der ‚statistischen Physik', der ‚Feldtheorie' und der ‚Quantentheorie' ausgearbeitet wurden. Diese Umbrüche markieren den Vorgang der Abstraktion, die Abkehr vom Augenschein der gewohnten und ‚natürlichen Welt' des Vorstellens und die Hinwendung zum unanschaulichen, nur abstrakt und in mathematischer Form beschreibbaren Grunde der physikalischen Vorgänge, welche der ‚gesunde Menschenverstand' erst noch einholen muß. Sie demonstrieren aber noch mehr die Gewalt, die Schönheit und den Schrecken der Naturkräfte, welche einmal wissenschaftlich entdeckt, jetzt in die Hand des Menschen fielen und auf dessen rätselhaftes Vor-kommen im Laufe der Naturgeschichte zurückverweisen, die Frage nach dem ‚möglichen Wissen' und der ‚möglichen Existenz und Koexistenz' aufwerfen, nachdem er auf seiner geschichtlichen Fahrt Wetter, Feuer, Erde, Wasser, Warmes und Kaltes, Helles und Dunkles, fallende und geworfene Steine, das Licht und den Gebrauch des Feuers beim Herstellen metallischer Geräte etc. kennenlernte: im Anblick und Scheine der Sonne und der unerreichbaren und unbeeinflussbaren Sterne in den Tiefen der kosmischen Nacht, im Umgang mit der Mannigfaltigkeit und Verschiedenheit von Pflanzen und Tieren und seinesgleichen, in der Erfahrung der Zeit; seines Schicksals in Freundschaft und Feindschaft, in Liebe und Tod. Auf diesem Grunde präsentiert sich die heutige ins Planetarische ausgreifende zivilisatorische Szene.

Die technische Anwendung der entdeckten Energien in Dampfmaschine, Elektromotor, Autos, Flugzeugen, Raketen, in Telephon, Radio, Fernsehen, Rechenmaschinen, in Atombomben etc. ließen eine neue Welt entstehen, deren Schöpfer der naturwissenschaftliche Genius ist. Ihre Entwicklung und Folgen sind nicht abzusehen, wenn man auf die augenblickliche Revolutionierung der Biologie durch die molekulare Chemie, Genetik und Verhaltensphysiologie blickt. Das technische Zeitalter bringt eine ‚technische' Revolution der Politik und Kriegsführung, welche von der Napoleonischen Artillerie, über das preussische Zündnadelgewehr zu Panzer, Luftwaffe, Atombombe, Fernraketen und Orbitalbomben führt und die Kriege zu Weltkriegen auswachsen läßt, die schließlich die menschliche Zivilisation auf diesem Planeten auszulöschen vermögen. Der moderne Staat entstand aus den Wirren und dem Ausnahmezustand der Religionskriege. Aber es gab noch eine eindeutige Abgrenzung zwischen Krieg und Frieden. Der heutige Wettlauf des Rüstens und die Strategie der wechselseitigen Abschreckung beweisen jedoch den andauernden latenten Kriegszustand in den Phasen der Spannung und Entspannung, die andauernde Mobilmachung der Streitkräfte der beiden Weltmächte und ihrer Verbündeten aus dem Stand. Die nachrückenden Weltmächte müssen sich dieser augenblicklich herrschenden Konstellation anpassen. Auf einige Symptome der Aufhebung der tradierten Rechtsvorstellungen und des Wandels der Politik soll deshalb hingewiesen werden [13].

Die Siegermächte von 1918 machten dem wiedererstarkten Deutschland Zugeständnisse, die sie der Weimarer Republik strikt verwehrten. Damit bewiesen sie nur, daß die „Rechtlichkeit" ihrer Politik die Maske ihrer Vorherrschaft war, daß umgekehrt hinter dem Anspruch auf die „Gleichheit der Rechte", vom nationalsozialistischen Deutschland erhoben, sich nur die Vorbereitung der deutschen Vorherrschaft verbarg. In einem Kampf auf Leben und Tod galt jedes Zugeständnis als Schwäche und Verlust, wurde jeder Gewinn als Schritt zu weiteren Gewinnen gewertet. Nach dem zweiten Weltkrieg verloren die politisch unentschiedenen Zonen zwischen den beiden Weltmächten rasch ihre Neutralität. Deren Armeen rückten ins Niemandsland, Wirtschaftshilfe war zugleich Militärhilfe. Die Gewalt wurde jetzt mit Friedenserklärungen der Propaganda kaschiert. Die Staaten halten sich nun im Medium des öffentlichen Scheins, durch propagandistische Ideologie erzeugt, auf, wo wahr und falsch, kriegerischer und friedlicher Zustand sich verwischen und nicht mehr zu beurteilen sind. Der politische Kampf erzwingt ‚Säuberungen'. Man vermutet den Verräter in der eigenen Umgebung und sucht den Komplicen beim Gegner. Man startet ‚Friedensoffensiven', um durch die Massenkommunikationsmittel die Unentschiedenen, Schwankenden und Skeptiker im eigenen und fremden Lager von sich zu überzeugen. Dosiert wird nur von Friede gesprochen, sonst wäre der Gegner ermutigt. Deshalb macht man entmutigende Friedensangebote und nutzt die Zeit mit Rüstung und Kriegsvorbereitung. Man schiebt Verhandlungen und fällige Abkommen vor sich her, aber bricht sie nicht ab. Man läßt die

---

[13] Im folgenden Abschnitt übernehme ich Argumente Maurice Merleau-Pontys aus seinen Essay: L'Homme et l'adversité, übersetzt in: Das Auge und der Geist, Hamburg 1967, 126-130.

Freunde kämpfen, liefert ihnen aber keine kriegsentscheidenden Waffen, sonst riskierte man den wirklichen Krieg. Statt dessen soll der Partisan und Guerillero den feindlichen Körper wie eine chronische Infektion zersetzen, an den verwundbarsten und neuralgischsten Punkten ihn treffen und seine Kräfte binden. Hinter jedem politischen Akt verbirgt sich ein latenter Sinn. Ein Krieg kann jederzeit motiviert sein und doch ist er nie unausweichlich. Die eigentlichen Probleme der politischen Ordnung der gegenwärtigen Welt werden den Zeitgenossen ideologisch verschleiert, die brennenden und andrängenden Fragen aber von der Politikern gar nicht gestellt; entscheidende Fakten werden geleugnet. Sie liegen auch gar nicht im Antagonismus der beiden Ideologien. Weder die klassischen Mittel der liberalen Wirtschaft oder die des fortgeschrittenen amerikanischen Kapitalismus reichen aus, heute anstehende und fällige Probleme zu entscheiden, aber auch nicht Rezepte des Kommunismus sowjetischer Prägung, der die Idee der Revolution der sich frei bestimmenden Arbeiter und die These vom endlichen Absterben des Staates zugunsten einer zentralen Steuerung und Planung von oben durch den Partei- und Staatsapparat liquidierte. Die Weltpolitik treibt auf einem Ozean des Scheins, weil die leitenden politischen Ideen zu eng und für ihr jetziges Aktionsfeld antiquiert sind.

Europa, der Ort der Entstehung beider die weltpolitische Szene beherrschenden Ideologien, klebt an historischen und lokalen Umständen, betreibt eine Dorfpolitik von ‚Krähwinkel' und ist kraftlos für den Entwurf einer weltweiten gesellschaftlichen Ordnung *freier Koexistenz*. Taxiert man die europäische Geschichte des 19. und 20. Jahrhunderts, dann zeigt sie den endlichen Zusammenbruch des europäischen Systems in den beiden Weltkriegen des 20. Jahrhunderts und selbst die Unkraft zu einer möglichen politischen Einigung wenigstens auf engstem Raume, nachdem Weltmachtträume ausgeträumt sind. Es zeigt heute eine wenn auch recht schwankende und dubiose wirtschaftliche Blüte, nachdem es anfing, das Glück im materiellen Wohlstand einer Produktions- und Konsumgesellschaft zu sehen und herbeizuschaffen, in welchem es sich politisch vergaffte und vergaß. Auf diesen Zusammenhang hat es auch seine Erziehungskonzepte abgestellt.

Die wissenschaftliche, technische und ökonomische Entwicklung der vergangenen eineinhalb Jahrhunderte hat bald zögernd, bald stoßartig, der Not gehorchend, die Expansion des Schulsystems herbeigeführt, hat immer größere Ausmaße angenommen, bis es schließlich im westlichen Deutschland nur widerwillig zur Revision des gesamten Schul- und Ausbildungssystems in den sechziger und siebziger Jahren dieses Jahrhunderts kam. Während unser Jahrhundert sich in den verwässerten historisierenden Traditionen der Bildung herumtrieb und gefiel, wobei sich Restauration und Liberalismus die bildungsmäßige Übernahme des europäischen Geisteserbes als ,Bildungsgüter' angelegen sein liessen und darin verharrten als ob nichts Neues unter der Sonne geschah und es nur schwer zu einer Wahrnehmung der Wirklichkeit kommen konnte, die als ,aktuelle' das gesellschaftliche Leben vor allem bestimmte, — der Kampf um die Gleichberechtigung der Realbildung mit der humanistischen durch das 19. Jahrhundert hindurch gibt wenigstens davon Kunde — kam es in unserer Zeit zu einer Funktionalisierung des Schul- und Ausbildungssystems aufgrund der herrschenden technisch-pragmatischen Vernunft. Das überkommene dreigliedrige Schulsystem erneuerte nur die bürgerlich-ständische Ordnung in einer völlig verwandelten Welt. Die Masse der Arbeiter, Angestellten und Bediensteten überließ es der Unaufgeklärtheit und Abhängigkeit und machte sie so zu brauchbaren Instrumenten der Manipulation und Steuerung rasch wechselnder Ideologien. Unsere Zeit nimmt sie in Dienst durch die Kalkulation der instrumentellen Vernunft. Vor allem wurde die Schule als Produktivkraft für die wissenschaftlich-technische Entwicklung einerseits, als Reproduktionsstätte des Bedarfs an qualifizierten Fachkräften in wissenschaftlichen, technischen und ökonomischen Funktionen andererseits angesehen. Darum stellt der ,Strukturplan' der öffentlich verantworteten Bildung die Aufgabe, ,,den Gesamtprozess der Bildung eines Menschen, der vor der Schule begonnen hat und über die Schule und die Berufsbildung hinaus bis in die Weiterbildung reicht, so gut wie möglich zu fördern und in den gesellschaftlichen Zusammenhang hineinzunehmen'' [14]. Es liege im Prinzip des lebenslangen Lernens, ,,daß mit der Vermittlung von Inhalten das Lernen des Lernens Hand in Hand geht'' [15]. Die Bedingungen des Lernens in der modernen Industriegesellschaft erforderten, ,,daß die Lehr- und Lernprozesse wissenschaftsorientiert sind'' [16]. Der Wissen-

[14] Deutscher Bildungsrat, Empfehlungen der Bildungskommission, Strukturplan für das Bildungswesen, Stuttgart 1971, 32.

[15] l.c.,32.

[16] l.c.,33.

schaftsbestimmtheit entspreche formal der Grundsatz vom Lernen des Lernens. „Die gezielte Förderung der Fähigkeit des Lernens, die sich aus der Wissenschaftsorientierung ergibt", werde auch gefordert „durch das Tempo der gesellschaftlichen, technisch-wissenschaftlichen und wirtschaftlichen Entwicklung sowie durch die Veränderung der Lebensumstände und der Arbeitsverhältnisse" [17].

Nimmt man den Begriff „Lernen des Lernens", dann kann er bloß die hohe Flexibilität und Variabilität der verordneten Anpassung in geforderten Lernprozessen bedeuten. Er kann aber auch als *Problem* der im wissenschaftlich-technischen Zeitalter geforderten allgemeinen Bildung genommen werden. Obwohl der ‚Strukturplan' behauptet, mit dem Anwachsen möglicher Lehrgegenstände und der Wissenschaftsbestimmtheit ihrer Lehre trete immer deutlicher hervor, „daß ein enzyklopädisches Wissen und eine umfassende Allgemeinbildung nicht das Ziel der schulischen Bildung sein können" [18], stellt die nicht gesehene, abgedrängte oder abgewehrte Frage einer heute geforderten allgemeinen Bildung, zumal in der Ausbildung künftiger Lehrer, ein umso dringlicheres und entscheidenderes Problem. Ob es überhaupt einer befriedigenden Lösung entgegengeführt werden kann, ist eine andere Frage. Wenn nämlich die traditionellen ‚natürlichen' Bildungsmächte nicht mehr in den Lebenszusammenhang einzuführen vermögen, weil sie selbst zu beschränkt sind in ihrer Perspektive und die Dimension der heutigen Lebenslage nicht mehr aufzugreifen vermögen, unsere Alltagswelt aber zu abstrakt und undurchsichtig ist, der Bestand unseres Staatswesens schließlich entscheidend davon abhängt, ob es *Bürger* erziehen kann, die nicht nur den Anforderungen der wissenschaftlichen, technischen, ökonomischen und politischen Vernunft genügen, vielmehr das Vermögen der methodischen Analyse, der Beurteilung und Entscheidung in allen Fragen von öffentlicher Relevanz wieder besitzen und beweisen, dann muß das Problem der allgemeinen Bildung in der künftigen Lehrerbildung zu einer zentralen Frage in ihrer Ausbildung erhoben werden. Die Schule muß über die traditionelle Bestimmung, nur vorpolitischer Lernort zu sein, hinauswachsen und hinausgeführt werden, wenn sie der Raum und Ort der Selbstverständigung der nachwachsenden Generation sein muß, die handelnd ins gesellschaftliche Leben tritt.

---

[17] l.c.,33.
[18] l.c.,34.

Die Geschichte der Lehrerbildung muß im Zusammenhang der allgemeinen Entwicklung der Kultur genommen und gesehen werden. Denn zunächst wurde die Erziehung der Kinder von Haus und Sippe geleistet; sie weitet sich mit der Ausbildung differenzierter handwerklicher Techniken. Der Handwerker ist der Lehrmeister seiner Kunst. Mit der wachsenden Mannigfaltigkeit entwickelter Kulturtechniken, deren gebrauchter Überlieferung und Vermittlung, nicht zuletzt durch die ermöglichte schriftliche Fixierung, drängte sich auch schließlich die Notwendigkeit auf, den Lehrerberuf zu institutionalisieren. Die Formen unserer neueren höheren Standesbildung (Richter, Pfarrer, Arzt), die handwerkliche Ausbildung und schließlich die geforderte Einführung des Volkes in die elementaren Kulturtechniken genügte einem feudalen, handwerklich-agrarisch orientierten vorwissenschaftlichen Stande der kulturellen Entwicklung. Die Geschichte der Lehrerbildung im 19. Jahrhundert zeigt, wie mit den steigenden Anforderungen des wissenschaftlich-technischen Zeitalters auch die Schulen selbst in den Sog der Umwandlung gerissen wurden. Eine generelle Ausbildung aller Lehrer auf wissenschaftlichen Hochschulen ist allerdings erst eine Forderung der jüngsten Zeit. Damit stellt sich auch die Frage nach einer elementaren und allgemeinen Theorie der Bildung, welche dem Stande unseres Zeitalters genügen muß.

Die agrarisch-feudale Welt bewegte sich in sinnlich überschaubaren anschaulichen Handlungsabläufen und Handlungszusammenhängen. Sie stützte sich auf die differenzierte sinnliche Erfahrung und auf jederzeit einsehbare und nachvollziehbare Handlungen und Fertigkeiten. Allein schon deshalb konnte jene Zeit eine gewisse innere und äußere Gewandtheit und Kenntnis des Lebensumgangs erzeugen, die uns heute nicht mehr gegenwärtig ist. Ein Blick in Comenius' Orbis pictus mag diesen Sachverhalt bestätigen: die vorindustrielle Welt der Arbeit war leicht zu überschauen und zu begreifen: das Weltganze konnte durch Autopsie angeeignet werden und die Abfolge der Bildwelt wurde durch das höchste Sein, das man Gott nennt, verklammert gedacht, weil er als „unzugängliches Licht, maßlose Macht und unausschöpfbare Güte die Allheit der Dinge, die wir Welt nennen, in sich empfing und aus sich herausführte" [19].

---

[19] Johann Amos Comenius, Orbis sensualium pictus (Faksimiledruck der Ausgabe Noribergae, M. Endter, 1658 unter Beifügung eines vollständigen

Erst die Entfesselung der Produktivkräfte führte zur industriellen Arbeitswelt, welche wissenschaftlich grundgelegt, in technischen Verfahren sich niederschlägt und in ökonomischen Prozessen zusammenschießt, wodurch im Laufe eines Jahrhunderts schließlich Wissenschaft, Produktion und staatliche Verwaltung im industriegesellschaftlichen System der Arbeit zusammengekoppelt werden. „Anwendung der Wissenschaft in Technik und Rückanwendung der technischen Fortschritte in der Forschung sind zur Substanz der Arbeitswelt geworden" [20]. Diese Welt des wissenschaftlich gesteuerten Produktionsprozesses ist eine abstrakte Welt. Ein differenziertes arbeitsteiliges System der Produktion läßt den Arbeiter nicht mehr den Produktionsvorgang selbst überblicken. „Alles in allem hat die Einführung der Maschinen die Teilung der Arbeit innerhalb der Gesellschaft gesteigert, das Werk des Arbeiters innerhalb der Werkstatt vereinfacht, das Kapital konzentriert und den Menschen zerstückelt" [21]. So ist es paradox, daß im Maße der Steigerung der produktiven, wissenschaftlichen Arbeit, die produzierte Welt und überhaupt der Lebensboden dieser Welt, auf der wir gehen und stehen, immer uneinsichtiger geworden ist, sodaß es den Anschein hat, daß die Menschen, zumal die „Gebildeten", ihre mögliche Weltkenntnis verloren und im eigenen Lande Fremde geworden sind und das selbst erbaute Haus nicht mehr kennen. Die Folgen sind eine wachsende öffentliche Ohnmacht der Einsicht und Beurteilung der öffentlichen und persönlichen Lage, die zunehmende Ferne und Uneinsichtigkeit des Ganzen, die wachsende Depersonalisation, der schließliche Verlust der Biographie und Identität. Wissenschaft, Technik, Wirtschaft und Politik erscheinen als Gemächte, als Feinde, die man nicht mehr vertreiben kann, von denen man aber abhängt, mit welchen man zu leben gezwungen ist. Man sitzt in einem Gefängnis, in einer fremden Welt und gehorcht dem Diktat der Aufseher und läßt sich steuern und betreuen. „Während einst Bildung ein wissenschaftlich erschlossenes Verständnis der Welt im ganzen in das Handeln der Menschen umschlagen sollte,

---

Faksimileabdrucks des Lucidarium-Probedrucks von 1657) Osnabrück 1964. In letzterem steht das obige Zitat (pag. 13): DEUS... Lux inaccessa, Potentia immensa, Bonitas inexhausta: quae intra se concepit et extra se produxit Res universas, quas vocamus Mundum.

[20] Jürgen Habermas, Vom sozialen Wandel akademischer Bildung, in: Theorie und Praxis, 1971, 362.

[21] Karl Marx, Das Elend der Philosophie, Berlin (Dietz) 1957, 160.

wird sie heute zu etwas wie anständigem Verhalten, zu einem andressierten Persönlichkeitsmerkmal verkürzt. Aus Bildung wird das objektive Moment der wissenschaftlichen Erkenntnis zugunsten des bloß subjektiven einer wohlerzogenen Haltung getilgt" [22].

Die durch den öffentlichen Schein okkupierte, sich in ihm aufhaltende und diesen bewohnende menschliche Selbstverständigung, erscheint für sich liquidiert und verschwunden zu sein. Bis endlich eine genaue Diagnose dieser unserer Lage auch schon erste Möglichkeiten des Begriffes und der Therapie bereitstellt, damit die Erziehung künftig in den Rang des höchsten Dienstes und der weitesten Bestimmung gesetzt wird, damit die Menschen anfangen zu lernen, füreinander „ein Gespräch" zu sein, das sie wieder mit den göttlichen Dingen und den Dingen der Natur, ihren eigenen Produktionen, Artefakten und Institutionen zu einer sinnvollen Existenz und Koexistenz in gemeinsamer Verantwortung verbindet.

In einem *ersten Schritt* und in einer nur episodischen Form versuchte ich, zu einer Wahrnehmung (apprehensio) unserer Situation zu kommen, in welcher wir heute stehen und die nachwachsende Generation zu stehen kommt. Ich habe daher in einer vorläufigen Weise die Bewegung der europäischen Zivilisationsgeschichte geschildert und an ihrem Epochenwandel den jeweiligen grundstürzenden Wandel der ‚Menschenbildung' herausgestellt. Diesen versuchte ich vor allem am Leitfaden der Darstellung der Handlungsgeschichte, die sich in der begrifflichen Bestimmung der Naturdinge und der Kunstdinge (aus der poiesis, creatio und productio) am meisten entdecken läßt, auszuweisen. Denn durch das Begreifen der Natur und der eigenen Werke, das durch jene eigentümlichen Handlungen (Operationen) ermöglicht wird, das wir unbeholfen und verkürzt genug Denken nennen, eröffnet sich der Mensch jeweils einen geschichtlichen Raum seiner Existenz und Koexistenz, in welchem er vor allem gründet und in einer eigentümlichen Weise sich bewegt. Diesen Vorgang kann man nicht riechen und schmekken, kann man nicht tasten und nur in einer mittelbaren Weise mit den Augen sehen, wenn man auf die jeweiligen Werke und Verfassungen der geschichtlichen Epochen zurückschaut. Er ist dennoch realer als die natürlichen Dinge, weil sich der Mensch durch dieses

[22] J. Habermas, l.c., 364.

nur ihm eignende Vermögen vor allem zum Stande bringt und sich seine eigene Welt schafft, worin alle Menschenbildung gekannt oder ungekannt sich bewegt und ruht. Weil wir uns in der uns eigenen Weise zu existieren vermutlich am wenigsten auskennen, obwohl doch jeder, wie ‚man' sagt, sich selbst der Nächste sei, da wir mit der Entdeckung unserer geschichtlichen Vermögen und Möglichkeiten zugleich mit ihrem möglichen Verkennen, Verstellen, Vergessen, Verlieren und Verlöschen bedroht sind, kommt es vor allem darauf an, dieses höchste Vermögen und seine Geschichte im Blicke zu behalten, um in ihrer Vergegenwärtigung und Aneignung zugleich jenen Raum und Ort besser zu erfahren, worin sich unsere entscheidenden geschichtlichen Schritte vollzogen haben und noch vollziehen. Um dies sehen zu können, braucht es mehr als den sog. Alltags-oder gesunden Menschenverstand, der sich noch heute in den Nachkommen der thrakischen Dienstmagd wiederholt.

Man kann gegenüber dieser Grundstellung mancherlei Bedenken ins Feld führen. Man kann z.B. sagen, mit gleichem oder gar höherem Recht lasse sich die westliche Zivilisationsgeschichte als eine Reihe von Pendelschlägen zwischen Diesseits — bzw. Jenseitsorientierung fassen, als ein Schauplatz von Habgier und Tugend, von Wahrheit und Irrtum, von Krieg und Frieden. Den Leitfaden der Bildungsgeschichte am Leitfaden der Entwicklung der Handlungsgeschichte als Wandlung der Technikgeschichte festzumachen, sei problematisch und zumal eine ungehörige Verkürzung menschlicher Existenz auf den beschränkten Bereich seiner technischen Vermögen, die heute zwar differenzierter sind als zur Zeit der griechischen Polis, aber jedem Unvoreingenommenen zeigen, daß das Leben sich nicht nur mit technischen Dingen beschäftige und sich darin aufhalte. Dieser Einwand ist berechtigt und fordert in einem *zweiten Schritt* zu einer ersten begrifflichen Fassung und Klärung (cognitio) jenes herstellenden Vermögens und seiner Wandlungen heraus, worin ich die uns eigentümliche geschichtliche Bewegung erblicke. Im Entwurf, in der Ausarbeitung und Inbesitznahme dieses Vermögens vollzieht sich die höchste Möglichkeit des Lernens.

Der vorgeschichtliche Mensch konnte sich auf manche Handfertigkeiten verstehen, konnte geschickt Jagd treiben, sich aufs Meer hinauswagen, konnte himmlische Zeichen und Erscheinungen deuten und das Feld bestellen, die Götter um ihre Huld bitten und im Kommen und Gehen der Generationen und Zeiten das numinose und übermächtigende Walten der Natur verehren. Die Unmittelbarkeit seines praktischen Lebenszusammenhanges mag in einer langen Überlieferung geruht und in unvordenkliche Zeiten hinabgereicht haben. Und doch blieben diese Zivilisationen trotz ihrer Dauer in einem Halbschlaf und geschichtlichen Dämmerzustand und wurden sich ihrer selbst nicht gewärtig.

Erst in jenem Augenblick, wo der Mensch zu sich selbst erwachte und anfing, sein Weltverhältnis begrifflich durchzuklären und zu durchschauen, kann man von einem Schlag der Geschichte, von ihrer Gründungsurkunde, von ihrem Anfang und Aufgang, von einer Orientierung und Disposition des Menschen sprechen. Erst als er lernte, wie er sich in der Natur bewegt und wie seine eigene Natur, er selbst, sich bewegt, in welchem Natur- und Selbstverhältnis er steht, kann sich die Entdeckung, Begründung, und Ausweisung, die mögliche Erfahrung, Erfassung und Darstellung der geschichtlichen Eigentümlichkeit menschlicher Existenz und Koexistenz ermöglichen, erweisen und kritisieren lassen. Hätte ein ägyptischer Landvermesser einen griechischen Mathematiker getroffen, er hätte vermutlich für dessen arithmetische und geometrische Überlegungen und Spielereien kein Verständnis aufgebracht und sie nur verspottet. Und ein Perser hätte für die Herausarbeitung der Verfassungsformen der griechischen Polis oder gar ihrer Gründung allein und rein in Gedanken nur ein Lachen übrig gehabt.

Und doch geschah durch dieses Denken ein Schritt von nicht zu übersehender Tragweite, der auch unsere Situation, wenn auch in radikal verwandelter Weise noch bedingt und bestimmt. Platon und Aristoteles waren die ersten, die sich eine begriffliche Klärung der Naturdinge und Menschendinge (psychikà, politikà, poioúmena) erarbeiteten, indem sie die natürlichen Dinge (physei onta) und die künstlichen Dinge (techne onta) zu unterscheiden versuchten und gerade dadurch di. Eigentümlichkeit des Unterschieds von Natur und Mensch herausstellten. Die natürlichen und künstlichen Erscheinungen wurden dabei als vorliegende und gegenwärtige (in ihrem Erschienensein) aus ihren Anfängen (Gründen) heraus gesehen und in ihrem eigentümlichen Bau (Verfassung) dargestellt.

Erst auf dem Boden der Einsicht in die verschiedenen Seinsweisen, ihrer begrifflichen Fassung und der Möglichkeit ihres Verständlichmachens und ihrer Mitteilung konnten sich Art, Grund und Regel der, natürlichen' und menschlichen Dinge herausstellen und eine geschichtliche Welt sich gründen. Aus dem ungefähren, alltäglichen und gewohnten Anblick der halb gekannten oder halb vergessenen Erscheinungen aufwachend, zeigte sich durch deren Bestimmung, Verbindung und Begrenzung ihr Bild (eidos): die Erscheinung der Erscheinung, wodurch wir das jeweilige Ding erst selbst begreifen lernen. Der Mensch nahm jenen Punkt, wo der Gott oder die Natur stehengeblieben war zum Ausgangspunkt seines Handelns und lernte so sich selbst kennen. Ein flüchtiger Blick auf Aristoteles mag diesen Vorgang erläutern.

Er sagt: Von dem, was wird, geschieht das eine physei, das andere techne und wieder ein anderes apò tautomátou (durch Zufall) [23]. Der Grundunterschied ist der zwischen physei genéseos und techne genéseos. Denn die génesis apò tautomátou kommt weitgehend mit der génesis physei überein. Alles aber, was génesis hat, wird aus etwas durch etwas, zu etwas — hypò tinòs, ek tinòs und ti (Z 1032 a13). Bei der physei génesis sind aber das hypò tinòs, das ek tinòs und das ti ein in der Natur Gegebenes. Darin liegt der wesentliche Unterschied zu der techne génesis. Denn von der techne her wird, dessen ‚Bild' in der Seele ist — apò technes de gígnetai, hóson to eidos en te psychè. Eidos ist aber nach Aristoteles das to ti en einai hekástou und die prótoeusìa. Bei genauerem Zusehen unterscheidet Aristoteles innerhalb dieser génesis techne zwei Stufen, die er als nóesis und poíesis kennzeichnet: ton de genéseon kai kinéseon he men nóesis kaleítai he de poíesis (Z, 1032 b15). Die nóesis bestimmt sich apò tes archés kai tou eidous; die poiesis apò tou teleutaíou tes noéseos: d.h. die nóesis nimmt ihren Ausgang bei der archè als dem Grunde des Was-seins und Dass-seins und dem eidos als dem schon-Erschienensein (Gestalt) des betreffenden Seienden. Nóesis ist Plan und Entwurf. Die poíesis nimmt dort ihren Anfang, wo das Ende der nóesis war, also beim schon-Erschienensein (eidos), dem Plan und Entwurf. Nóesis und poíesis sind aber die auszeichnenden eigentümlichen Vermögen des Menschen. Sie lassen die Dinge sichtbar werden, sind notwendig aufeinander bezogen und machen zusammen den Grund (hypò tinòs) der génesis techne aus, der im Menschen ruht, welcher sich als Baugeschichte des Denkens einsehen und bestimmen läßt.

Daher vermag ein Architekt einem Haufen von Steinen, ein

---

[23] Aristoteles, Met. Z, 1032 a12.

Schiffsbaumeister einem Stoß Holz und der Stifter einer Polis den Menschen ihre Zukunft vorauszusagen und sie zu ,verfassen'. Dieser seltsame Blick eines Menschen, der auf den Dingen ruht und doch ganz außerhalb ihrer Gegenwart steht als ein Auge, das ihnen und sich selbst Grenze ist zwischen Sein und Nichtsein, gehört dem wachen Menschen und ist der Blick eines Sterbenden, der beim Gotte verweilen will. Die Eroberung dieses eigentümlichen entwerfenden, bauenden, ent-fernenden, d.h. nähernden Vermögens und sein Aufbrechen im Menschen durch die geschichtlich fortgetriebenen In-Besitznahmen und Gründungsgeschichten gilt es zu erforschen und kennen zu lernen; denn sie bestimmt wesentlich die Geschichte der abendländischen Zivilisation. Die Eroberung dieses spekulativen Bodens machte es überhaupt möglich, daß in Europa sich Wissenschaft, Technik, Ökonomie etc. aufbauen konnten und zeigt vor allem auch, warum die anderen Zivilisationen in einer ungeschichtlichen chinesischen Konstanz verharren mußten, bis sie durch die Berührung mit der europäischen Geschichte in den Katarakt dieser Bewegung gerissen wurden, in dem heute der ganze Planet steht. Der ganze Aufbruch dieses Bodens zeitigt als Resultat aber auch die Entfernung vom Zustand des nur noch ,gewöhnlich' erscheinenden, verfallenden Lebens und belegt die stofflichen Dinge mit negativen Charakteren und kann sich nicht mehr in ihnen eigentlich beheimaten wollen. Unsere leibhafte Existenz, einmal am Maße der Idee gemessen, erhält einen abfallenden, verächtlichen und negativen Zug. Sie kann sich nicht mehr selbst annehmen in ihrer Hinfälligkeit und muß sich endlich fortwährend selbst negieren, um sein zu können. Diese Geschichte der Negation, geboren aus dem Willen, ein anderes, göttliches Leben aus sich selbst verschaffen zu können, eine Ewigkeit selbst zu sein, sich selbst und die Welt zu durchschauen und zu enträtseln, ist zugleich das eigentümliche Drama unserer Geschichte, dessen Ausgang niemand kennt, das uns heute aber dem Feuer der Vernichtung entgegenzutreiben scheint.

Die neuzeitliche Religionskritik, die sich aus der jüdisch-christlichen Vorstellung der Welt als creatio ex nihilo so heraussetzte, wie sich die antike Aufklärungsbewegung der Sophistik vom Mythos absetzte, bestimmte den Kritiker, den Menschen überhaupt als absolutes Maß seiner selbst und der Dinge. Der grundstürzende Wandel der Naturbetrachtung lag jetzt darin, daß die Natur mathematisch bestimmt wurde. Raum und Zeit, Grundcharaktere der

Welt, werden als Parameter zu objektiven Maßen der Dinge, wodurch sich die Bewegungen der Körper in Raum und Zeit messen lassen. Der Mensch entwickelt die Perspektive und durch diese hindurch läßt er die Dinge im Bilde erscheinen, während er selbst, ihr Mittelpunkt und Maß, verdeckt und undurchsichtig bleibt als unsichtbarer Betrachter und Beobachter. Es ist ein erneuter Anfang, eine wiederholte Geburt (renaissance) des forschenden Geistes, von dem Nietzsche seltsamerweise behauptet: „Seit Kopernikus rollt der Mensch aus dem Zentrum ins x" [24].

Der jetzt ‚Naturwissenschaft' treibende Mensch versucht nun die Dinge durch einen ‚mathematischen Entwurf' zu schematisieren. Millionen Menschen hatten Äpfel vom Baum fallen sehen; aber die Bedeutung dieses Vorgangs sah erst Newton, in dessen Vorstellung das Gedankenschema der mathematischen Dynamik gegenwärtig war. Auf die Geschichte der mathematischen Physik ist schon oft hingewiesen worden, aber die Moral dieser Geschichte ist so wichtig, daß man sie sich vergegenwärtigen muß, um unser wissenschaftlich-technisches Zeitalter überhaupt zu begreifen, das sich auf die Mathematisierung der Welt gestellt hat und in ihr lebt. Kant reflektiert diesen entscheidenden neuzeitlichen Schritt. Unseren sinnlichen Begriffen liegen nicht Bilder der Gegenstände, sondern Schemate zugrunde, z.B. von einem Dreieck überhaupt. Das Schema eines Dreiecks ist aber „eine Regel der Synthesis der Einbildungskraft, in Ansehung reiner Gestalten im Raume" [25]. „Die Schemate sind daher nichts als Zeitbestimmungen a priori nach Regeln, und diese gehen nach der Ordnung der Kategorien auf die Zeitreihe, den Zeitinhalt, die Zeitordnung, endlich den Zeitinbegriff in Ansehung aller möglichen Gegenstände" (A 145). Kant sieht den Schematismus als eine „verborgene Kunst in den Tiefen der menschlichen Seele" (B 181), die in geheimer Weise die Kunst der Natur entdecke. Der Grund des transzendentalen Schematismus als a priori regulierendem und die Dinge herstellendem Verstande ist Kants These einer Physiko-Technologie als Teleologie des Verstandes. Es ist die Angemessenheit der Natur an den menschlichen Verstand, die „technisch vorgestellt" wird, „ein Begriff, der subjektiv Grundsätze abgibt, die der Nachforschung der Natur zum Leitfaden dienen" [26]. Die subjektive

---

[24] F. Nietzsche, Werke (Schlechta), Bd. III, 882.

[25] I.Kant, Kritik der reinen Vernunft (Schmidt), A 141.

[26] I. Kant, Einleitung in die Kritik der Urteilskraft, Erste Fassung, Anmerkung, (Weischedel) Bd. 8, 181.

Vorstellung der Zweckmäßigkeit der Natur als dem „eigentümlichen Prinzip der Urteilskraft ist also: die Natur spezifiziert ihre allgemeinen Gesetze zu empirischen, gemäß der Form eines logischen Systems, zum Behuf der Urteilskraft... Also denkt sich die Urteilskraft durch ihr Prinzip eine Zweckmäßigkeit der Natur, in der Spezifikation ihrer Formen durch empirische Gesetze" (ibid.). Diese Zweckmäßigkeit der Natur, die sich an einer postulierten geheimen Teleologie der Natur orientierte, wie sich die praktische Vernunft durch das transzendentale Ideal bestimmte, mußten in jenem Augenblicke sich wandeln, als die reproduktive Einbildungskraft als produktive Einbildungskraft überhaupt, schließlich in die absolute Selbstproduktion als historischem Produktionsprozess als Arbeitsprozess sich übersetzte. Damit einhergehend lief die Kritik einer an sich bestehenden oder geforderten Teleologie in Natur und menschlicher Praxis und ihre Destruktion. Bis schließlich die maßgebliche Herausstellung der Wirkursache als einzigen Typs von Kausalität durch die naturwissenschaftliche Methode Wahrheit als Verifikation nur noch durch den Effekt und Erfolg bemessen wollte. Es ist die ‚effizient' fortgetriebene ‚Logik der Forschung', der auf allen Fronten erfolgreich fortschreitende Prozess der Produktion, der sich selbst durch seine Erfolge rechtfertigt, der sich auf faszinierende Weise in alle möglichen Richtungen forttreibt, Technik und Ökonomie zu ungeahnten Möglichkeiten steigert und alle Lebensverhältnisse tief verändert. Man kann diesen Vorgang vor allem am Wandel des Experiments ablesen und verdeutlichen, das erst nur die sog. schlichte Hinnahme, gesteigert die gezielte Beobachtung verlangte, dann die Bewegungen und Vorgänge durch einen mathematischen Vorblick sehen und beschreiben lernte, bis das Experiment zum bewußt angesetzten Projekt und zum Forschungsprozess bestimmt wird, der als wissenschaftlicher Produktionsprozess und eigentliche Produktivkraft die technische und ökonomische Revolutionierung der Lebenswelt des Menschen bedingt und schließlich als Gesellschaftsexperiment den Menschen so zu produzieren sich anschickt, wie er Artefakte produziert. Die Mathematik wird zum Organon aller positiven und herstellenden Wissenschaften, auch der Sozialwissenschaften. Natur und Mensch werden quantifiziert, gesetzlich fixiert, um die Möglichkeiten der Beherrschung und Steuerung dieses Prozesses zu vergrößern. Die Zukunft und Gegenwart werden Rechenexempel eines Computers, der Mensch selbst erscheint als „sozialer Quotient" (Nossack).

Allzu lange hat man den modernen technischen Prozess nur aus der Stufe der handwerklich fixierten techne der Werkzeugkultur interpretiert. Aber die Maschine und ihre apparative Zusammenstellung in der Fabrik zu einem System der Produktion hat ein ganz anderes Wesen. Die Maschine ist das Konstrukt aus dem mathematischen Erfindungsgeist des Ingenieurs, der die durch die Naturwissenschaft freigesetzten Energien und Gesetze durch sie hindurch geplant arbeiten läßt und den Arbeiter sich anpasst. „Der Produktionsprozess hat aufgehört, Arbeitsprozess in dem Sinn zu sein, daß die Arbeit als die ihn beherrschende Einheit über ihn übergriffe. Sie erscheint vielmehr nur als bewußtes Organ an vielen Punkten des mechanischen Systems in einzelnen lebendigen Arbeitern; zerstreut, subsumiert unter den Gesamtprozess der Maschinerie selbst, selbst nur ein Glied des Systems, dessen Einheit nicht in den lebendigen Arbeitern, sondern in der lebendigen (aktiven) Maschinerie existiert, die seinem einzelnen, unbedeutenden Tun gegenüber als gewaltiger Organismus ihm gegenüber erscheint. In der Maschinerie tritt die vergegenständlichte Arbeit der lebendigen Arbeit im Arbeitsprozess selbst als die sie beherrschende Macht gegenüber, die das Kapital als Aneignung der lebendigen Arbeit seiner Form nach ist" [27]. Die Produktion hat grundsätzlich wissenschaftlichen Charakter und die unmittelbare Arbeit ist herabgesetzt zu einem bloßen Moment dieses Prozesses. „Da die Gesamtbewegung der Fabrik nicht vom Arbeiter ausgeht, sondern von der Maschine, kann fortwährender Personenwechsel stattfinden ohne Unterbrechung des Arbeitsprozesses" [28]. Es soll jederzeit die vollkommene Hingabe des einzelnen an den ‚Betrieb', die wirksamste und zugleich sparsamste Einordnung seiner Tätigkeit und Kräfte auf den Erfolg des Ganzen erreicht werden. Man streitet sich nur noch darüber, ob das menschliche Material nach den Grundsätzen des Taylorismus oder Fordismus am besten genutzt ist. Ein Maximum an Versachlichung der Arbeit ist dann erreicht, wenn das Einreten individuell gearteter Situationen im Fertigungsprozess des ‚laufenden Bandes' nahezu ausgeschlossen ist. Die Maschine, überhaupt das Maschinensystem zwingt die Menschen unter eine ‚eiserne' Disziplin. Die Maschine verhärtet, registriert, sieht voraus, präzisiert. „Sie übertreibt die

---

[27] K. Marx, Grundrisse der Kritik der politischen Ökonomie, Berlin (Dietz) 1953, 585.

[28] K. Marx, Das Kapital, Berlin (Dietz) 1953, 442.

den Lebenden eigene Möglichkeit, sich zu erhalten und vorauszusehen, und sie strebt danach, das launische Leben der Menschen, ihre vagen Erinnerungen, die dämmrige Zukunft, das unbestimmte Morgen in eine Art *unveränderter Gegenwart* (présent identique) zu verwandeln, vergleichbar dem stationären Gang eines Motors, der seine *Normalgeschwindigkeit* (vitesse de régime) erreicht hat" [29].

Der Staat selbst wird zur machina machinarum. Er rechtfertigt sich durch Machtgewinnung und Machterhaltung, die sich wechselseitig bedingen; er bedarf vor allem der Steuerung des Zivilisationsprozesses als Produktionsprozess. Während das 19. und 20. Jh. eine Explosion der positiven Wissenschaften heraufführen, während Algebra, Mechanik und Kapital die grossen Chiffren, den wachsenden Abstraktionsprozess der Weltverwandlung anzeigen, bauen sich durch diese Bewegung hindurch die grossen apparativen Mächte der Wirtschaft, der Verwaltung, des Militärs und schließlich der Parteien und ihrer Ideologien auf, die eigentlich keine politische Wahrheit mehr beanspruchen, sondern nur noch ad hoc formulierte Waffen zur Bewußtseinssteuerung der Massen und zur Machtgewinnung anstreben, nachdem alle Sinnfragen menschlicher Existenz und Koexistenz zu „Weltanschauungsfragen" degenerierten, die sich wechselseitig ihre Wahrheit bestreiten und im äußersten Falle sich vernichten wollen. Die Feindschaft der weltanschaulichen Systeme wird im konkreten Fall so furchtbar, daß man nicht einmal mehr von Feind und Feindschaft sprechen kann. Beides wird in aller Form vorher geächtet und verdammt, bevor das Vernichtungswerk beginnen kann. Die Vernichtung wird ganz abstrakt und absolut, heute etwa von Computerzentren nuklearer Waffenarsenale aus gesteuert. Die Vernichtung richtet sich überhaupt nicht mehr gegen einen Feind, sondern dient nur noch einer objektiven Durchsetzung höchster Werte, für die kein Preis zu hoch ist.

Die fortgeschrittenste Folge der Produktion, die ins Zeitalter der Kybernetik übergegangen ist, vollbringen schließlich die Gesellschaftsingenieure und Humantechnologen, die abseits aller weltanschaulichen Querelen den Produktionsprozess rein formal betrachten, alle Herstellungsprozesse nur noch nach Regeln beschreiben, welche die Umwandlungen von Eingangsgrößen in Ausgangsgrößen verwirklichen. Da allgemein Herstellungsprozesse und ihre Produkte

---

[29] P. Valéry, Oeuvres, tome II (choses tues), 1960 (Gallimard), p. 515.

Übertragungssysteme mit oder ohne Eingabe, Steuerungs-Regelungs-Adaptionsprozesse etc. darstellen, so können sie, wenn die Regeln ihrer Umwandlungen exakt formuliert werden, in mathematischen Modellen beschrieben werden. Man will dadurch

a) eine generelle Ableitbarkeit von Phänomenen aus Regeln erreichen;
b) man kann dadurch die Struktur der in mathematischen Modellen abgebildeten Übertragungssysteme zum Zweck ihrer wechselseitigen Ersetzbarkeit (Isomorphien) überprüfen;
c) man versucht, durch Variation und Kombination andere Übertragungssysteme zu konstruieren.

Das Zeitalter der absoluten Produktion und Steuerung konstruiert Apparate, Aggregate und Systeme

a) zur Erhaltung von Zuständen (ökonomischen, gesellschaftlichen, politischen),
b) zur fortgesetzten effektiveren Nutzung von Energien (natürlichen und menschlichen),
c) zur höheren und weitreichenderen Gewinnung und Speicherung von Information irgend möglichen Interesses.

Das technisch-wissenschaftlich-industrielle Gepräge richtet sich im System der Automation und Steuerung (Kybernation, Fromm) ein und rechtfertigt sich aus sich selbst. Das ganze Erziehungssystem hat sich gemäß diesen Bedingungen und Entwicklungen umgestalten müssen.

Zwar versuchte man gegenüber der rapiden Überfremdung der pädagogischen Provinz verschiedene Formen von Humanismen diesem Prozess entgegenzustellen. Man berief sich auf das Daseinsrecht der individuellen Existenz und stellte die Person bald auf ihr „Gewachsensein", ihre „Echtheit", ihre „Ursprünglichkeit", ihre „Instinktivität", ihre „Finalität", ihre „Rationalität", „Idealität", „Realität", „Vitalität", „Spontaneität" und „Kreatürlichkeit", konnte aber gegenüber dem Druck und Sog der geschichtlichen Entwicklung nicht standhalten, schließlich angesichts der administrativ verordneten Umformung der Erziehung, formuliert als Ausbildungsprozess, nichts ausrichten. Der Ausbildungsprozess soll mit dem Produktionsprozess zusammengeschlossen und von ihm aus gesteuert werden. Das jedenfalls ist die unausgesprochene Intention der durch Robinsohn angestossenen curricularen Reformen, die den Bildungsprozess als Ausbildungsprozess durch eine im voraus festgesetzte Qualifikationsfolge interpretieren, welche sich nach dem Bedarf der nachgefragten Qualifikationen auf dem Arbeitsmarkt richten soll.

Deshalb wird die individuelle Existenz als potentielle Produktivkraft durch mannigfache Umstände bestimmt gedacht, unter anderem durch den Durchschnittsgrad ihrer entwickelten Intelligenz, die Entwicklungsstufe ihrer wissenschaftlichen Formierung, ihrer jeweiligen technologischen Anwendbarkeit (ausgedrückte Qualifikationen) und ihrer gesteigerten Variabilität und Disponibilität, um für die gesellschaftliche Kombination des Produktionsprozesses fungibel zu bleiben. Die Lehr- und Lernforschung gewinnt an Gewicht und versucht den curricular gesteuerten Lernprozess nach allgemeinen und individuellen designs und ihrer Variablen zu bestimmen, um die vorausgesetzten Qualifikationen zu erreichen. Gefordert ist einerseits die spezialistische Ausbildung. Aber vom Spezialisten gilt das Paradoxon, daß er von immer weniger immer mehr, bis er von nichts alles versteht. Und trotzdem soll er fungibel bleiben. Fungibilität und Funktion bestimmen sich nach der jeweils erwarteten Leistung, auf die das Leben abgestellt wird. Der grosse Stil und die grosse Bedingung, das unangefochtene Credo individueller Existenz, in der heute fast jedermann lebt und von der her er sich abschätzen soll, lautet: LERNE-LEISTE-SPARE-WAS: DANN KANNST DU — BIST DU — HAST DU —WAS! Dieser Satz formuliert eine einzige Monotonie und Folge: den ERFOLG. Überhaupt soll die ganze menschliche Existenz zum Erfolg werden: konditioniertes Leben, entworfen und produziert, das sich selbst in seiner individuellen und kollektiven Existenz fraglos bleibt. Der Mensch ist vor allem heute monoton und apathisch gestimmte Fortkommenssorge, deren Symptome sich nach den Krisenlagen, Bedürfnissen und Ängsten der Zeit ausrichten. Es sind die Großwetterlagen und Klimaumschwünge der rapide und unvermutet umschlagenden Prozesse in Wissenschaft, Technologie, Ökonomie und Politik, die als Fieberzustände und Chocs den Gesellschaftskörper überraschen und überfallen, sodaß die meisten Menschen in einer andauernden latenten oder patenten Angst leben, die in den inflatorischen und deflatorischen Zyklen und Rhythmen bald ansteigt, bald fällt, aber niemals verschwindet.

Die begriffliche Fassung des zweiten Schrittes sollte die Voraussetzungen und Folgen markieren, daß der wissenschaftlich-technologisch-ökonomische Prozess der Produktion, der sich selbst legitimiert und absolviert, in seiner Vollendung als der perfekte Nihilismus sich erweist, weil er alle Sinnfragen des Lebens als Überlebens in der reinen Funktion (Leben als Rohstoff von Leistungen) aufhob und darauf sich festgestellt hat und beharrt.

Was ist aber das Maß, wodurch sich der Mensch messen können soll? „Cela est bien connu, mais je veux dire, encore une fois, que cela est profondément oublié. Sans quoi on ne méconnaîtrait pas le principe des principes, c'est que l'enseignement, loin de suivre l'entraînement de la technique, doit au contraire remonter énergiquement cette pente et retrouver l'ordre de l'esprit, je veux dire l'ordre qui éclaire, qui fait comprendre, qui donne quelque idée de la nécessité naturelle, et, par opposition quelque idée aussi de la liberté de l'esprit, valeur suprême maintenant sacrifiée à l'ivresse du pouvoir" [30].

Was aber ist das bekannte und doch ganz vergessene Prinzip aller Prinzipien der Erziehung, das uns eine Idee der Notwendigkeit der Natur und der Freiheit des Geistes vermittelt, wenn darin der gesuchte Ort der allgemeinen Bildung und ihrer geschichtlichen Bestimmung liegen soll?

Es kommt darauf an, die großen geschichtlichen Anfänge und Aufgänge, darin sich die Epochen drehen, für die nachwachsende Generation sichtbar zu machen und einzusehen, worauf sich eine Epoche der Zivilisationsgeschichte gründet und baut, worin ihr Entwurf, die Entdeckung des Bodens, die Entfaltung des Entwurfs als Besiedlung, Annexion und Handeln auf diesem Grunde sich formiert und wie dieser Entwurf aus sich selbst heraus seine notwendige Grenze finden muß, aufgrund seiner Monotonie erstarrt und sich schließlich aufhebt: wie eine Kolonisationsgeschichte mit wechselnden Folgen in der Entkolonisierung des besetzten Bodens endet. Die europäische Zivilisationsgeschichte ist eine Gründungsgeschichte, die die Welt, worin alle Menschentümer ruhten, vor allem aus ihrer Rationalität — wozu als Gegenstellungen auch alle irrationalen Haltungen gehören — gründete, wobei der Grund zunächst aus der Finalität (causa finalis der religiös und philosophisch orientierten Welt)

---

[30] Alain, Propos II, (Gallimard) 1970, p. 958.

und nach deren Liquidation und Kritik durch die positiven Wissenschaften der Grund nur noch aus der Wirkursache (causa efficiens des Effektes und der Effizienz) gesehen wurde, worin sich das Zeitalter der wissenschaftlich-technisch-ökonomischen Produktion einrichten konnte, das in der Uniformität der Weltzivilisation und deren jederzeit möglichen globalen Vernichtung enden kann. „Die Kompromißlosigkeit des gegenständlichen Denkens der Naturwissenschaft hat eine technische Revolution hervorgebracht, die uns nicht erlaubt, mit den politischen und ethischen Kompromissen weiterzuleben, die unsere bisherige Geschichte geprägt haben. Die Atombombe als Erkenntnis kann nicht mehr abgeschafft werden, darum verlangt sie, den Krieg als Lebensform abzuschaffen" [31]. Den Krieg abschaffen heißt aber, den Boden des Machens, der Macht und Übermächtigung nicht mehr als höchste Möglichkeit des Lebens nur schätzen. „Die fundamentale Tatsache ist die Entdekkung, daß die Materie, aus der wir und alle Dinge bestehen, nicht fest und unzerstörbar ist, sondern instabil, ein Explosivstoff. Wir sitzen alle im wahren Sinne des Wortes auf einem Pulverfaß; das hat allerdings ziemlich dicke Wände, und wir brauchten ein paar Jahrtausende, um ein Loch hineinzubohren. Jetzt aber sind wir gerade durch und können uns ohne Beschwer mit einem Streichholz in die Luft sprengen. Diese bedrohliche Situation ist einfach eine Tatsache..."[32].

In einem *dritten Schritt* muß daher nach der Wahrnehmung unserer Situation, nach ihrer begrifflichen Fassung, die Exposition eines neuen Anfangs der Erziehung gewagt werden, die man formal in dem Satze anzeigen kann: den Menschen durch den Menschen zum Menschen bringen. Diese Bewegung als Selbstverständigung der Existenz und Koexistenz bewegt sich nicht mehr auf den ausschließlichen Bahnen des Vorstellens, Verzweckens, Resultierens, Herstellens und Bewirkens auf der Ebene der sich selbst überlassenen Produktion. Es muß eine Ausarbeitung der menschlichen Existenz und Koexistenz in der durch Endlichkeit bestimmten und gebundenen Arbeitsgemeinschaft als politischer Gemeinschaft und Lebensgemeinschaft gesucht werden. Vermutlich ist es das Leichteste und Schwerste zugleich, diese nur uns eigene Endlichkeit anzuneh-

---

[31] C.F. v. Weizsäcker, in: Der Friede der Welt-Schicksal der Menschheit, Freiburg 1974, 111.

[32] M. Born, zit. in: H. Lange, Geschichte der Grundlagen der Physik, Bd.2, Freiburg 1961, 361.

men und zu bejahen. Erst so werden auch die früher alles regulierenden und alles entscheidenden Prinzipien an Gewicht verlieren, damit so ein Bann und eine Grenze durchbrochen wird, die zur fixen Idee geworden ist: der Glaube, daß das menschliche Leben schließlich nur aus dem Effekt und dessen Steigerung sich verstehen könne und dürfe.

Nimmt man den Vorgang des Wissens in seiner Modernität, kann man darin die höchste Möglichkeit der Freiheitsgeschichte als Produktionsgeschichte der Selbstherstellung in Wissenschaft, Technik, Ökonomie und Politik sehen. Es ist das Feld der Geschichte der Erfahrungswissenschaften mit ihren Aufklärungsbewegungen und Revolutionsphasen in einer gesteigerten Folge von Umbrüchen und Stabilisierungen ihrer Theorien, der entdeckten und freigesetzten Energien, der daraus resultierenden Chocs, Ereignisse und Fakten, der generellen und augenblicklichen Potentiale und Gleichgewichtszustände, welche den zweideutigen Charakter dieses Vorgangs in den Krisen der Ökologie, der Ökonomie, der Politik etc. erweisen. Dies ist kein bloß zufälliges Ereignis dieser Bewegung. Sie selbst stellt sich so erst heraus und reflektiert unsere endlichen und begrenzten Möglichkeiten, wodurch sich zugleich ein Einblick aus der Geschichte der Wissenschaften der Erfahrung in die Erfahrung der Wissenschaft ergibt.

Im Zeitalter der absoluten Produktion, des Zusammenschlusses von Politik, Wissenschaft und Ökonomie in einem beginnenden planetarischen System zunehmender Steuerung und Herrschaft kommt es darauf an, den Blick aus den Erfahrungswissenschaften und Herrschaftswissenschaften, welche die mannigfachsten spezialisierten Weisen und Methoden der wissenschaftlichen, technischen und politischen Taktiken und Strategien darstellen, als Geschichte des Systems der Selbstproduktion zurückzulenken zur Erfahrung der ‚Wissenschaft' als Ort der heutigen Wirklichkeit des Menschen als dessen eigener produzierter Geschichte.

Die ‚neue Welt' entstand durch eine Folge rasch sich verbreitender Aufklärungs- und Revolutionsbewegungen. Das Licht der Wissenschaft und die Arroganz der Gewalt und Macht erweiterten den Spielraum der europäischen Geschichte und stießen das Tor auf zur Weltgeschichte, in welcher unser Dasein heute steht. Die Abstraktionsgeschichte als Baugeschichte neuzeitlichen Denkens zeigt sich nicht nur in ihren Eroberungen und Siegen, sie zeigt sich auch in den Demontagen und Liquidationen, Fluchtbewegungen und Reduktionen, Emigrationen und Exilen, Ekstasen und Heimatlosigkeiten, Pressionen und Passionen, Gehirnwäschen und Illusionen, Deportationen und Manipulationen, Resignationen und Anonymitäten, denen die Menschen ausgesetzt und unterworfen wurden. Sofern wir uns auf das ‚Überleben' als heutige Form der Transzendenz eingestellt haben, leben wir als ‚Lebewesen' in den eingeübten und eingeschliffenen Verhältnissen und Situationen des Tages und seiner Meinungen. Die Philosophie des Marktes und des Marktplatzes, die sich in Konversation, Kommunikation und Diskurs in mannigfachen Typen von Rationalität aufhält, kümmert sich als gesellschaftliches Pharmakon um eine mögliche kollektive Selbstversicherung und Beruhigung, um die Selbstbefriedung und Einstimmung in den erhofften evolutionären Prozess der zukünftigen Geschichte einer Weltzivilisation. Und wir beginnen in den sozialen Ideologien, Institutionen und Systemen uns einzurichten, die unser Leben auf verschwiegenste und intimste Weise rationalisieren, regulieren und funktionalisieren. Es entspricht unseren Neigungen, diese für endgültiger als unser Leben selbst zu halten. Aber wir fühlen auch ein mitlaufendes Unbehagen und empfinden, daß die Wüste wächst, obwohl viele Menschen aus Feigheit und Opportunismus, Gewohnheit und Resignation das Leben eines ‚Lebewesens' weiterleben, das durch Geburt, Ernährung und Fortpflanzung, durch Beschaffung und Sicherung von Lust- und Machtgewinn hindurch sich zu Ende lebt. Es gibt indes auch ‚Konversionen', andere und völlig neue Lebenserfahrungen.

Worauf sollen wir bauen, wenn die Baugeschichte der Rationalität und ihre Folgen, die wir nicht abschätzen können, fragwürdig werden? Der von den eigenen Dämonen angestoßene und aufsteigende Zweifel an sich selbst bricht die Geschichte der Entdeckungen, Entfernungen und Eroberungen heutiger Horizonte in einem neuen Licht. Durch das Auge der Wissenschaftler und Ingenieure, der Ökonomen und Politiker ist die Modernität unserer Welt entdeckt worden und uns zugefallen. Inzwischen aber bemerken wir auch den blinden Fleck im Auge der fortschrittlich denkenden Vernunft. Wir lernen inzwischen die Grammatik und Syntax unserer Denkgewohnheiten durch die aufsteigenden Konsequenzen unserer eigenen Geschichte kennen. Wir sind gewohnt, die Natur und uns selbst von außen her zu sehen und aufzufassen, durch die Sinne und die Begriffsbildungen unserer Verstandes- und Vernunftoperationen zu bestimmen und in eine Folge zu bringen. Wir haben diese durch den Ausbau der formalen Operationen in Logik und Mathematik in mannigfachster Weise erhöht und durch die spezialisierten Apparate und analytischen Methoden und Verfahren hochgesteigert. Durch diese rationalen Möglichkeiten der Erklärung, Entdeckung und Beherrschung von Natur und Mensch und ihrer Konsequenzen machen wir aber eine eigentümliche Erfahrung, indem wir zum Ausgangspunkt unserer Geschichte als ihrem jederzeit jetzt durch uns herbeiführbaren möglichen Ende zurückkehren.

So begegnen wir den Dingen und uns selbst in einer großen Befremdung, in ihrer namenlosen Faktizität und bloßen Existenz. Es bricht eine stille Mitwisserschaft und Selbstgegenwart unseres Lebens vor aller Namengebung und wissenschaftlichen Begriffsbildung in uns auf, die durch die Rhythmen des Wachens und Schlafens, des An- und Abwesens hindurchgeht, die uns in Freude und Leid, in Liebe, und Arbeit wie ein geheimer Atem durchweht und anrührt. Wir beginnen, in äußerster Nähe und Entfernung zu uns selbst und zur Welt zu leben. Unsere Siege und Niederlagen, unsere Erkenntnisse und unser Versagen, unsere sozialen Übereinkünfte und Revolutionen machen uns darauf aufmerksam, daß wir in den rationalen und gesellschaftlichen Verhältnissen nicht aufgehen und in die Geschichte der Selbsterhaltung nicht zu verrechnen sind.

Seit wir auf der Welt sind, hat man uns Wörter vorgesagt und mit ihnen ein System des Denkens und Vorstellens uns eingewöhnt, das in dem Maße, als es sich festigte, uns selbstvergessen machte. Für die Stimme unserer Existenz und Koexistenz sind wir fast untauglich geworden. Wenn wir uns selbst finden und erneut entdecken wollen, müssen wir die gelernte Sprache und was sie uns brachte gründlich verstehen und erfahren und — vergessen. Man muß die ‚Wissenschaft' und ihren Glauben an sich selbst als Problem des heutigen Lebens sehen und dieses Problem durchdenken.

Die Naturkräfte waren früher so verborgen, wie unsere produktiven Vermögen verborgen waren. Durch den wissenschaftlich-technologischen Prozess sind sie in unsere Hand übergegangen. Dadurch erhöhte sich der Schrecken und das Entsetzen über unsere eigenen Möglichkeiten ins Ungemessene, es enthüllte sich aber auch unsere unauflösbare und unkündbare Zugehörigkeit zu dieser Natur, welche in der heutigen Krise der uns eigenen ‚natürlichen' Geschichte sich offenbart.

Es gilt heute, eine andere Erfahrung des Lebens zu machen, die vermutlich in jener Richtung liegt, welche eine Tagebuchnotiz Klees anzeigt, die jetzt auf dessen Grabplatte steht:

> Diesseitig bin ich gar nicht faßbar.
> Denn ich wohne grade so gut bei den Toten
> wie bei den Ungeborenen.
> Etwas näher dem Herzen der Schöpfung als üblich.
> Und noch lange nicht nahe genug.

„Dazu fügen wir die Wahrheit, die alle kennen, doch wenige vermögen: Sterbliches Denken muß in das Dunkel der Brunnentiefe sich hinablassen, um bei Tag den Stern zu sehen! Schwerer bleibt es, die Lauterkeit des Dunklen zu wahren, als eine Helle herbeizuschaffen, die nur als solche scheinen will" [33].

---

[33] M. Heidegger, Grundsätze des Denkens, in: Jahrbuch für Psychologie und Psychotherapie 6 (1958), 40.

ZUR PERSON DER AUTOREN

ERNST BENZ

Geboren in Friedrichshafen am Bodensee 17. Nov. 1907.
Studium der klassischen Philologie, Philosophie in Tübingen, Rom und Berlin, der evangelischen Theologie in Berlin.
1929: Dr. phil. Tübingen.
1931: Lic. theol. Berlin.
1932: Privatdozent der Kirchen- und Dogmengeschichte an der Martin-Luther-Universität Halle/Wittenberg.
1935-73: Professor für Kirchen- und Dogmengeschichte an der Philipps-Universität Marburg.
Mitglied der Akademie der Wissenschaften und der Literatur, Mainz, der American Academy of Arts and Sciences, Boston, Massachusetts, U.S.A., der Académie Septentrionale, Paris, der Katholischen Akademie, Wien, Mitglied der deutschen UNESCO-Kommission.
Mitherausgeber der von der Klopstock-Stiftung betreuten Zeitschrift für Religions- und Geistesgeschichte, E. J. Brill-Verlag.

Ausgewählte Veröffentlichungen:

Ecclesia Spiritualis. Kirchenidee und Geschichtstheologie der franziskanischen Reformation. Stuttgart 1934, Darmstadt 1964.
Nietzsches Ideen zur Geschichte des Christentums. Stuttgart 1937.
Emanuel Swedenborg, Naturforscher und Seher. München 1948, Zürich 1969.
Die Ostkirche im Licht der protestantischen Geschichtsschreibung. Freiburg 1952.
Bischofsamt und apostolische Sukzession im deutschen Protestantismus. Stuttgart 1953.
Geist und Leben der Ostkirche. Hamburg 1957, München 1971.
Schelling. Werden und Wirken seines Denkens. Zürich 1955.
Kirchengeschichte in ökumenischer Sicht. Leiden 1961.
Buddhas Wiederkehr und die Zukunft Asiens. München 1963.
Patriarchen und Einsiedler. Der Tausendjährige Athos und die Zukunft der Ostkirche. Düsseldorf-Köln 1964.
Schöpfungsglaube und Endzeiterwartung. Antwort auf Teilhard de Chardins Theologie der Evolution. München 1965.
Die Vision. Erfahrungsformen und Bilderwelt. Stuttgart 1969.
Der Heilige Geist in Amerika. Düsseldorf-Köln 1970.
Neue Religionen. Stuttgart 1971.
Theologie der Elektrizität. Wiesbaden 1971.
Der Philosoph von Sans-Souci im Urteil der Theologie und Philosophie seiner Zeit. Wiesbaden 1971.
Geist und Landschaft. Stuttgart 1972.
Das Recht auf Faulheit. Stuttgart 1974.
Zahlreiche Aufsätze in in- und ausländischen Fachzeitschriften.

WILHELM FLITNER

W. F. wurde am 20. August 1889 in Berba an der Ilm geboren, besuchte Schulen in Weimar und studierte in München, Jena und Berlin 1909-1913/14. Er promovierte 1912 in Jena in Philosophie mit einer Studie über die Schule Richter/AH., Hülsen und den „Bund der Freien Männer", Jena Diederichs 1913), legte 1914 sein Staatsexamen in Germanistik, Anglistik, Geschichte ab, nahm 1914-1918 als Kriegsfreiwilliger am Weltkrieg teil. Nach dem Krieg war er Studienrat in Jena und Leiter der Volkshochschule (1919-1926), habilitierte sich an der Universität Jena im Nov. 1922 für Philosophie und Pädagogik, wurde 1926 a.o. Prof. in Kiel und o. Prof. an der Pädagog. Akademie und 1929 ord. Prof. an der Univ. Hamburg. Dort wirkte er von 1929 bis 1959 zugleich als Direktor des Pädag. Instituts der Univ. 1924-1934 gab er die Zeitschrift „Die Erziehung" im Verlag Quelle und Meyer. Leipzig, heraus. Veröffentlichungen zu Erwachsenenbildung seit 1919 und zahlreiche Aufsätze in Päd. Zeitschriften seit 1925, „Systemat. Päd." 1933; „Allgemeine Pädag." Stuttg. 1947, 13. Aufl. 1974. — „Goethe im Spätwerk" 1947, 2. Auflage 1957, „Europäische Gesittung", Zürich 1961, Dr. h. c. der Theol. Fak. Tübingen. Hessischer Goethepreis 1963, — Med. d. Hamb. Senats für Kunst. u. Wiss. 1972.

JOHANNES FLÜGGE

Johannes Flügge, Dr. phil., o. Prof. für Pädagogik an der F. U. Berlin.
Priv. 1 Berlin 37, Sophie-Charlotte-Str. 5.
Geb. 12.11.05, Studium der Evangel. Theologie, Philosophie, Germanistik, Geschichte überwiegend in Tübingen.
1931 bis 65 Schuldienst in Hamburg, unterbrochen von sieben Jahren Kriegsdienst, 1963 Habilitation für Pädagogik.
„Die sittlichen Grundlagen des Denkens bei Hegel", 2. Aufl., Heidelberg 1970;
„Die Entfaltung der Anschauungskraft", Heidelberg 1963;
„Zur Pathologie des Unterrichts" (Hrsg.), Bad Heilbrunn 1969;
„Pädagogischer Fortschritt?" (Hrsg.), Bad Heilbrunn 1970;
„Schulmündigkeit und Schulvertrag" (mit Helmut Quaritsch), Bad Heilbrunn 1972.

WOLFGANG JACOB

Der Verfasser ist Arzt und Psychotherapeut, Schüler Victor von Weizsäckers; Leiter der Abteilung für Sozialpathologie an der Universität Heidelberg und Consiliararzt der Inneren Abteilung des Südwestdeutschen Rehabilitationskrankenhauses Langensteinbach bei Karlsruhe.

Lehraufträge für „Medizinsoziologie" an der Staatswissenschaftlichen Fakultät der Universität München und für „Grundfragen der Psychosomatik und klinischen Sozialmedizin" an der Medizin. Fakultät der Technischen Universität München.

Publikationen auf zahlreichen Spezialgebieten der Medizin sowie auf dem Gebiet der medizinischen Anthropologie.

Buchbeiträge: 1968, "Medizinische Anthropologie im 19. Jahrhundert."

Demnächst:

„Kranksein und Krankheit", Beitrag zu einer Theorie der Medizin.

In Vorbereitung:

„Der Kranke und die Gesellschaft".
„Grundriss der Sozialpathologie".
„Krankenhaus und Medizin als Wissenschaft".

PASCUAL JORDAN

Eremitierter ordentlicher Professor für theoretische Physik an der Universität Hamburg, wurde geboren am 18.10.02 in Hannover als Sohn des Malers Prof. E. Jordan und seiner Ehefrau Eva, geb. Fischer.

Nach Besuch eines Reform-Gymnasiums Studium der Physik, Mathematik und Zoologie, zunächst an der Techn. Hochschule Hannover, danach an der Universität Göttingen. Promotion Göttingen 1924. Gemeinsam mit meinem Lehrer Max Born und mit Werner Heisenberg Untersuchungen über die Grundlagen der „Quanten-Mechanik", die in den Jahren seit 1925 entstand. Seit 1927 Privatdozent in Hamburg; später zunächst Außerordentlicher, seit 1935 Ordentlicher Professor an der Universität Rostock. Während des Krieges als Nachfolger von M. v. Laue an die Universität Berlin berufen. Nach Kriegsende Berufung an die Universität Hamburg, wo ich bis zu meiner Eremitierung gewirkt habe. Wissenschaftliche Beschäftigung mit Fragen der Quanten-Theorie wurde in späteren Jahren abgelöst durch Untersuchungen, die vorwiegend der Allgemeinen Relativitäts-Theorie galten. (Jedoch waren noch vorher den quanten-theoretischen Untersuchungen solche im Gebiet der Biophysik gefolgt). Anknüpfend an die „Diracsche Gravitations-Hypothese" mehrjährige Bearbeitung von Fragen der Geo-Physik.

Mehrere Bücher allgemein verständlichen Inhalts befaßten sich mit philosophischen und weltanschaulichen Folgerungen der modernen Physik. Insbesondere: „Der Naturwissenschaftler vor der religiösen Frage". Dieses Buch, von welchem 1972 die 6. Auflage erschien, wurde ergänzt durch die Bücher „Schöpfung und Geheimnis" sowie „Erkenntnis und Besinnung". Ein Buch „Begegnungen" schilderte Leben und Werk zeitgenössischer und historischer Forscherpersönlichkeiten. (Alle erwähnten Bücher erschienen im Verlag G. Stalling in Oldenburg)

HEINZ KIMMERLE

1930 In Solingen geboren.
1937-1951 Grundschule und naturwissenschaftlich-neusprachliches Gymnasium in Solingen.
1951-1957 Studium der Philosophie, ev. Theologie und Literaturwissenschaft in Tübingen, Bonn und Heidelberg.
1957 Promotion in Heidelberg mit einer Arbeit über
1958-1963 Studienleiter im Evangelischen Studienwerk e.V. in Villigst b/Schwerte/R.
1963-1964 Stipendiat der Deutschen Forschungsgemeinschaft.
1964-1969 Wissenschaftlicher Mitarbeiter am Hegel-Archiv (1964-1969 in Bonn, seitdem in Bochum).
1965 Auszeichnung mit einem wissenschaftlichen Preis durch die Klopstock-Stiftung in Hamburg für eine Arbeit über E. Blochs „Prinzip Hoffnung".
1969 Habilitation an der Abteilung für Philosophie, Pädagogik, Psychologie der Ruhr-Universität Bochum mit einer Arbeit über Hegels „System der Philosophie in den Jahren 1800-1804".

1969-1972 Dozent für Philosophie an der Ruhr-Universität Bochum.
1972 Ernennung zum ausserplanmässigen Professor.

1957 Heirat mit Eleonore Adler, seitdem drei Kinder: Christoph, Friederike, Caroline.

Veröffentlichungen:

1957: Die Hermeneutik Schleiermachers im Zusammenhang seines spekulativen Denkens.
M.S. Diss. Heidelberg.
1966: Die Zukunftsbedeutung der Hoffnung.
Bouvier-Verlag, Bonn.
1970: Das Problem der Abgeschlossenheit des Denkens.
Bouvier-Verlag, Bonn.
1971: Die Bedeutung der Geisteswissenschaften f. die Gesellschaft. Stuttgart, (Urban-Taschenbücher Reihe 80, Bd. 818) Kohlhammer-Verl.
1975: Die Gottesfrage im konkreten Theorie-Praxis-Zusammenhang.
Bouvier-Verlag, Bonn.

HANS-JOACHIM KLIMKEIT

Geboren am 22.7.1939 in Ranchi/Indien.
Schulausbildung an englischen Schulen in Indien, 1958 dt. Abitur.
1959-1965: Studium der Vgl. Religionswiss., Theologie, Indologie, Philosophie und Mathematik an den Universitäten Tübingen und Bonn.
1964: Promotion in Bonn im Fach Vgl. Religionswiss.
1965-1966: „Post-doctoral research" an der Harvard Universität, USA.
1966-1968: Forschungen zur neueren indischen Religionsgeschichte in Heidelberg, London und Bangalore (Südindien).
1968: Habilitation in Bonn.
Seit 1969: Dozent, dann Professor für Vgl. Religionswiss. in Bonn.
1972: Ordinarius und Direktor des Religionswiss. Seminars, Bonn.

Veröffentlichungen

1965: Das Wunderverständnis Ludwig Feuerbachs in religions-phänomenologischer Sicht. Bonn: L. Röhrscheid. (Diss.).
1971: Anti-religiöse Bewegungen im modernen Südindien. Eine religionssoziologische Untersuchung zur Säkularisierungsfrage. Bonn: L. Röhrscheid. (Habilitationsschrift).
1971: Gesammelte Beiträge zur vergleichenden Religionswissenschaft von G. Mensching, (Festschrift zum 70. Geb.), hg. und eingeleitet von H.-J. Klimkeit. Bonn: L. Röhrscheid.

Ferner verschiedene Aufsätze über moderne Entwicklungen in den indischen Religionen, über allg. Religionsgeschichte und über Probleme des Religionsvergleichs.

In Vorbereitung:

Eine Studie über den modernen politischen Hinduismus.
Arbeiten zur tibetischen Religionsgeschichte.

WALTHER MATTHES

Geb. am 3.9.1901 in Halberstadt. Besuch der humanistischen Gymnasien in Belgard an der Persante (Pommern) und Neuruppin (Mark Brandenburg). Studium von 1920 bis 1925 meist an der Friedrich-Wilhelms-Universität zu Berlin, vorübergehend in Marburg und Budapest. Studiengebiete waren: Vor- und Frühgeschichte, Geschichte, Germanistik, Historische Geographie, Geologie, Kunstgeschichte und Philosophie. Abschluß durch Promotion. Von 1925 bis 1928 Durchführung der Archäologischen Landesaufnahme des Kreises Ostprignitz. 1928-1934 Leitung des Museums in Beuthen (Oberschlesien) in Zusammenhang mit denkmalpflegerischer Tätigkeit in Oberschlesien, dabei Entwicklung des Beuthener Heimatmuseums zum Oberschlesischen Landesmuseum und Eröffnung des Neubaus im Jahre 1932. Ab 1934 ordentlicher Professor für Vorgeschichte und germanische Frühgeschichte und Direktor des Seminars für Vor- und Frühgeschichte an der Universität Hamburg. Emeritierung im Jahre 1969.

Arbeitsgebiete in Forschung und Lehre (in Auswahl): Überblick über die Kulturentwicklung von der Urzeit bis zum Beginn der geschichtlichen Zeit. Kultur der spätrömischen Zeit im Elbgebiet. Vor- und frühgeschichtliche Entwicklung in Brandenburg. Oberschlesien und Nordwestdeutschland. Germanische Stammeskunde. Megalithkultur der Bretagne. Frühmittelalterliche Kunst und Anfänge der vorgeschichtlichen Kunst. Alteuropäische Geistesgeschichte. Grenzfragen von Vorgeschichte und Geschichte.

Auswahl aus den Veröffentlichungen: Urgeschichte des Kreises Ostprignitz, Leipzig 1929. Die nördlichen Elbgermanen in spätrömischer Zeit, Leipzig 1931. Die Gliederung der altgermanischen Zeit, in: Mannus, 28. Jg (1936). Die Sweben, in: Vorgeschichte der deutschen Stämme, Leipzig 1941. Die Entdeckung neuer paläolithischer Fundplätze bei Hamburg, in: Zotz-Festschrift „Steinzeitfragen der Alten und Neuen Welt", Bonn 1961. Frühe bildende Kunst in Europa, in: Europa auf der Waage, Festschrift der Klopstockstiftung, Köln 1963. Eiszeitkunst im Nordseeraum, Otterndorf 1969.

Anschrift: D2 Hamburg 55, Caprivistr. 36.

PAUL SCHÜTZ

Geboren in Berlin, 23.1.1891
1914: Dr. phil. Jena
1922: Dr. theol. Halle/S.
1971: Dr. theol. h.c. Basel
1925-1940: Pfarrer in Schwabendorf bei Marburg/L.
1930-1937: Privatdozent in Gießen
1940-1952: Hauptpastor in Hamburg und Professor für systematische Theologie und Philosophie an der Kirchlichen Hochschule, Hamburg.
1952: Ausscheiden aus der Hamburgischen Landeskirche wegen Lehrdissensus
Seitdem wohnhaft in Söcking/Obb.

Veröffentlichungen:

Ges. Werke I, Evangelium. Hamburg 1966.
II, Das Mysterium der Geschichte. Hamburg 1963.
III, Freiheit — Hoffnung — Prophetie. Hamburg 1963.
IV, An den Menschen. Hamburg 1971.
Zwischen Nil und Kaukasus. (1930), Kassel 1953, 3.Aufl.
Säkulare Religion, Tübingen 1932.
Der Anti-Christus. Berlin 1933.
Warum ich noch ein Christ bin. (1937), Hamburg 1969, 7. Aufl.
Charisma Hoffnung. Hamburg 1962.
Schöpferisches Ärgernis. Weilheim 1963.
Die Kunst des Bibellesens. Hamburg 1964.
Das Wagnis des Menschen. Hamburg 1966.
Die Glaubwürdigkeit des Absurden. Hamburg 1970.
Was heißt „Wiederkunft Christi"? Freiburg 1972.
Wie ist Glaube möglich? Hamburg 1974.

FRANZ-A. SCHWARZ

Studierte Theologie, Altphilologie, Geschichte, Wissenschaftliche Politik, Erziehungswissenschaft und Philosophie in Tübingen, München und Freiburg i.Br. Er war nach seinem Staatsexamen Assistent an der Päd. Hochschule Freiburg (1969-1971) und (1971-73) an der Univ. Freiburg (Sem. für Philosophie und Erziehungswissenschaft) und erhält z. Zt. (1974-75) ein Stipendium.